L'AUTRE PERSONNE

Du même auteur

Chez le même éditeur

JOURNAL D'UN VOYAGE EN CHINE
LES PASSIONS INDÉCISES
LES FILLES DU CALVAIRE

Aux Editions Gallimard

VARIATIONS SUR L'IMPOSTURE

LUCIE FAURE

L'AUTRE PERSONNE

roman

JULLIARD

IL A ÉTÉ TIRÉ DE CET OUVRAGE SUR ALFA MOUSSE DES PAPETERIES NAVARRE VINGT EXEMPLAIRES NUMÉROTÉS DE 1 A 20 PLUS DIX EXEMPLAIRES HORS COMMERCE NUMÉROTÉS H.C. 1 A H.C. 10 LE TOUT CONSTITUANT L'ÉDITION ORIGINALE.

© Julliard, 1968

Il n'est pas d'art plus difficile que celui de vivre. Dans les autres arts et sciences, on trouve partout des maîtres. Il faut toute une vie pour apprendre à vivre et, ce qui nous surprendra plus encore, toute une vie pour apprendre à mourir.

Sénèque.

CHAPITRE PREMIER

Qui donc a conçu les fenêtres à petits carreaux ? Il pourrait ouvrir un manuel d'architecture, mais il ne saurait pas vraiment ce qui lui importe tout à coup. On lui apprendrait où et quand, pour la première fois, cette forme est apparue, mais ce qu'il veut connaître c'est le nom de l'homme qui, le premier, a imaginé ce quadrillage obsédant. Il voudrait s'en prendre à celui qui l'oblige à voir ce paysage de montagnes en vingt-huit parties, en autant de fragments qui s'accordent tant bien que mal. Lorsque le bleu du ciel s'estompe jusqu'à s'attendrir, inexorablement ces barres apparaissent pour rompre son rêve. Puzzle sans fantaisie et piège sans méandres. Parfois il essaie de ne pas voir au-delà de cette vitre, de la regarder comme un objet, mais alors seul le bois se détache, une grille se dessine, une grille de prison. Et si prison il y a, il est le prisonnier. Qu'est-il d'autre en effet ? Dans cette clinique, ne cherche-t-il pas à s'évader ? De quoi ? Du travail stérile, des autres, qui déjà ne comptent plus ? Espère-t-il après cet effort devenir un homme neuf, enfin libéré de lui-même ? Une cure en quelque sorte. Une cure qui raconterait d'autres cures. On écrit bien le roman d'un roman.

Remi Estève a décidé tout à coup de ne plus être le jouet des événements et de comprendre, du moins de s'appliquer à comprendre, le sens qu'il a choisi de donner à son existence. Remi Estève sait qu'on le croit dur, cynique, mais lui seul sait aussi qu'il est bon, tendre, sensible ; c'est après avoir été attaqué qu'il devient le méchant que les autres connaissent. Et s'ils connaissent celui-là seulement, c'est qu'il est déjà blessé avant même que la journée commence.

Ainsi, Remi sent bien qu'il se lève le matin tel qu'il est vraiment, intact, réceptif, lisse : parfait. Pourtant, à peine arrivé à son bureau, à peine a-t-il lu le courrier qu'il est devenu l'autre, cet autre qui n'est pas aimé. Il n'a encore parlé à personne. Sa secrétaire viendra dès son appel et c'est celui-là qu'elle rencontrera, le même homme depuis quinze ans, ce patron inflexible qu'elle vénère pour sa dureté. Qu'arriverait-il si elle découvrait soudain combien il est vulnérable ?

L'AUTRE PERSONNE

Elle le mépriserait assurément... Mais le comportement de Remi s'en trouverait-il expliqué ? S'il en était ainsi, c'est qu'il aurait choisi de jouer ce personnage pour n'être pas méprisé. Or il n'en est rien. Dès le premier contact avec l'extérieur il est cet autre malgré lui, en réaction à l'agressivité du monde. Il ne s'agit pas là d'un habit supplémentaire qu'il endosserait mais bien d'un changement réel qui s'opère. Chaque nuit, par un optimisme inhérent à sa nature vraiment bonne, il redevient lui-même.

Ne devrait-il pas y avoir un matin où il ne serait l'objet d'aucune attaque, où il pourrait se conduire dans la vie comme celui qu'il devient grâce à la solitude bienfaisante ? Cela devrait arriver. Pourtant, jamais, pas un seul jour, il n'a pu rester indemne et, s'il existe bien les dimanches solitaires, personne alors ne rencontre Remi.

Il s'irrite : on le croit intéressé ! Détestable expression ! Nul n'ignore que l'on peut être intéressé par les arts, la littérature, les femmes ou la politique, mais que si l'on ne précise pas, c'est toujours de l'argent qu'il s'agit. Comme s'il s'en souciait plus qu'un autre ! En vérité, Remi ne vient-il pas de s'apercevoir qu'il se réfère souvent à la notion de prix et de valeur tout ensemble ? A propos des êtres comme à propos des choses... Curieuse coïncidence. Est-ce nouveau ou seulement nouvelle la conscience qu'il en prend ?

Donc on dit de lui qu'il est intéressé. Parce que son métier consiste à manier l'argent. Ce n'est pas si simple. Avoir l'argent pour premier souci ne conduirait pas à l'idéalisme ? Pourquoi ? L'argent... une idée, un mythe, au-delà de certains chiffres bien entendu — au-delà de ce point où l'imaginaire intervient avec le goût du risque. Si Remi a choisi cette activité, c'est avec le ferme propos de réussir brillamment. Et parce qu'il est un homme fort, audacieux. Souvent, lorsqu'il perçoit une réticence de l'interlocuteur devant l'énormité d'un chiffre, il s'emporte.

— Mais oui, j'ai bien dit : douze mille actions... non, à vingt-cinq... Pour qui me prennent-ils ?... Bien sûr, ils céderont. Pas un autre preneur pour un tel paquet.

Il raccroche, un rictus méprisant le marque un instant, puis les traits retombent et les rides se replacent. Une fois encore il a gagné. A quoi bon ? Songe-t-il aussitôt.

« C'est entendu, la matière que je traite est l'argent, mais je la transforme. L'argent entre mes mains n'est qu'un signe, je n'y touche jamais. Il passe d'une colonne à l'autre d'un livre ; il suffit d'un télégramme pour qu'on le retrouve à l'autre bout du monde. Pour moi, il ne cesse jamais d'être un symbole... symbole de quoi ?...

« Considérant que je suis riche, très riche même, on estime que je dépense avec parcimonie. Je ne m'attache guère aux biens matériels. Est-ce une faute ? Il ne me semble pas. Je suis un créateur. Mais je dois me rendre à l'évidence : on ne m'aime pas. On me juge sur cette apparence dont je ne peux me défaire. Celui que je suis en ouvrant les yeux n'a jamais été rencontré par quiconque car dès le premier contact c'est un rapport de forces qui s'établit ; dois-je me laisser dominer ? Ne peut-on, parfois, avoir seul raison contre tous ? Quelle est cette loi qui décide que la vérité est détenue par les plus nombreux ? Pourquoi ne veut-on pas comprendre que j'attends le miracle, que j'attends l'absolu ? Cela a orienté toute ma vie. Je donne à l'autre toutes ses chances : cette fois, ce sera la sœur compréhensive ou le frère attendu. Toujours les choses se détériorent et je reviens meurtri, déjà disposé pourtant à de nouveaux dons. Les déceptions qui se succèdent ne m'assagissent pas. A chaque rencontre d'un être neuf je recommence à croire que, précisément, chez cet inconnu, je trouverai ce que je cherche depuis si longtemps : nous parlerions le même langage, je serais entendu. La preuve ? Je suis même prêt à donner à autrui le seul bien dont il est vrai que je sois avare : mon temps. Et malgré ce besoin de générosité je ne suis pas aimé. Pourquoi ? Cela, il me faut le comprendre. »

Dans les affaires, Remi Estève accepte de jouer le jeu tout comme un autre. Il sait se montrer habile avec ceux qui demeurent des étrangers et paradoxalement sa courtoisie et sa bonne grâce sont proverbiales. Tout se gâte lorsque l'on entre plus avant dans sa vie, alors les difficultés apparaissent car il se refuse à toute hypocrisie. Ce désir d'absolu, de vérité totale ne lui a jamais permis de trouver de partenaire à sa taille. L'hypocrisie ? Il sait en user lui aussi lorsque ce n'est là qu'un des modes du savoir-vivre, mais à ses yeux il n'existe pas au-delà de zones indécises où la vérité se mêle au mensonge pour la plus grande facilité. Il ne doit rien à personne, pourquoi transiger ? On lui doit beaucoup ! C'est peut-être cela qu'on ne lui pardonne pas. Et aussi d'avoir su échapper à la monotonie quotidienne grâce à son univers secret.

Ce secret qui domine sa vie serait-il un obstacle dans ses rapports avec autrui ? Emmuré par celle qui ne vit plus qu'en lui ? Allons donc ! ce n'est pas elle qui le pousse à refuser les autres et leur frivolité. Une raison mystérieuse le fait différent. Peut-être est-il tout simplement anachronique, perdu dans une époque qui n'est pas la sienne. Né trop tard. Les seuls garçons avec lesquels il ait sympathisé autrefois n'étaient jamais de sa condition. Aussi bien au collège que durant son service militaire. Ensuite, ce n'est pas qu'il les ait méprisés, bien au contraire, mais les divergences s'accentuant avec l'âge, c'étaient eux qui, moins favorisés refusaient, discrets, acerbes ou ironiques, de poursuivre les relations. « Oui... autrefois, mais maintenant tu as réussi, que viendrais-tu faire parmi nous ? » Comme si ces valeurs étaient les siennes !

Il avait beau réfléchir, regarder, comme pour l'interroger, le portrait posé sur la table de chevet ; il ne comprenait pas. Il continuait à s'accepter avec une bonne conscience inattaquée, inattaquable. Et cela restait vrai dans cette clinique comme ailleurs.

Tout juste trois années auparavant, la cinquantaine approchant, Remi Estève avait décidé de ne plus retourner aux sports d'hiver. Grand skieur, il jugea nécessaire de savoir renoncer, encore en beauté, à jouer certains personnages avant qu'ils ne se démantèlent d'eux-mêmes pour la joie mauvaise des spectateurs amis ou de hasard. Ce soin, lié au regard d'autrui, devenait un souci constant qui touchait à la manie, comme le tic contracté depuis peu et qui lui faisait fermer les yeux à la fin de chaque phrase.

A présent, Remi consacrait ces mêmes semaines à une forme de vie entre parenthèses qu'il appréciait. Trois saisons consécutives il s'était installé dans une clinique en Suisse, y abandonnant dès l'arrivée son corps et son esprit — colis dont il était heureux de se débarrasser. Il cessait d'exister pour lui-même. On le prenait en charge. Totalement et sur tous les plans. Commençaient alors ces vacances dont il avait si longtemps rêvé. Il se confiait aux autres avec bonheur. Enfin ! C'étaient ceux-là qui devenaient responsables. Il se voyait comme un nouveau-né pour lequel on agit, on décide. Son temps même était morcelé par les autres.

Pesées, analyses, massages, régimes, on le harcelait avec douceur ; il ne se souciait guère des résultats. Le malade idéal, la démission à l'état pur. On ordonnait, il obéissait. On lui rendait enfin justice. Il se sentait vraiment lui-même dans cet univers où les autres n'existaient pas. Le sommeil l'occupait beaucoup et le reste du temps il ne sortait guère. A la fin du séjour, de retour chez lui, il ne se souvenait pas d'un seul visage hormis celui du médecin. Les infirmières changeaient si souvent d'attribution qu'elles en devenaient anonymes. Bref, Remi Estève était satisfait.

Pourquoi fallut-il une fois encore que la confiance qu'il accordait à autrui lui valut un tel tracas ? Comment avoir attaché le moindre intérêt aux propos de Jacques Bernis ? Pourquoi d'abord ce fâcheux s'était-il mêlé à son groupe sans en être prié ? Et pourquoi Remi, qui ne sortait jamais, se trouvait-il là, dans cette réunion mondaine, écoutant des conseils dérisoires : « Il était fou d'abandonner en Suisse des sommes aussi considérables ! Pourquoi toujours enrichir les étrangers ? Le snobisme seul conduit à préférer ce qui se passe hors de chez soi. Pourquoi ne pas essayer cette clinique française ? » Stupide bavardage ! Pourtant, dans une conversation générale bien fastidieuse, Bernis avait su se faire entendre.

D'amis, Remi Estève n'en comptait pas... sauf Serge, bien sûr ; mais dans sa vie flottait, tant bien que mal, ce Jacques Bernis, un garçon à tout faire qu'il ne méprisait pas plus qu'un autre. On lui confiait au bureau des besognes dont il se tirait bien. Il savait être là au bon moment et Remi s'était habitué à cette présence qui n'en était pas une. Au Havre ou à Orly, Bernis savait accueillir des clients d'importance, et retenir avec tact la chambre ou la suite qui convenait. Un médiocre, certes, mais de très bonne éducation. D'ordinaire, Remi ne lui accordait que le temps de donner une consigne ou d'écouter un compte rendu. Et c'était à cause de ce fantoche qu'il se trouvait à présent dans cette clinique savoyarde si loin à tous égards de celle qu'il avait appréciée les années précédentes ! Toutes ces journées irrémédiablement gâchées, il n'était pas prêt à les oublier ni à les pardonner ! Rester dans son propre pays suffit à détruire le dépaysement. La Suisse, même toute proche, c'est néanmoins ailleurs. Et puis en France ne règne pas la même discipline ; les autres existent, on les rencontre, il advient même que l'on soit amené à échanger quelques propos. On perd ainsi le sentiment d'être unique en même temps que dépossédé. La personnalité résiste, on peut réfléchir, le temps reprend sa densité et l'on est volé de la joie d'une démission totale. Remi recherchait cet oubli de soi. Et pour cela rien ne lui eût semblé trop cher.

Il s'inquiétait, cette clinique l'amenait à se replier sur lui-même alors que la précédente le délivrait. Et, justement, il ne voulait pas de ce tête-à-tête. A présent il se trouvait bloqué. Pour quinze jours. Evidemment, partir était facile, mais il ne pourrait pas aller là-bas où chaque chambre était retenue plus d'un an à l'avance. Il ne supportait pas ces contrariétés matérielles, il eût aimé que des choses si simples se pliassent à sa volonté. Il devait bien admettre qu'il n'en était rien. Il se trouvait donc plus encombré encore de lui-même que dans la vie habituelle où, fort expert en cet art, il parvenait à se fuir assez bien.

Comment occuper toutes ces heures ? Lire, bien sûr. Des poèmes, peut-être... Mais pas de roman ! Il ne s'intéressait déjà pas aux vivants, alors aux personnages inventés... Ecrire ? Démêler ses propres soucis ? Voilà ! A M... il n'aurait jamais eu une idée aussi baroque. Avait-il seulement là-bas un stylo ? En fait, certainement, mais l'idée ne lui serait même pas venue d'ouvrir le tiroir où ses objets personnels étaient rangés tant il se croyait délivré de tout l'accessoire. Les jours passant, M... lui semblait un paradis inaccessible. Etait-ce si parfait en vérité ?

Assis devant ce bureau banal — il en possédait un si beau et qu'il n'utilisait jamais dans son appartement parisien —, Remi Estève réfléchissait, son esprit vagabondait tandis que sa main dessinait comme à son insu des signes informes et toujours renouvelés.

Les souvenirs ne s'enchaînaient pas mais surgissaient au hasard comme autant d'îlots dans la mer et Remi ne tenait ni à les dominer ni à les susciter. En vérité, il haïssait ces confrontations et surtout il n'aimait pas à se remémorer son enfance. Sa mère était morte alors qu'il avait moins d'un an. Ce petit garçon choyé mais si malheureux, il lui semblait dur de le retrouver et de se souvenir de cette tristesse qui l'habitait perpétuellement. La chape qui recouvrait chacun de ses gestes les rendait si lourds qu'il la sentait encore peser sur lui. Il évoluait cependant à cette époque dans un univers d'amour dont il était le centre. Et, de ce fait, chacun le croyait heureux. Les grandes personnes s'exclamaient sur l'agrément de son caractère sage. « Un enfant auquel on apporte une telle attention et qui ne s'en trouve pas gâté. Quel miracle ! »

Remi Estève allait-il préparer ses valises ? Ce qu'il redoutait était advenu. Les autres... toujours les autres... Avoir abandonné la Suisse... S'être laissé tenter... Pour des motifs absurdes ! Remi devait se fier à lui-même. Exclusivement. Ne le savait-il pas ?

Toujours est-il que, ce matin, le médecin, ce médecin bon enfant qui croit plus aux organes qu'à l'âme, était entré, lui apportant le résultat des diverses investigations auxquelles il avait cru devoir se livrer. Tout rayonnant, il lui tapait sur l'épaule, l'assurant qu'il n'avait rien — absolument rien —, qu'il se portait comme un jeune homme. Artères parfaites, cœur de vingt ans, etc. Comme si c'était là le souci de Remi ! Il venait ici pour fuir, qu'importait le reste ? Le médecin insistait afin que Remi prît quelque exercice et qu'aussi il se rendît parfois au salon ; ils discutèrent un moment sur le seuil de la chambre, seuil que Remi se refusait à franchir. Un client passa. On devrait ici dire un malade. Impossible d'éviter les présentations. Remi Estève n'osa pas refermer la porte aussitôt, comme il l'eût souhaité. Mais après une première concession l'on est perdu. Ce faux refuge... Le reste devait s'ensuivre. Remi savait désormais que l'homme entrevu répondait au nom de Lamblain et qu'il peignait. C'était déjà beaucoup trop en savoir.

Jusqu'alors le médecin acceptait de faire servir M. Estève dans sa chambre. Dorénavant, il s'y refuserait. Remi proposa de payer un supplément pour service en appartement, le praticien avait souri, prétendant que là n'était pas la question !

L'AUTRE PERSONNE

Remi devrait descendre ou plutôt monter à la salle à manger, qui se trouvait logée dans l'une des tours du château.

Il existait toujours, en dernier recours, les valises, mais où irait-il ? A Paris ?... A l'hôtel ?... Insupportable. Il était pris au piège. Il lui fallait prendre patience.

Comme prévu — toujours l'engrenage — Estève avait capitulé. La salle à manger était vaste, une quinzaine de tables assez éloignées les unes des autres, deux, trois couverts groupés. Des amitiés sans doute, créées au cours du séjour. La dernière bouchée avalée, Remi était redescendu. On avait tout de même accepté de lui servir l'infusion dans sa chambre. Demain, sûrement, il ne l'obtiendrait plus. Remi ne savait pas si Lamblain était dans la salle. Lecture et repas lui avaient permis de s'absorber tout entier sans lever les yeux. Au reste, ce Lamblain avait une bonne tête, Remi devait en convenir. Grand, un peu fort, presque chauve, un visage brun et ridé, on ne comprenait pas d'où émanait cet air de jeunesse. Du regard ? Des yeux rieurs enfoncés au centre de mille petites rides en éventail invitaient à la confiance. Certainement, l'homme avait dix ans de moins que Remi. Mais pourquoi s'occuper de cet intrus ? Et que faisait-il ici à son âge ? Il est trop tôt pour commencer à se soucier de son corps quand on peut encore l'entraîner à d'autres exercices. Un accident, peut-être ? En tout cas, Remi devait admettre que l'homme était sympathique. Il s'inquiétait soudain : n'allait-il pas, une fois encore, se laisser investir ?

Remi Estève était sorti dès l'aube. Sept heures n'avaient pas sonné. Il pensait ne rencontrer personne. Réfléchir, essayer d'y voir clair... L'herbe était humide, la lumière grise. Il crut que le jour n'en finirait jamais de se lever, que les couleurs n'apparaîtraient plus au milieu de cet univers ouaté et que toute sa vie allait se poursuivre dans cette symphonie délavée. Il s'aventurait sans souci dans ce parc immense lorsqu'au détour d'un chemin il aperçut le peintre installé devant son chevalet. Remi allait se détourner mais l'autre avait souri. Son travail n'allait pas... Ce n'était pas un drame, il n'était qu'un peintre du dimanche et ne prétendait à rien de plus... Il attendait visiblement une occasion de se distraire et Remi se trouvait prisonnier comme à l'ordinaire des égards qu'il portait à autrui. Il en est ainsi au début, avant l'attaque, avant la découverte qui se transforme toujours en déception, l'expérience le prouve.

Si Remi avait beaucoup voyagé au cours de son

existence, voyages d'affaires ou d'agrément, s'il avait visité des musées, des monuments, contemplé des paysages, c'était toujours l'homme qui avait retenu le plus vivement son attention. L'art n'était à ses yeux qu'un moyen d'aller plus avant dans la connaissance de l'autre. Il songeait aux longs jours solitaires qui étaient son lot, en regardant le visage bienveillant de cet inconnu. S'il avait dû le caractériser d'un mot, il eût sans doute parlé d'aisance ou de facilité — sans trace de désinvolture. Tout paraissait naturel en lui, même la bonté.

Lamblain laissa Estève se pencher sur sa toile, puis il la retourna : « Ce n'est rien, rien d'autre qu'une distraction. Voulez-vous que nous marchions un moment ? »

Il le prit par le bras et les deux hommes s'engagèrent dans les allées du parc. Peu à peu Remi se laissait gagner par cette familiarité qui semblait si spontanée.

Au retour, il s'aperçut qu'il était près de neuf heures. Il s'inquiéta soudain de ne pouvoir retrouver aucun des propos qui les avaient occupés pendant un si long temps. « En tout cas, je n'ai pas parlé de moi. Lamblain non plus n'a rien dit qui puisse m'éclairer sur lui-même ». Cela rassura Remi.

A midi, il avait renoncé à poursuivre sa petite guerre avec le médecin et c'est tout naturellement qu'il se rendit à la salle à manger. Muni de journaux et de livres, rempart efficace contre les regards, il alla tout droit vers la table qu'il occupait la veille, sans se soucier de ses voisins.

Tandis qu'il buvait son infusion — là aussi il avait cédé —, Lamblain s'avança vers lui. De tout autre Estève aurait jugé cela indiscret, mais le peintre mettait dans son comportement un tel naturel que l'obstination à s'isoler eût semblé d'un malotru.

— Vous avez eu plus que de l'indulgence pour mon travail de ce matin, cela vous amuserait-il de voir mes autres toiles ?

On eût dit qu'il pariait avec lui-même d'apprivoiser un animal ombrageux. Remi se prêtait à ce jeu, de bonne grâce cette fois.

Non, ce n'était pas un mauvais peintre, une peinture figurative où perçaient certaines recherches qui n'allaient toutefois pas assez loin. Le travail était de bonne qualité, mais l'artiste se heurtait à des difficultés que visiblement il ne parvenait pas à surmonter.

— Pour moi, il ne s'agit que d'une distraction... Je vous l'ai dit.

— Mais quel travail !

Remi voyait une dizaine de toiles et d'autres encore retournées vers le mur.

— Vous êtes là depuis longtemps ?

Il regretta aussitôt sa question.

— Un mois déjà, et ici je n'ai pas grand-chose d'autre à faire.

Remi remarquait pourtant une quantité de livres alignés sur des étagères au-dessus du divan.

Lamblain suivit son regard.

— Ça, c'est pour les soirées. Je peux difficilement peindre à la lumière électrique.

Estève ne s'ennuyait pas, mais la crainte d'être importun lui fit prendre congé un instant plus tard.

En s'éveillant le lendemain, Remi Estève était décidé à ne pas quitter son lit. Après tout, il n'était pas à l'hôtel et ne devait-on pas se soucier de lui ? Ce médecin, ces infirmières étaient là pour ça. Il sonna. Mlle Adèle se présenta. Ici, chacun portait un nom et l'on se devait de le retenir. Encore des complications ! Remi prétendit n'avoir pas fermé l'œil de la nuit — être hors d'état de quitter sa chambre. « Que le médecin veuille bien se déranger. » Mlle Adèle semblait d'humeur revêche — comme à l'ordinaire il est vrai. M. Estève attendrait, il n'était pas le seul client. Il ne le savait que trop !

A midi, Remi carillonnait et annonçait qu'il ne se rendrait pas à la salle à manger. « Au reste puisqu'on ne s'occupait pas de lui, qu'importait... » Mlle Adèle lui fit porter son repas.

De médecin toujours point.

C'est seulement deux heures plus tard que l'on frappa à la porte. Il répondit : « Oui » dans un grognement et se coula dans ses draps, prêt à jouer les moribonds.

— Vraiment, je puis entrer ?

C'était Lamblain.

Estève aurait dû penser, cette fois, qu'une telle indiscrétion devenait excessive ; il essaya plutôt de montrer bon visage.

— J'espère n'être pas importun, mais, ne vous ayant pas vu à la salle à manger, je m'inquiétais. Vous n'êtes pas souffrant au moins ? Hier, vous sembliez si bien !

Diable d'homme et désarmant.

— Non... enfin...

— Je voulais simplement vous dire que je suis là et que, si le cœur vous en dit, vous pouvez toujours frapper à ma porte... à n'importe quelle heure.

Il sourit avant de reprendre :

— Oui, je ne suis pas un malade très docile, je ne respecte guère les horaires. Ici, je suis presque un meuble. On me connaît depuis si longtemps !

Et il s'éloigna, non sans avoir jeté sur le seul objet personnel de la chambre — une photographie de femme — un regard que Remi jugea trop appuyé.

Le médecin ne se montra qu'en fin de soirée, ne prenant même pas la peine de formuler quelqu'excuse. Il avait flairé le caprice. Remi, après une explication d'où il sortit vaincu, accepta de monter pour le dîner. Allait-il achever sa cure ici ? Il se posait sérieusement la question. S'il choisissait cette solution, il lui faudrait jouer le jeu, sinon il tirerait de son séjour plus de fatigue et de soucis que de repos. Dans le cas contraire, il devait partir immédiatement. Solution absurde en vérité. Il y avait déjà réfléchi.

Jouer le jeu, cela voulait dire : vivre au milieu des autres sans être renfrogné et, puisque Lamblain était sympathique, tirer de sa compagnie le meilleur parti possible durant ces quelques jours.

Voilà maintenant Remi Estève en plein désarroi. Habitué depuis longtemps à la solitude, il s'accommodait de son esprit chagrin. Lamblain bousculait tout cela et apparemment sans en prendre conscience. Ils n'avaient pourtant plus, ni l'un ni l'autre, l'âge de ce comportement juvénile, de ces amitiés fougueuses.

Lamblain entrait, sortait, et Remi ne devait pas en paraître surpris. C'eût été attacher un sens à des actes qui n'en comportaient point.

Lamblain peignait ; il venait ensuite chercher Remi pour commenter le travail du jour. Un rayon de soleil apparaissait, il fallait en profiter ; ou bien c'était la rosée du matin qui brillait ; tout devenait prétexte à distraction et à plaisir. Une poussière... Lamblain la transformait en étincelle. Remi était un poids qu'il soulevait sans difficulté. Ils ne savaient toujours rien l'un de l'autre. Ce bavardage ne livrait qu'un fond sonore et n'était pas non plus indiscret, il donnait un ton aux journées. Lamblain savait créer une intimité qui ne se matérialisait jamais par une confidence. Feignait-il de ne pas s'apercevoir qu'Estève était différent de lui comme de tous les autres ?

Les deux hommes passaient maintenant chaque jour plusieurs heures ensemble, mais ils se séparaient pour les repas. Lamblain semblait avoir compris que Remi n'accepterait pas que l'on pût remarquer une forme quelconque de rapprochement entre eux. Cependant, un soir, Remi s'était surpris à regarder le calendrier pour calculer combien de jours il lui restait encore à passer dans cette clinique. Aurait-il fini par prendre goût à cette aventure de l'amitié ?

Parfois Lamblain fuyait un jour entier ; on le voyait seulement réapparaître pour le dîner. Remi le soupçonnait de se livrer à d'autres travaux que ceux du pinceau. Sans doute, ces jours-là, ne quittait-il pas sa chambre. Remi n'allait-il pas bientôt trouver ce compagnon de hasard trop discret ? Il ne se comprenait plus lui-même. Ainsi on vit seul, on cherche de plus en plus à se retirer du monde pour aller plus avant, justifier les démarches, et survient l'inattendu. Dans la grande ville où tout est possible, rien n'arrive jamais.

Estève savait qu'il intriguait un peu Lamblain, que celui-ci aurait voulu l'amener à se dévoiler, mais qu'il ne l'interrogerait pas. Il semblait toujours dire : « à vous de jouer ». Il ne demandait rien, heureux toutefois d'accepter ce qu'on lui donnerait. Qui céderait le premier à cette non-insistance de l'autre ? Comment parler autant en se livrant si peu ? Comment être drôle en n'étant pas méchant ?

Lamblain peignait, comme les dames font de la tapisserie — c'était là son expression —, il lisait beaucoup, mais apparemment rien d'autre que des livres de philosophie. Pourquoi était-il là ? Il semblait en très bonne santé. Quelle était sa profession ? Sa situation de famille ? Remi se posait mille questions, mais le plus surprenant n'était-il pas que cet homme l'intéressât à ce point ? Il comprenait de moins en moins. Lamblain lui paraissait fort, rassurant ; près de lui on était en paix. Pourquoi ?

Ils avaient passé ensemble une longue soirée dans la chambre d'Estève. Pour la première fois le portrait, placé bien en évidence, présidait vraiment à la rencontre. Etait-ce pour cela que Remi se sentait soudain plus libre ? Jusqu'alors, seuls quelques familiers avaient pu contempler cette photographie ; on n'accédait pas facilement à ce privilège. Remi était même allé jusqu'à se demander parfois si cette image n'avait pas joué un rôle dans sa vie conjugale.

Lamblain parlait comme à l'ordinaire. De ces propos légers qu'il savait si bien animer. Mais Remi sentait que son interlocuteur discourait comme en tenant compte d'une autre présence. Il en éprouvait une joie assez inattendue et qui touchait, croyait-il, à l'impudeur. Lui, toujours si jaloux de son monde secret, était satisfait ce soir-là de le livrer à un regard étranger. Il n'éprouvait pas du tout ce sentiment de profanation qu'il avait d'autres fois ressenti.

Ainsi, avant d'en avoir pris conscience, Remi le premier avait cédé, livrant l'essentiel de lui-même. Mais pourquoi alors ne pas aller plus avant ? Pour couper court à de fausses interprétations. Puisque le peintre avait remarqué ce visage, Remi se devait de l'éclairer.

Alors que Lamblain se levait pour prendre congé, Estève eut un geste vers le portrait :

— Ma mère...

Lamblain coupa :

— Je l'avais deviné...

Après un temps :

— D'ailleurs vous lui ressemblez.

Personne n'avait jamais dit cela... Un tel don... Ressembler...

Lamblain ouvrit la porte et cette fois les deux hommes se séparèrent silencieusement.

Remi Estève ce soir-là eut du mal à s'endormir. Comment s'être laissé aller ainsi à parler, sans préméditation, devant cet homme qui devient plus mystérieux au fur et à mesure qu'on le connaît mieux ? Rien ne le surprend, il devine jusqu'à l'incommunicable.

Remi perdit enfin conscience au moment où il rencontrait, sur une scène de music-hall, un fakir qui avait les petites rides de Lamblain. Il dormit mal. Plusieurs cauchemars le réveillèrent en sursaut. Il sentait que quelque chose d'inattendu allait lui arriver. Il voyait des précipices... On l'invitait à sauter... Il prenait peur...

Il s'éveilla alors que le soleil, pour la première fois depuis le début de son séjour, inondait sa chambre. Il se prit à réfléchir. A quoi bon se tourmenter ? Parfois il faut laisser faire le sort. Il recherchait la solitude ? Il rencontrait une sympathie inattendue, une chaleur humaine. Et cela pour quelques jours seulement. Le mieux n'était-il pas d'en profiter ? Tout simplement. Rien de tout cela n'était grave. Cette sorte de douceur, qui soudain l'enveloppait, ne représentait-elle pas une forme de repos ? Habituellement, il se raidissait dans une solitude — arbitrairement choisie, il devait bien en convenir. A présent, pris dans cette ébauche d'amitié, il se sentait glisser comme dans un bain chaud.

Ne s'agit-il tout simplement que de quelques jours agréables qui lui sont dispensés là comme une halte, ou bien cette pause prendra-t-elle un sens et pèsera-t-elle sur sa vie ? Difficile à croire, mais sait-on jamais ?

Il se voyait soudain disponible. Tout compte fait la solitude a-t-elle un autre objet ?

Alors qu'à midi Remi Estève continuait à rêvasser et à flâner, Lamblain frappait à sa porte. Remi, à force de tourner autour des questions qu'il se posait sur cet homme, avait presque oublié sa présence si proche. Toutes ces réflexions à propos d'un autre le ramenaient en vérité à lui-même. Ainsi, se disait-il, souvent il suffit d'un caillou malencontreux pour changer le cours d'une destinée. Bah ! Lamblain n'était pas un caillou !

— Le ciel est si beau que je voulais vous proposer de marcher une heure au soleil, et puis peut-être pourrions-nous, pour une fois, oublier le règlement et descendre déjeuner au village. Une auberge...

Remi promit d'être prêt en un instant. Il acceptait la promenade mais refusait le déjeuner... malgré les charmes de l'auberge.

Ils marchaient du même pas rapide. La lumière était rose, le froid sec piquait le visage. Remi se sentait jeune, prêt à de nouveaux exploits et les sapins qui se découpaient au loin ne parvenaient même pas à l'attrister.

Ils se taisaient depuis un moment lorsque Lamblain attaqua :

— Accepteriez-vous de me confier — oh ! pour quelques jours seulement — la précieuse photographie ?

Pris de court, Estève ne trouvait rien à répondre, mais déjà Lamblain poursuivait :

— Oui, je voudrais tenter, avant votre départ, de vous donner un portrait. Ne croyez pas que je ne sache ce que cela représente pour vous. Et, bien sûr, peut-être ne pourrai-je pas réaliser ce que j'espère ! Dans ce cas, je ne vous montrerai même pas mes essais. Il se peut aussi que je ne sois pas entièrement mécontent, mais que vous ne soyez pas d'accord, vous déciderez alors du sort à donner à cette toile. En tout cas, ne vous inquiétez de rien, on pourra toujours la supprimer.

Remi sursauta. Supprimer le visage de sa mère ! Et l'on se laisse aller !... On imagine être compris... C'est toujours le même brusque réveil...

— Il faudrait me faire à cette idée. Je dois réfléchir. D'ailleurs, il reste peu de jours. Il serait indispensable, évidemment, que le tableau fût terminé avant mon départ...

— Je sais...

Lamblain sourit, une fois encore :

— Si c'était nécessaire, ne pourriez-vous prolonger un peu votre séjour ?

— Je ne le crois pas...

Sèchement Estève ajouta, comme pour clore l'entretien :

— Si vous le voulez bien, je vous donnerai la réponse cet après-midi.

Ils continuèrent leur promenade en silence. Tout à ses réflexions Remi ne le remarqua qu'au moment où ils atteignaient l'entrée du château.

Ensemble, ils arrivèrent devant la porte de la salle à manger et aussitôt se séparèrent, chacun regagnant sa table.

Estève n'avait pas apporté de livre ni de journaux, mais ses pensées l'occupaient assez pour qu'il n'y prît pas même garde. Son monde intérieur, qui venait d'être si étrangement malmené, lui offrait matière suffisante à méditation.

Pour retarder sa réponse, il décida de s'accorder une longue sieste. Naturellement, il ne chercha pas le sommeil et tourner en rond autour du même sujet ne rend pas la décision plus aisée. Se séparer du portrait ? Cela ne lui était arrivé qu'une seule fois. Et par crainte des bombes ! Dans le cas présent, évidemment, sa mère demeurerait sous le même toit que lui ; il ne se séparerait pas vraiment d'elle, mais là ne résidait pas son plus important souci. L'essentiel était ailleurs. Et de quelle gravité ! En effet, qu'allait représenter le futur tableau ? D'abord, les couleurs... Depuis près d'un demi-siècle, Remi n'avait jamais imaginé sa mère autrement qu'en noir et blanc. Cet univers en grisaille était le sien. Quel choc ce serait que de le voir soudain bariolé ! Remi le supporterait-il ? Ensuite ? Eh bien ! ou cette peinture serait un reflet exact du modèle, alors pourquoi se soumettre à pareille épreuve ? Ou bien elle apporterait quelque chose d'inattendu, mais comment ? Pourquoi ? Et qu'avait-il besoin d'une révélation ? Il était parfaitement heureux avec sa mère telle qu'il la connaissait. L'harmonie régnait entre eux. Remi estimait qu'il s'agissait là de la seule vraie réussite de son existence et qu'il fallait surtout n'y pas porter atteinte.

Pourquoi, néanmoins, décida-t-il de tenter l'aventure ? Sans doute, tout n'était-il pas si parfait qu'il se plaisait à le croire. Besoin de destruction ? Crut-il vraiment que ce Lamblain pourrait, par la vertu de son pinceau, lui révéler de sa mère quelque aspect inconnu ? Remi se laissa-t-il prendre à ce jeu ? Quel pouvoir prêtait-il à cet homme ? En vérité, la curiosité plutôt s'en mêla.

Dès sa décision prise, il alla sur l'instant en faire part à Lamblain. Se méfiait-il à ce point de ses propres réactions ?

Il frappa à la porte, ouvrit, tendit le portrait. Il s'apprêtait à sortir lorsque Lamblain l'arrêta.

— Avez-vous réfléchi aux délais ?
— Je reste ici encore cinq jours.
— Bien, je me mets au travail sur-le-champ.

Remi Estève était retourné à sa solitude. Et cette fois quelle solitude ! Il ne possédait qu'un exemplaire de la photographie. On lui avait bien dit autrefois qu'il pourrait la faire reproduire... Mais un autre cliché ne serait pas cette image, un peu jaunie, qui l'accompagnait depuis son enfance. Ainsi, sa mère n'était plus près de lui, il ne pouvait plus regarder son visage. Il avait accepté de le confier à un étranger ! Il ne se comprenait plus lui-même et il découvrait la jalousie. A présent, il ne les voyait plus, ni l'un ni l'autre. Ils étaient enfermés tous deux dans une intimité dont Remi éprouvait le sentiment physique d'être exclu.

Même à la salle à manger où, maintenant, il s'intéressait à chaque physionomie, Estève ne rencontrait pas Lamblain. A croire que celui-ci ne quittait plus sa chambre depuis qu'il s'y trouvait avec elle !

Remi allait jusqu'à forger les soupçons les plus absurdes : peut-être Lamblain exécuterait-il plusieurs portraits et ne lui en soumettrait-il qu'un seul, gardant secrètement les autres ? Et puis, à quoi était réellement occupé cet homme tout au long du jour ? Peindre ? Peut-être. La contempler en tout cas. Et, soudain, Remi s'avisa que, la nuit aussi, ils étaient ensemble. N'aurait-il pas dû exiger que le portrait fût rapporté chaque soir et repris chaque matin ? Complication ? Quelle importance au regard du scandale qui l'offensait ? Comment maintenant revenir là-dessus ? Remi n'osait se rendre dans la chambre où ils se trouvaient. Une angoisse insupportable l'étreignait. Dire qu'il était venu ici pour se reposer, pour une cure de détente... Et ce cauchemar durait depuis trois jours ! Il n'allait pourtant pas attendre, placidement, sans réaction, le moment où il bouclerait sa valise, pour se préoccuper des agissements de cet étrange voisin.

Plus il réfléchissait, plus Remi se persuadait que l'attitude de Lamblain était équivoque. Comment s'être laissé prendre ainsi ? Lui d'ordinaire si circonspect ? Mais depuis quelque temps il avait d'étranges réactions ; avoir prêté foi aux propos de Bernis et maintenant cette intimité insolite avec un inconnu. Ah ! au plus vite, retourner à la solitude ! Une fois encore, il avait fait crédit et c'était un charlatan qui se démasquait. Sûrement, Remi s'était laissé envoûter. Mais il allait agir au plus tôt : dès le lendemain matin.

Et, le lendemain, il attendit encore, comme paralysé par un sortilège.

Ils avaient disparu l'un et l'autre, cela ne faisait plus de doute à présent. Remi se savait trahi, il s'attendait au pire.

Le soir du quatrième jour, n'y tenant plus, il alla frapper à leur porte.

— Entrez, dit une voix calme.

Il fut stupéfait, persuadé qu'il était qu'on ne répondrait pas.

— C'est moi...

La porte s'ouvrit. Remi recula aussitôt.

— Vous ne voulez pas entrer ?
— Enfin qu'arrive-t-il ?
— Rien, que voulez-vous qu'il arrive ?
— Mais on ne vous voit plus...

Lamblain tourna vers son visiteur le regard d'un enfant surpris par l'incompréhension d'un adulte.

— Je travaille...
— Vous ne mangez plus ?
— Si, mais à mes heures, n'importe quoi... et chez moi.
— Et vous n'avez pas pensé que je m'inquiéterais ?
— Vous inquiéter ? De quoi ? Vous pouvez entrer chez moi à tout moment, je vous l'ai déjà dit. Vous savez pourquoi je travaille... (Pourquoi ? Remi en vérité ne le savait pas.) Je ne vois vraiment pas ce qui vous tourmente.
— Ce silence ?...
— Il vous suffisait de le rompre.

Ainsi, toujours, c'était à Remi de décider, de choisir. Lamblain reprit :

— J'ai cru que, si vous ne me faisiez pas signe, c'est que vous préfériez voir le travail achevé ; je préfère cela moi aussi. N'est-ce pas le

L'AUTRE PERSONNE

plus sage ? J'ai craint, un moment, qu'il ne vous soit difficile de prendre patience, j'ai pensé ensuite m'être trompé — et je m'en félicitais.

Les deux hommes étaient toujours debout dans le couloir.

Estève poursuivait.

— Mais, lorsque j'ai frappé, vous m'avez bien dit d'entrer ?

— Evidemment.

Oui, bien sûr, Remi était libre, il demeurait le maître du jeu.

C'était pour le lendemain. Un seul jour à attendre. Qu'allait-il se passer ? Remi Estève, étendu sur son lit, gardait les yeux fixés sur le plafond. Il faisait déjà presque nuit dans la chambre, mais il ne songeait pas à sortir de l'obscurité qui l'enveloppait peu à peu. Il se plaisait dans cet engourdissement qui atténuait sa peur. Car il avait peur.

La cloche sonna, annonçant le dîner.

Il hésita. Autant monter, ce serait plus simple. Une heure passerait ainsi.

C'est en descendant qu'il trouva sur son lit le billet.

« Je suis désolé, mais le travail est plus difficile que je ne le prévoyais. Il me faut quarante-huit heures de plus. Me les donnez-vous ? Sinon que dois-je faire ? Pardonnez-moi. Christian. »

Sans aucune hésitation, Remi prit son stylo et griffonna : « D'accord, je reste. »

Ce soir-là encore, il eut bien des difficultés avant de trouver le sommeil.

Estève avait dû prévenir ses collaborateurs de ce décalage dans son horaire. De nombreux rendez-vous ayant déjà été pris, on l'appela plusieurs fois. Des étrangers s'étaient déplacés. Sa secrétaire s'agitait. Il grommelait. Oui ou non, était-il le patron ? Et pourquoi n'eût-il pas pu prendre deux jours de vacances supplémentaires sans que le monde en fût bouleversé ? Pas arrivé une fois encore en trente ans ? La belle affaire ! De mauvaises habitudes, voilà tout ! Et il raccrochait, exaspéré.

Lamblain venait de passer : « Si ce soir nous dînions ensemble ? » Remi avait accepté mais cela ne lui plaisait guère. Pourquoi mettre les autres au courant ? Comment Lamblain n'avait-il pas senti qu'Estève ne viendrait qu'à contre-cœur ?

C'est après le repas que tout devait avoir lieu. Selon un protocole que Remi se refusait à imaginer.

Il s'habillait avec soin lorsqu'il s'avisa, soudain, qu'il se préparait comme pour un mystérieux rendez-vous. Mais avait-il à cet instant le cœur d'en rire ? Qui allait-il retrouver ? Tout cela devenait trop absurde. L'interprétation du portrait par un inconnu, était-ce si important ? Une fois encore Remi se demandait comment il avait pu se laisser prendre à ce jeu éprouvant. Mais déjà la cloche sonnait.

Il faudra longtemps à Remi pour parvenir à oublier. Ils s'étaient rejoints au salon. Rapidement, ils passèrent dans la salle à manger. Lamblain semblait gai et simple comme à l'accoutumée. Il ne paraissait pas remarquer la gêne que Remi ne cherchait même pas à dissimuler. Le service, d'ordinaire assez rapide, s'étirait interminablement et Lamblain mangeait avec une application qu'Estève ne pouvait pas ne pas croire calculée. Le ciel avait été pesant toute la journée. Au milieu du repas un orage éclata. La salle, coupée d'éclairs, se trouva soudain plongée dans un climat irréel et presque insupportable. Vint enfin le moment de quitter la table.

La photographie prenait tout à coup le premier rôle. Contrairement à la plupart des clichés de cette époque, rien n'en marquait la date. La mode ne s'y révélait pas. Il s'agissait seulement d'un visage, délivré même de sa coiffure : la jeune femme — presque une adolescente — légèrement de trois quarts, portait les cheveux tombant sur le dos et rejetés en arrière. Cette image baignait dans une forme d'éternité. Remi n'avait jamais su s'il s'agissait d'un cliché d'amateur agrandi ou d'un portrait exécuté par un professionnel. Le cadre qui l'entourait était insignifiant. Un simple jonc d'argent.

Estève entra dans la chambre alors que l'orage grondait encore.

La photographie était placée sur une table au centre de la pièce. La toile, qui lui parut immense, était posée sur un chevalet, recouverte d'un châle.

Remi ne put s'empêcher de penser : « Quelle mise en scène ! »

Lamblain, silencieux, presque grave, esquissa un geste pour inviter Remi à s'asseoir ; celui-ci n'avait pas attendu l'invitation.

— Voici, vous allez sans doute être surpris.

Lamblain s'exprimait avec hésitation.

Après un nouveau silence, il reprit :

— Je vais vous montrer la toile. Nous en parlerons ensuite.

Un projecteur, qui se trouvait dissimulé derrière le fauteuil qu'Estève occupait, éclaira le tableau tandis que Lamblain ajoutait :

— La lumière du jour eût été préférable, mais je ne voulais pas vous laisser attendre jusqu'à demain.

Il releva l'étoffe et le visage apparut.

Estève resta muet. Qu'aurait-il pu dire, en effet ? Il avait la sensation de subir une douloureuse opération et il n'avait même plus la force de se débattre ou de crier. Oui, c'était bien cela. Et aussi on lui arrachait les entrailles. Il se sentait soudain vidé. Les ressorts de sa vie s'en étaient allés. Il regardait, hébété, ce morceau de toile. Que représentait-il ?

En vérité, il s'agissait de la réplique exacte de la photographie. Mais le temps était passé là. Pourtant pas une ride n'apparaissait sur cette peau uniformément lisse. L'impression était inexplicable.

Plus Remi voyait ce visage, plus sa souffrance augmentait. Celle qu'il avait devant lui, le regardant, de jeune fille était devenue femme, et l'on s'étonnait de sa coiffure qui paraissait légèrement incongrue. La ressemblance était surprenante mais il s'agissait de quelqu'un d'autre. Remi contemplait un visage animé de sentiments inconnus. Une certaine amertume et aussi la trace de souffrances et de déceptions le marquaient. A n'en pas douter, cette femme avait vécu. On la sentait meurtrie. Depuis six jours, vingt ans de plus !

Remi, jusqu'alors, n'avait jamais réfléchi à l'âge qu'aurait eu sa mère à présent. Pourquoi en effet cela l'eût-il intéressé ? Elle demeurait pour lui cette adolescente qu'il voyait à chaque moment du jour. Tout à coup, il calculait.

Lamblain s'assit près de lui :

— Vous êtes mécontent ?

Remi haussa les épaules.

— Quelle expression dérisoire... Lamblain, ce que vous avez fait, il n'est pas de mots pour le qualifier.
— Crime vous conviendrait ?
Lamblain esquissait un sourire. Remi demeurait grave.
— C'est trop peu dire. Vous avez anéanti, non pas une personne, mais deux.
— J'aimerais savoir...
Le ton de Lamblain avait changé.
Quel était donc le propos de cet inconnu ? Il venait de voler à Remi son rêve, de détruire sa raison d'exister. Comment, à présent, retrouver sa mère, sa camarade, son enfant ? Il était seul au monde. Et l'autre s'apprêtait à poursuivre une conversation ! Remi se leva, s'empara de la photographie et sortit.

Seul dans sa chambre, Remi réfléchissait. « Pourquoi ? Oui, pourquoi ? Aucune explication, aucune lueur. Un piège ? Peut-être... mais lequel ? Et pourquoi ? Un mystère ? Très certainement. » Il savait qu'un jour une réponse lui serait donnée. En attendant qu'était-il venu faire dans cette galère ? Bernis... On a toujours tort d'avoir pitié, d'être trop bon. Ah ! Celui-là, il aurait à s'expliquer ! Des propos en l'air qui se terminent par une pareille machination. Plus de doute, il s'agissait bien d'une machination de Lamblain. Il revoyait ce sourire ambigu et presque narquois. Une explication avec cet inconnu devenait indispensable. Et immédiatement ! Il en aurait le cœur net. Que diable, Remi savait manier les hommes. Il en avait maté d'autres et plus coriaces !

D'abord maîtriser cette panique, s'étendre, s'obliger à l'immobilité pour récupérer un peu de calme.

De calme... Facile à dire ! Les images défilent aussitôt, vous envahissent. Le passé s'anime. Insidieux, il vous pénètre, mêlé aux fantômes autrefois familiers.

Remi avait passé sa jeunesse dans un de ces vastes appartements construits au temps du baron Haussmann. Sa grand-mère maternelle régnait là, veillant sur son père et sur lui. La vieille dame et son gendre s'entendaient apparemment bien, la soumission de l'un stimulant l'autorité de l'autre. Cet homme, tout jeune encore lors de son veuvage, ne s'était jamais remarié : sans doute ne l'eût-il pas osé, mais la version accréditée auprès de Remi fut celle d'un sacrifice librement choisi, aucune secousse ne devant venir troubler l'ordre établi autour de l'enfant. Les repas étaient pris en famille. Jamais la place du père n'était restée vide, fût-ce pour un dîner d'affaires qui l'eût appelé à l'extérieur. Les dimanches, des oncles, des cousins lointains arrivaient à la tombée du jour. Seule, la famille était invitée à partager le cake ou le biscuit dominical : un étranger eût effrayé. On ne pouvait recevoir « n'importe qui ».

Lorsqu'il devint nécessaire d'envoyer Remi en classe on choisit un cours pour petites filles tenu par deux demoiselles. Ensuite, dans la vie, il avait souvent rencontré des matrones, anciennes condisciples, qui s'attendrissaient sur leurs souvenirs d'enfance. Cela l'écœurait.

Remi n'aimait ni son père ni sa grand-mère. Il voyait l'univers des grandes personnes comme un monde hostile avec lequel aucune communication n'était possible. Et, au reste, comment eût-il pu les aimer ? Il n'était pas pour autant un monstre, mais un seul être l'occupait et épuisait toute sa puissance de tendresse et d'amour : sa mère.

Le portrait qui ornait la cheminée de sa chambre d'enfant avait été placé là de toute éternité — cette éternité qui pour Remi comptait neuf années —, mais l'image était demeurée vide de sens, tel un objet inanimé qui ne le concernait pas, et ne se distinguait en rien des gravures dispersées sur les murs ou de ces vases absurdes que les grandes personnes s'obstinaient à laisser traîner çà et là. Puis, un soir, alors qu'il était seul, alangui et fiévreux, il avait été comme happé soudain par le sourire de cette femme-enfant qui semblait l'appeler avec insistance et il la regarda. Ce visage apparaissait brusquement dans sa vie.

Qui oserait nier la vérité du coup de foudre à l'âge où l'on est vraiment capable d'aimer mais où l'amour déjà est ambigu ? Remi fut amoureux. Amoureux pour la vie. L'homme d'aujourd'hui voyait encore l'enfant planté là, immobile, le torse en arrière, les deux mains dans les poches d'une culotte de velours, rejetant, de son habituel mouvement de tête, cette mèche blonde qui lui tombait sur l'œil.

Depuis cet instant, Remi Estève traversait l'existence auprès de cette compagne aux mille formes toujours imprévues. Pour lui, elle fut d'abord une grande sœur indulgente à laquelle il confiait ses peines. Il lui donnait les résultats de son travail, avec le sentiment de la combler les jours où il remportait une bonne place ; au contraire, il ressentait une douloureuse honte en revenant avec une note médiocre. Peu à peu, il prit goût à l'étude. Sa vie s'éclaira. Pour séduire cette jeune femme il pratiqua un entraînement intensif : judo, football. Il se voyait, tel un chevalier, gagnant des tournois pour honorer sa belle. Ce corps souple, ces muscles bien dessinés, il les lui offrait. Parfois sa grand-mère s'effrayait de cet acharnement succédant à une langueur qui l'avait longtemps inquiétée. Remi souriait avec une indulgence condescendante. Les années passant, sa mère devint une camarade avec laquelle il eut mille complicités. Il lui réservait ses secrets, ses troubles, ses émois ; il n'était plus seul. Ensemble, ils se moquaient des autres.

Plus tard, il la considéra comme on considère

une fiancée. Toutes les jeunes filles auprès d'elle paraissaient insipides. Les yeux vifs et brillants ne supportaient aucune rivale.

Remi et le portrait connurent l'amour pur et sans réserve. Puis la jeune femme devint une épouse, amie et alliée tout à la fois. Il la consultait et elle le guidait. Auprès d'elle il travaillait, lisant et réfléchissant. Toute autre femme eût été pâle et insignifiante comparée à elle comme l'avaient été certaines jeunes filles et comme allaient le devenir toutes celles qu'il rencontrerait.

A présent, elle était son enfant. Ici encore elle restait près de lui le réconfortant et calmant ses colères.

Ainsi en venait-il à croire qu'elle avait eu une belle vie, sans chagrin, sans déception. Qui pouvait prétendre avoir été aimé comme elle ? Leurs amours furent secrètes. Durant près d'un demi-siècle le sourire auquel il avait voué sa vie ne s'altéra pas, mais Remi savait discerner la qualité de ce sourire. Il se nuançait et n'était pas le même si le garçon se montrait cruel ou généreux. Pour les autres, bien sûr, le visage demeurait immuable ; cependant, pour lui qui savait regarder, il s'animait étrangement, surtout à la tombée du jour. A l'ombre de ce regard Remi avait atteint la vérité... Pour en arriver à cette trahison ! Lui, trahir ? Non... Ne pas chercher la clef de cette harcelante énigme. Tout à l'heure,

L'AUTRE PERSONNE

il verrait Lamblain. Il devait d'abord se retrouver lui-même, perdre conscience, attendre le déclic.

Le jeune garçon, comme l'adolescent qu'il devint, parlait peu de sa mère avec sa grand-mère. Si parfois celle-ci commençait à lui raconter quelque anecdote ayant trait à cette enfance chérie, à cette jeune femme, pour elle irrémédiablement disparue, Remi coupait son discours et la vieille dame s'attristait un peu de ce qu'elle prenait pour de l'indifférence. « C'est un garçon... Il ne l'a pas connue... » et elle soupirait. Son père montrait plus d'indulgence, néanmoins Remi regardait avec un peu plus de mépris chaque jour ces deux êtres qu'il bernait.

Au temps où les garçons discutent de leurs aventures, Remi souriait, marquant une certaine désinvolture. Depuis longtemps il avait dépassé ce genre de soucis ! Ainsi la vie s'écoulait et il était heureux. Sans doute ne se serait-il jamais penché sur une femme vivante s'il n'y avait eu la guerre, le maquis.

Dès la mobilisation Remi loua un coffre à la Banque de France, la seule qui lui parut digne de ses précieux biens : le portrait, une montre en émail bleu qui avait appartenu à l'aimée, un mouchoir marqué de ses initiales, dérobé un jour dans l'armoire de sa grand-mère.

Ainsi libéré, sans attaches, il était parti pour le front. La location de ce coffre demeurait son vrai souvenir de guerre. Pour lui, l'Histoire n'a jamais pu vaincre son histoire. Pourtant, il a vu mourir des hommes, il a connu l'héroïsme anonyme, il fut même un de ceux qui, en 1940, eurent l'occasion de se trouver sur un vrai champ de bataille.

De la Résistance, Remi gardait imprégné en lui le souvenir d'un instant de profonde humiliation. Il avait été chargé de déposer des grenades dans un château proche de son repaire. Le châtelain, homme sûr, courageux, et qui acceptait les responsabilités, n'en était pas moins un bon vivant. Remi arriva comme l'homme achevait son déjeuner. Aussitôt il repoussa négligemment son assiette et montra au garçon le chemin de la cave ; mission accomplie, tous deux remontèrent et Remi allait prendre congé. A jeun depuis l'aube, il ne put maîtriser un regard qui s'attarda un peu trop longtemps sans doute sur les plats abandonnés là. Des restes de viandes et de fromages... Il parla d'animaux à nourrir... Le châtelain dit : « Je vous en prie... » Remi avait vidé ces quelques victuailles dans un grand sac en papier, tout en souriant avec niaiserie. Il comprit que le châtelain affectait seulement de croire à la fable. Ils se quittèrent froidement. La honte ressentie à cet instant, Remi ne devait jamais l'oublier.

Un autre événement marquait pour lui la Résistance. Les hommes avaient organisé dans les bois une sorte de campement où ils entreposaient leurs effets. Remi était en opération lorsqu'il apprit que ce logis improvisé avait été incendié. On ne doutait guère, au reste, qu'une main malveillante n'eût allumé la torche dans la nuit. C'était au mois d'août, Remi portait pour seul vêtement un short kaki. La joie qui l'envahit soudain à l'idée qu'il ne possédait plus rien fut totale. Il passa ses mains sur son torse nu et bronzé comme pour s'assurer de son dénuement. Il fit jouer ses muscles avec satisfaction. Ainsi, cette fois, il était vraiment dépossédé. Peut-être allait-il enfin connaître la liberté.

C'est là, pour une existence déjà longue, bien peu de souvenirs. Il revoyait aussi le jour où il avait choisi de quitter la Sorbonne pour les affaires. Etre indépendant plus tôt, cela avait emporté sa décision. Lors d'un dernier certificat de psychologie, qui devait faire de lui un licencié, il avait retenu l'attention de l'un des examinateurs qui l'interrogea plus longtemps qu'il n'était indispensable. Ils descendirent ensuite de conserve le boulevard Saint-Michel. Et, comme Remi exposait avec un certain lyrisme l'attrait qu'il ressentait pour les grandes affaires — être meneur d'hommes et manieur d'argent le fascinait — le professeur parut un moment déçu. Se reprenant, il avait répliqué : « Là aussi, il faut des hommes intelligents, nous ne devons pas les garder tous. »

Ensuite ? Marié, deux filles. Aujourd'hui, quelle importance ? De cette femme, incompréhensive et ambitieuse, qu'il avait connue courageuse et dure dans le maquis, il s'était séparé très tôt ; quant à ses filles, elles se souvenaient de son existence seulement pour lui demander des conseils lors de difficultés financières. Il demeurait à leurs yeux irremplaçable en ce domaine. C'était du moins ce qu'il prétendait. Toutefois, elles avaient renoncé depuis longtemps à attendre plus que des paroles : s'étant débrouillé par lui-même il considérait que ses gendres devaient en faire autant.

Bien entendu, hormis cet intermède de quelques années, Remi avait toujours vécu seul après avoir quitté sa famille. Il ne s'agissait pas là d'un choix; n'acceptant ni la médiocrité ni les compromis qui sont le lot commun, avec qui se fût-il entendu? Délibérément, tous les liens, même les plus ténus, avaient été brisés. Pourquoi Serge Morel avait-il surnagé ? Amitié vraie ? Insistance ? Présence légère ? Faiblesse peut-être. Et le temps avait fait le reste. Toutefois, l'irrémédiable solitude avait été épargnée à Remi. Sa mère demeurait sa vraie compagne, celle qui ne pourrait jamais le décevoir.

Quant aux femmes... Entre une mère trop aimée et une épouse abhorrée, il leur restait bien peu de chances de s'insérer dans la vie de Remi. Depuis son divorce il n'avait eu que des liaisons éphémères et seulement de hasard. Par le ressentiment qu'elle lui inspirait, sa femme l'avait tenu à jamais isolé, mieux qu'une autre n'y serait parvenue par un attachement indestructible. Il revoyait ce visage impatient, toujours insatisfait. A cette femme il donnait tout pourtant. Tout ce qui était en son pouvoir. Une autre se serait trouvée comblée mais, elle, ne cessait de se plaindre. Elle désirait voyager, mais naturellement durant les mois où Remi n'était pas libre. Parfois elle acceptait avec simplicité l'argent qu'il lui apportait, sans comprendre qu'il devait d'abord le gagner. D'autres jours, elle jetait un regard négligent sur les cadeaux qui s'amoncelaient. Un soir, il l'avait surprise, parlant au téléphone, détendue, gaie, volubile. Il était resté sur le seuil, la reconnaissant à peine. C'était vraiment une autre personne. Dès qu'elle l'eût aperçu, elle avait repris son ton impassible. Il n'oublierait jamais non plus ce regard méprisant lorsqu'il était parti. Debout entre ses deux filles qui lui tenaient chacune une main, elle espérait sans doute figurer la statue de la vertu bafouée. Certains prétendaient que, depuis leur divorce, elle était heureuse. Allons donc ! Avec un tel caractère... Heureuse ! En tout cas, pour lui il ne s'agissait pas de renouveler semblable mésaventure.

Restaient les filles vénales. Auprès de celles-ci seulement, Remi parvenait au plaisir. Il aimait à payer. Ainsi, pas de mensonges, les rapports étaient francs, loyaux et il ne lui déplaisait pas de succéder immédiatement à quelque autre auprès d'elles. Cela définissait bien la qualité de ces êtres-objets qui donnaient prise si aisément à son désir d'autorité ; l'argent qu'il leur dispensait muait Remi en seigneur. Sa virilité rassurée, il pouvait se laisser aller à cette passivité qui l'amenait à la jouissance.

Il appréciait chez ces compagnes d'un moment un certain mélange de naturel et de comédie. La timidité qu'il éprouvait devant les autres femmes, et qui se muait en misogynie, laissait place alors à une merveilleuse et si agréable désinvolture.

Remi Estève avait été marqué par une aventure initiale. Le dégoût qu'il avait ressenti devant ces chairs molles, cette odeur de sueur et cette complaisance benoîte, il ne l'avait jamais totalement oublié et ce relent lui remontait en bouffée, fût-ce auprès de la femme la plus raffinée. Néanmoins, paradoxalement, ce n'était pas de ses semblables que cette fille l'avait séparé mais de l'espèce femelle en général, à l'exclusion justement des prostituées. Il trouvait comme une revanche dans leur abaissement. Ainsi s'expliquait, au moins en partie, la prédilection qu'il gardait pour elles. Ne représentaient-elles pas le sexe à l'état pur et dans son paroxysme, en même temps que l'absence de ce qu'il haïssait spécialement, à savoir la déloyauté, le mensonge, la duperie, le jeu, le désir d'égards, la coquetterie, bref la comédie ?

Heureusement ces questions ne le hantaient pas ; il demeurait, en ce domaine aussi, maître de ses désirs.

A présent, devant Remi et sa mère se découpe à travers les petits carreaux ce paysage neigeux qu'aucun soleil ne fait miroiter. Il sait bien que comme lui elle est excédée par le bruit léger mais incessant qui parvient des chambres voisines et égratigne le silence auquel tous deux aspirent. Ils savent qu'ils sont là parmi les autres ; ni elle ni lui n'aiment cela.

Peu avant minuit, Remi Estève frappait à la porte de Lamblain.
— Entrez.
Revoir ce tableau... Remi se domina.
— Excusez-moi de venir si tard, mais...
— Vous partez demain à l'aube, je le sais.
Remi Estève sentait son exaspération renaître car visiblement Lamblain l'attendait.
— Lamblain, il faut que vous sachiez que vous avez vraiment détruit deux personnes. Vous parliez de crime, vous ne croyiez pas si bien dire.
— Allons, Remi, il faut sortir de votre rêve, guérir...
A ce mot, Estève sursauta.
— Guérir ?
— Mais oui... N'avez-vous pas conscience parfois de vous perdre dans une comédie triste ? Vous valez mieux que cela n'est-ce pas ?
— Qu'en savez-vous et que savez-vous de moi ?
— Plus sans doute que vous n'imaginez. Il ne me faut que peu de repères. Peut-être suis-je un peintre médiocre mais je connais les hommes. Si

vous êtes venu jusqu'ici, ce n'est pas par hasard.

En dépit de l'air stupéfait de Remi, il poursuivait :

— Pourquoi, sinon, avoir choisi cette clinique ?

Tout cela devenait trop absurde. Remi était prêt à l'attaque.

— Allez-vous enfin vous expliquer ? Pas par hasard ? Pourquoi ? Que voulez-vous ? Que cherchez-vous ? Quel tort vous ai-je fait pour que vous vous en preniez ainsi à moi, et d'une façon aussi insolite ?

— Remi, je vous l'ai dit, mon seul dessein, mon seul désir est de vous guérir.

— Encore ! Et de quoi ? Et pourquoi vous ?

— Je vous l'expliquerai... plus tard.

— Ainsi c'était bien une machination !

Remi se sentait soudain sur un terrain différent, glissant, où il risquait de s'embourber. Une machination ? Un visage se profilait... Il regarda fixement Lamblain et la phrase jaillit comme malgré lui.

— Vous connaissez Jacques Bernis ?

Lamblain parut-il embarrassé ? En tout cas, il se reprit très vite.

— Bien sûr, souvenez-vous de votre conversation.

— Conversation ?...

— Evidemment. Souvenez-vous... Jacques Bernis vous a parlé de cette clinique, mais aussi d'un de ses amis, un peu fou, qui s'y trouvait pour un

assez long temps. Un médecin, rappelez-vous. Il m'a relaté votre conversation et vous sembliez très intéressé par ce personnage. Jacques est un bon narrateur il est vrai. Vous avez discuté tous deux. Cela, vous ne l'avez pas oublié. Vous jouez, vis-à-vis de vous-même, à ne pas vous souvenir...
— Quelles sont ces élucubrations ?
— Je suis sûr que vous commencez déjà à y voir plus clair. Allons, encore un effort. Pourriez-vous assurer que vous n'êtes pas venu ici, en vous disant : cet excentrique m'intéresse ?
— Si vous connaissiez vraiment mon existence vous sauriez que j'évite autant que je le peux les relations inutiles.
— Ce n'est pas si simple... mais maintenant que nous en parlons, sincèrement, ne trouvez-vous pas surprenant de vous être souvenu de l'adresse de cette maison et d'avoir cédé aux mauvaises raisons que vous vous êtes données pour ne pas aller en Suisse comme les autres années ?... Reconnaissez que je dis un peu vrai. Je n'en demande pas plus aujourd'hui.
Remi s'obstinait.
— Bon, ce sera pour plus tard...
— Que nous voilà loin du tableau !...
— Pas si loin...
Remi ne pouvait quitter la toile des yeux. Plus elle lui faisait de mal plus il sentait qu'il s'y attachait. Il aurait voulu la rejeter, qu'elle disparût soudain, mais par un acte magique, car il

savait déjà qu'il n'aurait plus la force de s'en séparer volontairement. Il porterait dorénavant ce mal en lui. Il cherchait des arguments : s'il la conservait, ce serait une infidélité envers la photographie, s'il la détruisait... mais il n'envisageait plus ce meurtre comme possible. Détruire une forme de « son » visage quelle qu'elle fût ! Allons donc ! Et il sentait comme une folie l'envahir.

— Remi, que décidez-vous pour la toile ?

Comme s'il pouvait décider, répondre, trancher sur un tel sujet. Demande-t-on à un accidenté de choisir d'être opéré ou d'attendre ?

— Allons, nous parlerons plus tranquillement à Paris, car, moi aussi, il me faudra bien rentrer, travailler... D'ici-là vous aurez réfléchi. Je vous appellerai dès mon retour.

Etait-ce un défi ? Tout, plutôt que de revoir cet homme ! Renouer à Paris... Jamais ! Il s'empara du tableau et quitta la pièce.

Lamblain sourit. Estève avait quand même emporté la toile.

L'aube se levait à peine, Remi achevait ses valises. Il allait partir dans un moment. Comme un voleur, en laissant un mot d'excuses au médecin de l'établissement. Ils étaient convenus de se rencontrer dans la matinée, pour prendre congé et noter quelques ultimes conseils, mais Remi ne pouvait rester un moment de plus dans cette chambre, sous ce toit maléfique. Après tout, ce docteur avait dû voir défiler bien des cinglés dans sa clinique ; Estève serait classé comme l'un d'eux — et l'on n'aurait pas tort. Seule différence... Lui était arrivé dans cette maison, sain de corps et d'esprit, malheureusement il n'en était plus de même à la sortie ; mais pour les autres quelle importance ! Déjà, il s'éloignait, il allait lui falloir réapprendre à vivre. Il ne devrait compter que sur lui-même.

CHAPITRE II

Serge Morel est exaspéré. Estève vient de lui parler. D'une bien étrange rencontre. Dans quel guêpier est-il encore allé se fourrer ? Il a commencé par évoquer une clinique. A mots couverts, bien entendu ! Selon sa manière à la fois passionnée et détachée. Puis il a parlé d'un individu sans donner de nom, ni situer le personnage et Serge était requis de formuler un avis. Immédiatement. Il s'y est refusé, bien entendu. Remi, si on l'interroge pour essayer d'aller plus avant, change de conversation, prétend pouvoir s'en tirer seul, pour aussitôt se plaindre à nouveau. Qu'espère-t-il ? Serge n'est pas devin. Lorsqu'ils parlent affaires, les deux hommes s'entendent si bien ! A demi-mot. Mais, pour le reste, il en va tout autrement. Enfin, après des questions, des retraits, des réticences, Serge a fini par élucider le mystère. Que ne l'avait-il deviné ! Remi ne pouvait avoir rencontré qu'un psychanalyste ! Cela lui manquait vraiment ! Un psychanalyste, ce ne serait rien, mais Lamblain ! Lamblain et Remi, c'est presque trop beau ! Non pas que Serge connaisse personnellement ce médecin, mais il n'en entend que trop souvent parler ! Un apôtre, un mage, d'après Geneviève. Ce n'est pas là ce qu'elle formule, mais ce qui ressort de ses propos. Selon Remi, c'est d'un tout autre personnage qu'il s'agit, presque d'un charlatan ! Un imposteur, un mauvais homme. Drôles de conditions pour Serge qui doit aider les choses à s'éclaircir, mais excellente occasion peut-être pour démythifier le héros.

Surtout ne rien dire à Geneviève de cette rencontre à la clinique. Evidemment, Geneviève et Remi voient l'homme sous des lumières différentes. Comment pourrait-il en être autrement ? Un homme, une femme... Sans doute le praticien cherche-t-il déjà à entraîner Remi dans cette médecine infernale, voire suspecte... Lamblain, tout charlatan qu'il soit, représenterait peut-être pour Remi une solution, la solution, une forme de salut. Pour Geneviève, le cas est différent, opposé presque. Toujours des maux imaginaires, des difficultés mystérieuses ! En vérité, il faut en convenir, elle n'est pas bien en ce moment. Si elle se décidait à suivre les avis de Serge, tout irait mieux sans doute. Elle devrait, en premier lieu, cesser ses visites à Lamblain. Elle sort de chez lui déprimée ou bien furieuse, quoi qu'elle en dise, quoi qu'elle en pense. A moindre frais de temps et d'argent, une heure de cheval ou de natation lui serait plus profitable. Comment le lui faire comprendre ? Serge tient à elle, certes, mais on ne fait pas le bonheur des autres malgré eux. Si Serge s'en donnait vraiment la peine, il pourrait détruire le personnage de Lamblain, simplement en acceptant de jouer avec sérieux et conviction son rôle d'ami, d'amant. Alors, ni Remi ni Geneviève n'auraient besoin d'un autre interlocuteur. Mais il ne va pas maintenant se charger des autres ! Finalement, il le sait bien, seuls comptent pour lui Isabelle et les enfants. Isabelle, patiente, gaie, jamais de scène ; une vraie femme celle-là ! Bien sûr, Serge est souvent appelé et retenu ailleurs, mais ce n'est jamais important. Il revient et retrouve avec satisfaction son univers familier, car il ne se sent pas disposé à assumer les malheurs du monde, ce n'est pas là sa vocation. Remi et Geneviève doivent, seuls, trouver chacun sa voie.

Geneviève Harbant se revoit, longtemps auparavant. Longtemps ? Non. Il y a quelques mois peut-être. C'était une fois entre beaucoup d'autres.

« Voilà, je viens de sortir de chez lui bien décidée à n'y plus retourner. Jamais. Aurai-je cependant la force nécessaire ? Comment trouver cette volonté en moi ? Lui seul pourrait m'aider à le quitter et justement il ne le veut pas. Là, réside le paradoxe. Il ne s'y oppose pas, non, il me laisse libre. Libre de choisir : son appui ou la solitude. »

Geneviève sent que cet homme lui fait mal, mais il peut aussi la sauver. Qui arbitrera le conflit ? Le hasard ? Une force supérieure qui lui échappe ou bien une vraie nécessité ? En fin de compte, c'est tout de même elle qui choisira. Libre, qu'est-ce que cela veut dire ? Ce mot garde-t-il tout son sens lorsqu'il s'agit d'une femme livrée à des impulsions contradictoires ? Est-on libre lorsque l'on est si vulnérable, esclave de tant d'aspirations insatisfaites ?

Si encore l'homme autour duquel tourne son tourment était son mari... Mais celui-là, elle l'a déjà quitté. Il ne s'agit même pas d'un ami, d'un prêtre ou d'un confident. Pas davantage d'un amant. Ce serait trop simple ! L'homme qui torture ainsi Geneviève est un médecin, un psychanalyste ! On pourrait penser qu'elle n'a qu'à renoncer à le consulter. Comme si l'on consultait quelqu'un de cette sorte ! Qui se tait toujours ! Et comme si l'on pouvait s'en détacher si aisément. Les ruptures, c'est bon pour les histoires d'amour.

Depuis des mois déjà Geneviève sait que ce traitement, entrepris dans un moment de désespoir, pour trouver un interlocuteur, est devenu néfaste à présent. Au début tout était différent ! Il est des cas où les amis sont insuffisants, ina-

frais de temps et d'argent, une heure de cheval ou de natation lui serait plus profitable. Comment le lui faire comprendre ? Serge tient à elle, certes, mais on ne fait pas le bonheur des autres malgré eux. Si Serge s'en donnait vraiment la peine, il pourrait détruire le personnage de Lamblain, simplement en acceptant de jouer avec sérieux et conviction son rôle d'ami, d'amant. Alors, ni Remi ni Geneviève n'auraient besoin d'un autre interlocuteur. Mais il ne va pas maintenant se charger des autres ! Finalement, il le sait bien, seuls comptent pour lui Isabelle et les enfants. Isabelle, patiente, gaie, jamais de scène ; une vraie femme celle-là ! Bien sûr, Serge est souvent appelé et retenu ailleurs, mais ce n'est jamais important. Il revient et retrouve avec satisfaction son univers familier, car il ne se sent pas disposé à assumer les malheurs du monde, ce n'est pas là sa vocation. Remi et Geneviève doivent, seuls, trouver chacun sa voie.

Geneviève Harbant se revoit, longtemps auparavant. Longtemps ? Non. Il y a quelques mois peut-être. C'était une fois entre beaucoup d'autres.

« Voilà, je viens de sortir de chez lui bien décidée à n'y plus retourner. Jamais. Aurai-je cependant la force nécessaire ? Comment trouver cette volonté en moi ? Lui seul pourrait m'aider à le quitter et justement il ne le veut pas. Là, réside le paradoxe. Il ne s'y oppose pas, non, il me laisse libre. Libre de choisir : son appui ou la solitude. »

Geneviève sent que cet homme lui fait mal, mais il peut aussi la sauver. Qui arbitrera le conflit ? Le hasard ? Une force supérieure qui lui échappe ou bien une vraie nécessité ? En fin de compte, c'est tout de même elle qui choisira. Libre, qu'est-ce que cela veut dire ? Ce mot garde-t-il tout son sens lorsqu'il s'agit d'une femme livrée à des impulsions contradictoires ? Est-on libre lorsque l'on est si vulnérable, esclave de tant d'aspirations insatisfaites ?

Si encore l'homme autour duquel tourne son tourment était son mari... Mais celui-là, elle l'a déjà quitté. Il ne s'agit même pas d'un ami, d'un prêtre ou d'un confident. Pas davantage d'un amant. Ce serait trop simple ! L'homme qui torture ainsi Geneviève est un médecin, un psychanalyste ! On pourrait penser qu'elle n'a qu'à renoncer à le consulter. Comme si l'on consultait quelqu'un de cette sorte ! Qui se tait toujours ! Et comme si l'on pouvait s'en détacher si aisément. Les ruptures, c'est bon pour les histoires d'amour.

Depuis des mois déjà Geneviève sait que ce traitement, entrepris dans un moment de désespoir, pour trouver un interlocuteur, est devenu néfaste à présent. Au début tout était différent ! Il est des cas où les amis sont insuffisants, inadaptés — trop proches ou trop lointains. Et puis on ne se met jamais à la place d'autrui et personne ne peut rien pour personne. Qui en doute ?

Geneviève était allée voir celui qu'on disait savant en la matière, intelligent et bon, habitué à la misère humaine, indulgent — mais ce terme-là ne convient pas, puisqu'il ne juge ni ne conseille. Oui, un tel homme se met au-dessus des lois, des usages, de la morale. Très vite, Geneviève avait senti que ce traitement la détruisait en l'incitant à retourner sans fin des souvenirs, des griefs, des trahisons et des parjures dont elle voulait avant tout se dégager. Elle aurait souhaité, plus que tout autre chose, être délivrée de sa mémoire. Elle aurait pu pardonner si elle était parvenue seulement à oublier. Et elle savait que si elle pardonnait la paix reviendrait en elle. Mais des images continuaient à l'obséder et de façon presque permanente. L'objet le plus banal : voiture, parfum, livre, devenait le départ d'association d'idées aboutissant toujours dans la même impasse, celle dont elle voulait sortir.

Chez ce psychanalyste, Geneviève se voyait s'enfoncer encore davantage. Elle pataugeait indéfiniment, remuant ce cloaque. Il lui disait bien qu'un jour, après ce lent et minutieux travail, elle serait délivrée. Il assurait que sa souffrance ne provenait pas des maux dont elle se plaignait et qui la faisaient gémir, mais d'autres plus profonds et qu'elle ignorait. Ceux-ci dévoilés et le vrai mal mis à nu, tout irait bien. Comme elle eût accepté facilement ces troubles qu'elle ne ressentait pas !

Geneviève demeurait persuadée que le salut pour elle résidait dans l'oubli. Qui, aujourd'hui, croit encore à cette sagesse-là ? On veut que tout soit net, propre, lavé, aseptique. Telle est la mode ! A l'atmosphère feutrée du confessionnal — mais hélas ! Geneviève a perdu la foi — succède le regard perçant de l'entomologiste. Il n'existe plus un homme ou une femme qui souffre, mais seulement un cas qui doit entrer dans une grille préétablie ; l'individu est mort et si le patient ne correspond pas exactement à l'un des mille types prévus dans les mille prévisions, eh bien ! on force la nature pour le contraindre à se ranger dans l'un d'eux.

Et il faudrait supporter ce traitement inhumain, traumatisant, accéder à cette lucidité scandaleuse ! Geneviève s'y refusera désormais. Après, l'on est guéri... Voire ! Il existe des cas de suicide... Ces messieurs ne se sentent pas responsables... Psychanalysés eux-mêmes, leur conscience ne les tourmente plus. Ce sont les malades qui ont de tels scrupules — indiscernables de leur complexes.

Ainsi cet éclairage au néon de l'être le plus secret on l'accepte pour guérir, guérir du mensonge et de la lâcheté des autres. Là, Geneviève se révolte. C'est l'autre qui assassine et c'est elle qu'on incarcère parce qu'elle a le mauvais goût de ne pas aimer être blessée à mort.

Incarcérée... pour combien de temps ? Trois fois par semaine — son cas impose, paraît-il, ce rythme de consultation — Geneviève se rend chez lui, chez ce médecin, et cela depuis... Elle renonce même à imaginer qu'il fût un temps où elle était libre ! Fatiguée ou non, sans que rien réussisse à perturber l'horaire immuable, elle s'étend sur le même divan, regarde droit devant elle, retrouve le même tableau dont chaque tache de couleur fixe la même idée cent fois retournée, ressassée. Elle parle. Parfois aussi elle se tait un long temps. Et pour seulement écouter — à supposer qu'il ne soit pas distrait — ce médecin demande beaucoup d'argent. Cet effort financier fait — assure-t-on — partie intégrante de la cure. On doit accéder à ce royaume, non y entrer de plain-pied. Seuls les psychanalystes pouvaient inventer cette forme abusive d'anti-charité. Cependant, Lamblain sait qu'elle est pauvre... enfin pas très riche, qu'elle travaille. Rédactrice en chef d'un journal féminin à grand tirage, elle dirige un personnel nombreux et elle doit reprendre rapidement sa vraie place si elle ne veut pas la perdre tout à fait.

Il n'y a pas que l'argent... Lamblain prend aussi à Geneviève beaucoup de temps : néanmoins, elle continue comme une servitude à accepter chaque fois le prochain rendez-vous. Où réside le mystère, l'origine de la contradiction ?

Mais Geneviève ne sera pas dupe plus longtemps ! Malade ? Parce qu'elle s'obstine encore à rêver d'ordre, de pureté, de perfections inaccessibles tandis que les autres, dans leur univers incolore, vivent au jour le jour, au petit bonheur la chance, selon leur fantaisie du moment. Elle s'indigne d'être là, toute seule, pour racheter leurs fautes, toutes les fautes.

Dès qu'elle entre dans le bureau de Lamblain, elle devient différente, le monde bascule. Joue-t-elle la comédie de l'obéissance ? Elle doit reconnaître qu'elle subit, au moins quelque peu, cette domination du médecin. Une part de comédie, certes, mais une part seulement... Geneviève accepte, joue son jeu, comme si elle y croyait, mais elle sait qu'elle pourrait d'une chiquenaude, si l'envie lui en prenait vraiment, le renverser et le mettre hors de course. Elle est quand même la plus forte ! Néanmoins, accepter cette gageure l'intéresse. Savoir où tout cela mènera tient sa curiosité en éveil. Car, après tout, s'il avait raison... Qu'a-t-elle à perdre en vérité ? Elle est au reste trop engagée maintenant pour espérer trouver une issue dans le divertissement. Elle critique, elle se révolte, elle continue... Evidemment.

L'homme est agréable, Geneviève l'aime bien... souvent... car certains jours aussi elle le déteste. Elle ne sait rien de lui. A ses yeux, il n'a que deux dimensions. Un mur sur lequel elle lance des propos comme autant de balles. Des balles qui lui reviennent, ou devraient lui revenir, libérées de leur charge venimeuse. Cela, c'est la thèse officielle, ce que l'on dit, mais les images funestes ne se déchargent pas si aisément de leur potentiel de nocivité, et ce que Geneviève exprime prend soudain une existence. Le pouvoir des mots n'est pas toujours, comme on le laisse entendre, libérateur. Créateur, ne l'est-il pas autant ?

Lorsque Geneviève dit qu'elle aime bien Lamblain, lui ne l'entend pas comme elle. Là encore, elle doit se plier, entrer dans le conventionnel des opinions toutes faites. Les psychanalystes eux aussi ont leurs préjugés. Amour, haine, transfert, chemin nécessaire, voie inéluctable, on l'attendait là. Et Lamblain prend l'air satisfait de celui qui a tout prévu. Allons, le traitement évolue normalement !

Un suicide raté... Pourquoi s'en souvenir aujourd'hui ? Et cette dame Harbant — que l'on a récupérée par un miraculeux coup du sort, car, en ce dimanche d'août, dans un Paris livré aux étrangers, personne n'aurait dû se soucier d'elle — n'est pas la même, oh ! absolument pas la même que cette Geneviève qui réfléchit à présent, pesant les données d'un problème dont elle n'aurait même pas en ce temps-là imaginé l'existence. Oui, cette femme-ci dépend de Lamblain qui la conduit, plus ou moins brutalement selon les jours, car son silence même comporte des nuances, vers une libération peut-être prochaine.

Voici qu'elle se reprenait à espérer. Un instant plus tôt elle était décidée à briser là. Décidée... quelle dérision !

Quelques jours seulement se sont écoulés.

Geneviève vient de sortir une fois encore de chez Lamblain, mais si désemparée qu'elle a marché longtemps sans se soucier de son chemin. Ses doigts, à racler le parapet des quais, sont tout meurtris et certains même écorchés. Heureusement les boîtes des bouquinistes arrêtaient parfois son manège inconscient. Geneviève n'existait plus. Sa tête la menait, elle ne savait dans quelle direction. Les extrémités de son corps appartenaient à une autre. Blessées ou non, elle ne les sentait pas et ses jambes la portaient sans la moindre fatigue.

Ce qu'elle avait souhaité, sans avoir la force de déployer une volonté suffisante pour l'obtenir, venait de lui être donné à l'instant même. Lamblain se prétendait obligé d'interrompre ses consultations. Il allait quitter Paris, la quitter — elle et d'autres sans doute — pour un temps indéterminé et pour un motif qu'il n'avait pas jugé utile d'indiquer.

Qu'allait-elle devenir sans le secours que lui apportait cette oreille complaisante, toujours indulgente, même à ses mauvaises pensées ?

A Lamblain seul, elle avait osé avouer que cette femme maigre, brune, pointue, elle désirait la tuer, ou plus exactement elle souhaitait sa mort sans avoir si possible à s'en mêler. Et il n'en paraissait ni surpris ni indigné. Oui, cette femme méritait bien de finir écrasée comme une araignée du matin car elle était de cette race.

Que Geneviève ait été trompée par son mari, rien là que de bien ordinaire. Cela ne méritait même pas une grimace. Le drame résidait ailleurs. Il résidait dans l'amour que, précisément, Noël ne cessait de lui témoigner à elle — son épouse — et qu'il ne manquerait sans doute pas de lui témoigner encore à l'heure actuelle si elle n'avait eu, trop tard il est vrai, une forme d'instinct de conservation qui l'avait conduite enfin à le quitter. Pourquoi se laissait-il aller à cette exaltation inutile, à ce simulacre d'amour fervent ? Simulacre ?... Même pas. Rien n'engageait cet homme, il vivait dans l'instant, méprisant son passé, et ne se souciant guère de son avenir, par défaut d'imagination.

Tout ce gâchis pour rien ! Même pas pour un bonheur ! Geneviève ne comprendrait jamais. Et elle se mourait de ce « pourquoi » répété sans cesse et lancinant comme une douleur. Tout allait si bien entre eux ! Leurs corps s'entendaient et ils partageaient le rire. Noël l'eût confirmé, sans aucun doute, prêt en paroles à toutes les concessions ; mais il rêvait d'évasion, d'admirations neuves, sans mesurer des conséquences qu'il ne voyait même pas. Ces femmes... Il s'agissait d'autre chose... Pourquoi Geneviève en eût-elle pris ombrage ? C'était sans importance. Il l'aimait. Alors... Mais comment la confiance aurait-elle pu renaître après tous ces parjures ? Et c'était la confiance, la tranquillité, que Geneviève cherchait. Il se moquait, lui, de ce confort bourgeois. Si Noël n'avait pas tenu à elle, tout eût été plus simple. Sans doute, se serait-elle installée, comme tant d'autres, dans l'indifférence. Mais, entre eux, cela n'aurait pas eu de sens. Qui oblige un mari volage à prodiguer des serments, à invoquer de nouvelles chances ?

Pourquoi penser à Noël ? Ce n'est plus lui qui la tracasse, mais l'autre, sa complice, cette femme que Geneviève nomme l'araignée. Cela lui convient si bien ! Aiguë, noiraude, tissant ses fils et ne se souciant jamais de ce qui se passe au-delà, indifférente à ceux qu'elle peut détruire par ses caprices.

Pas un jour ne s'est écoulé, depuis que Geneviève a quitté son mari, sans que la présence physique de cette femme ne soit mêlée à son existence. Autrefois, cette image participait à leur vie commune. Jamais absente d'un repas, d'un voyage, si lointain fût-il, elle demeurait la compagne des journées ensoleillées — car elles existaient — comme elle s'imposait durant les nuits d'amour. Et Geneviève se demandait, sans se laisser aller à un moment d'oubli, si c'était elle ou l'autre que Noël serrait si fort dans ses bras en murmurant des paroles tendres. Geneviève aurait entendu Noël prononcer le nom exécré, qu'elle eût accueilli ces syllabes comme une délivrance. Au moins, elle aurait su...

Après la rupture entre Noël et cette femme, rupture à laquelle Geneviève s'efforçait de croire sans y parvenir tout à fait — et que de beaux jours gâchés si cette rupture était réelle — l'araignée demeura entre eux, néfaste, virulente, implacable. Pour Geneviève, car Noël, sans doute, l'avait-il très vite oubliée, naturellement ou en y appliquant une volonté qu'il savait rendre farouche lorsqu'il s'agissait de sa tranquillité. Peu importait en tout cas. Cet homme se refusait aux souffrances inutiles. A Geneviève, il avait tout pris ; même sa faculté et son goût du bonheur, il se les était appropriés. Comme le reste ! Chaque instant de sa vie à elle était gâché, perdu... mais lui restait serein.

Lorsque, plus tard, Geneviève avait acquis la certitude que son mari ne voyait plus Nadia, immédiatement elle imagina qu'il la regrettait, tout en sachant qu'il ne regrettait jamais rien... mais, selon elle, on ne pouvait oublier une telle créature qui laissait sur son sillage comme une traînée de malheur.

Geneviève avait vécu de longs mois auprès de son mari, dans l'ignorance et la plus parfaite tranquillité, alors, qu'en réalité, il ne se maintenait près d'elle que par habitude et envoûté par une autre femme. C'est au moment où il en était enfin libéré que cette affaire avait commencé pour elle. La vérité, il la lui avait avouée, mais cet aveu n'aurait eu de valeur que spontané et dit à l'heure juste. Ce qu'il lui avait livré était un récit inutile, un remords dont on se décharge sur l'autre pour repartir d'un pied léger vers l'avenir. Noël pouvait être perspicace lorsqu'il s'appliquait à regarder, mais, hors le point précis où se portait volontairement son regard, il ne voyait rien. Tout demeurait dans l'ombre, spécialement ce qui l'importunait. Par exemple la peine de Geneviève... Son royaume à elle devait rester cette ombre flottante, ce monde nébuleux, monde où il ne lui était même pas permis de souffrir. Puisque Noël l'aimait, tout souci aurait dû s'effacer — plus même — ne pas exister !

Un jour de désespoir trop fort — elle ne connaissait pas Lamblain à l'époque — une idée terrible avait traversé l'esprit de Geneviève. L'idée apparue, impossible de la repousser. Elle était là, abusive, violente, envahissante, l'habitant tout entière. L'image de cette femme ne cessant de hanter Geneviève, peut-être une confrontation avec le personnage réel lui apporterait-elle une détente ? Le fantasme perdrait de sa virulence et, sans doute, de cette force magique qu'elle finissait par lui attribuer. Elle espérait en un improbable exorcisme, elle voyait une mine qu'il suffisait de désamorcer, elle flotterait ensuite sans danger pour quiconque.

Naturellement Geneviève se refusait à imaginer trop précisément l'entrevue, cependant qu'elle jouait, avec ce qui n'était pas encore un projet, un jeu dangereux de coquetterie. Peu à peu, s'installait le cadre, les détails même, mais Geneviève continuait à repousser l'idée, mesurant la folie comme la bassesse de l'entreprise.

Le temps passait, l'idée prenait corps, cheminait, sournoise mais chaque jour plus vivace. Elle se muait en possibilité facile à réaliser, un moyen entre d'autres... Geneviève croyait enfin avoir inventé une solution à ses maux.

Retrouver Nadia était aisé. Tant de précautions, de vérifications préalables, de menus soins avaient permis, durant des années, de l'éviter ? Il suffisait donc à présent de débloquer le verrou. Geneviève voyait Nadia s'engouffrant aussitôt dans sa vie comme un torrent qu'aucune digue ne retient plus.

La réalité fut un peu différente.

Obsédée autrefois par la crainte d'une rencontre fortuite, Geneviève avait rompu depuis plusieurs années avec toute vie mondaine. Elle se trouvait à présent devant des ponts coupés qu'il fallait rétablir. Elle s'y employa. On s'étonna un peu de son amabilité soudaine, de ce brusque réveil. Uue femme seule suscite la méfiance. Toutefois, comme Geneviève passait pour exigeante, on se félicita de ce retour inopiné, tout en s'interrogeant sur ses causes. Les salons où elle pouvait rencontrer Nadia ne représentaient que la part la moins brillante de ses relations personnelles, ils s'ouvrirent aisément. Retrouver quelques vieux amis délaissés l'amusa un temps, mais elle finit par s'impatienter... De Nadia, point du tout. Aurait-elle disparu définitivement ? Geneviève n'osait interroger. Elle était bien près de renoncer, lassée par la vanité de son entreprise, lorsqu'elle se trouva, dans l'embrasure d'une porte, tout près de son ancienne rivale. Geneviève venait de reconnaître sa voix et se retournait, ne l'imaginant pas si proche. Elle avait toujours craint un vif trouble de ce premier choc. Elle redoutait une réaction involontaire... Il n'en fut rien. Elle vit une femme quelconque, banale, qui, comme elle, avait dépassé l'âge de l'insouciance devant les premières rides. Quarante ans ? Oui... peut-être. A peine... pas loin... Brune, anguleuse, sèche, mais plus pâle, moins voyante que la femme exagérément maquillée, vêtue de couleurs hardies, dont elle gardait le souvenir. C'était plutôt une fille terne et un peu provinciale qui se trouvait devant Geneviève. Un peu gauche aussi. Seul un sourire expressif et assez charmant donnait quelque attrait à ce visage grisâtre aux lignes indécises. Mais tout en cette femme n'était-il pas marqué d'indécision ? La couleur de ses yeux comme celle de ses cheveux où se mêlaient à présent, au noir luisant d'autrefois, des mèches grises. Hésitante aussi la démarche, la voix sans timbre, et surtout la poignée de main.

Geneviève scrutait le visage de cette inconnue dont la médiocrité la rassurait. Ainsi, c'était cela ! Seulement cela ! Une fois encore Geneviève avait vu juste. Ce qui eût semblé folie à d'autres, se révélait, en vérité, sagesse. Après ces années de souffrances, elle allait être enfin délivrée. Il s'agissait d'une fabuleuse démythification. La rencontre enlevait à l'araignée la plus grande part de son pouvoir magique.

Geneviève, en souriant, tendit la main... Nadia eut un mouvement de recul et peut-être d'effroi qu'elle domina aussitôt. C'est sans habileté mais rassérénée qu'elle tenta de dissimuler sa surprise et se rapprocha de Geneviève.

Les deux femmes échangèrent quelques phrases, après quoi Geneviève s'éloigna et regarda Nadia évoluer dans le salon voisin, où, au milieu des hommes, elle retrouvait peu à peu de son assurance. Geneviève bientôt entendit ce rire strident, pour elle inséparable de ce personnage haï. Oui, ce rire, avec la vulgarité des mains aux doigts épais et courts, était bien le seul élément qui se détachait chez cet animal terne. Mais ce rire, certainement, excitait les hommes, on sentait qu'il ne pouvait fuser qu'après des plaisanteries louches. Néanmoins, aujourd'hui, le rire hideux perdait même de son pouvoir. Le pantin démantelé gisait là.

Ayant obtenu, au moins en partie, ce qu'elle souhaitait, Geneviève aurait dû s'en tenir à cette semi-victoire. Elle ne traînait plus cette ombre derrière soi. Parfois, un jour entier, elle pouvait vaquer tranquillement à ses affaires, s'absorber dans un travail difficile, oublier les exigences de l'image. Elle avait pris l'habitude d'être suivie pas à pas et, soudain, elle était délivrée.

Pourquoi n'avoir pas accepté d'en rester là, se félicitant de cette amélioration décisive, espérant que la suite découlerait de ce premier pas vers le mieux ?

Non, Geneviève voulut aller tout à fait bien, guérir, poursuivre la cure. Alors, seulement, elle pourrait en toute tranquillité faire face à des tâches souvent contradictoires. La sérénité lui faisait encore défaut, elle demeurait la proie d'impulsions et de sautes d'humeur tout à fait injustifiées et qui s'accordaient mal avec ce qu'on savait de son caractère. Elle continua donc ses manœuvres. Les deux femmes se rencontrèrent ainsi trois ou quatre fois durant le trimestre. Nadia ne parut pas s'étonner de hasards qui ne la troublaient pas. Rien, au reste, ne l'intéressait vraiment, hormis ses petits problèmes personnels. Passée la surprise de la première rencontre, elle oubliait même ce qui, peut-être, l'avait inquiétée un moment. Geneviève n'était-elle pas une femme un

L'AUTRE PERSONNE

peu particulière, dominée par des exigences incompréhensibles que Nadia eût volontiers qualifiées de manies ? Elles avaient cessé de se voir... Pourquoi ? Nadia n'avait jamais très bien compris les obstacles créés par cette originale qui ne s'accommodait pas de ce que le monde généralement acceptait. La vie aurait pu être si simple, agréable même avec Noël et Geneviève, tous deux bien sympathiques. Nadia oubliait les difficultés survenues, comme leurs causes. Quant à Noël... Elle ne pensait plus guère à lui !

Vint une quatrième ou cinquième rencontre entre les deux femmes.

Ce qui va suivre, Geneviève l'a raconté à Lamblain comme le reste. Il connaît cette histoire pour l'avoir cent fois démontée ; il en a recherché avec elle l'obsédant mécanisme ; Geneviève n'en est pas pour autant apaisée ; il lui faut continuer encore, jusqu'à épuisement sans doute. Livrer cette aventure du corps fut pour elle — assez prude — le plus douloureux des aveux.

Il s'agissait ce jour-là d'un cocktail sans grand apparat et Geneviève n'avait rien prémédité. Elle était même arrivée très tard et après quelques hésitations car elle n'avait pas eu le temps de passer chez elle endosser une robe convenable. Elle était d'humeur plutôt maussade. Immédiatement elle aperçut Nadia, mais elle se dirigea vers un salon opposé. Rien ne pressait. Puisait-elle soudain son audace dans un verre trop généreusement rempli ? En tout cas, la fatigue avait disparu et Geneviève rejoignit un groupe qui organisait une sortie pour le soir-même. Aussitôt elle interpella Nadia, sans lui laisser le temps de donner son accord sur le projet : elle-même devait se rendre un peu plus tard dans une maison de couture qui réservait une présentation spéciale de sa collection à la presse. Nadia voulait-elle l'accompagner ? Le ton était autoritaire. La fille marqua-t-elle quelque surprise ? Comment l'affirmer ? Avide de relations et n'étant jamais parvenue à se faire accepter tout à fait par ceux qu'elle recherchait, elle n'allait pas refuser pareille aubaine ! Le monde de la presse gardait pour elle tout son prestige. Elle ne voyait pas l'insolite de la situation et ne se posait jamais de questions inutiles.

Cette sotte était maintenant apprivoisée. De mœurs assez légères, sa liaison avec Noël avait été pour elle une histoire parmi d'autres. Elle y avait attaché quelque prix, seulement en découvrant la violence des réactions de Geneviève. Plus tard, la séparation du couple l'avait surprise sans doute, mais pas au point d'imaginer une relation entre ces événements. Aussi, le premier moment de perplexité passé, l'attitude de Geneviève ne devait plus la déconcerter. Régnant au centre de son univers clos, Nadia ne savait rien du monde qui l'entourait. Il tournait autour d'elle...

Les deux femmes quittèrent la réception, ensemble, vers neuf heures. Nadia laissa là sa voiture et monta dans celle, plus spacieuse, de Geneviève.

La maison de couture, toutes fenêtres illuminées, attirait les badauds qui se pressaient à la porte. Un sévère filtrage était opéré.

Une foule hétéroclite stagnait devant des buffets dévastés depuis longtemps. Des serveurs excédés emplissaient quelques verres.

On voyait défiler, une fois encore, les mêmes rois détrônés, se mêlant à des nobles aux titres incertains. Des mannequins, devenus de jeunes mères attentives, discutaient des mérites comparés des institutions pour jeunes filles « car du lycée, pas question, on s'y frotte à n'importe qui ! » Des stars sur le retour côtoyaient des princesses hors d'âge suivies du gigolo chanceux dont on se demandait quel était le secret, car un moment arrivait tout de même où il devait satisfaire sa partenaire. Plus loin, se mêlaient journalistes, femmes du monde et même un politicien, traîné là par sa maîtresse ravie de l'exhiber. Ainsi l'épouse légitime avait-elle été contrainte à rester chez elle et sûrement quelque amie fidèle parlerait du couple rencontré.

Nadia semblait fort satisfaite. Elle déployait ses charmes ambigus. Son rire vibrait. Visiblement elle croyait accéder enfin aux rites du Tout-Paris.

Assez rapidement, Geneviève lui proposa de l'emmener dîner. Ici, l'on buvait mais on ne mangeait guère. « Partir ?... Déjà... Tant de gens encore à voir... Un milieu si amusant ! » Pour Geneviève, ces sortes de réunions avaient, depuis longtemps, perdu tout attrait. Une obligation. Comme le bureau. Ce soir, elle avait dépêché pour ce cocktail un jeune modeliste du journal qui devait, sachant tenir une plume, rédiger le compte-rendu promis. Rien, donc, ne retenait Geneviève et l'idée de rester là plus longtemps qu'il n'était indispensable ne lui serait pas venue.

Nadia, après avoir derechef exprimé quelques regrets, dut convenir, qu'en effet, la chaleur devenait difficilement supportable. Les deux femmes regagnèrent la voiture.

Geneviève choisit un restaurant élégant, celui où elle conduisait souvent les Américains de passage, bien qu'elle n'aimât que les bistrots ; au demeurant la nourriture la préoccupait peu.

Immédiatement, Nadia marqua son approbation et assez naïvement au reste. Une chatte gourmande qui n'a pas l'habitude d'être si bien traitée. Elle avoua ne pas connaître cette salle, justement célèbre. Bien sûr, on lui en avait parlé... mais l'occasion ne s'était pas présentée... (Tiens, Noël se montrait plus regardant dans l'adultère que dans la vie conjugale !)

La vue était magnifique en cette chaude soirée. Les marronniers en fleurs caressaient les pierres. Mais autant avoir conduit Nadia dans une cave ! Après un moment consacré aux banalités d'usage et à la composition du menu — ce qui prit un certain temps — bijoux et visons accaparèrent l'attention de la nouvelle venue. On sentait qu'elle s'imprégnait silencieusement, mais avec applicacation, des leçons qu'elle recevait là. Et pour en tirer profit ! Que n'eût-elle eu le même souci en choisissant les mets : caviar, canard, elle engloutissait. Geneviève la regardait avec un amusement condescendant. Le journal paierait cette note avec les autres !

Nadia, rassasiée, commençait à oser quelques réflexions. Seuls les défauts des corps, les erreurs de goût, ou ce qu'elle considérait comme tel, amenaient certains jugements péremptoires : robes de l'année passée, cheveux mal teints, maquillages incertains... et ces chevilles... et ces poches sous les yeux. Ah ! elle ne s'en laissait pas conter ! Non, cette fille n'était pas douée pour l'admiration !

Geneviève était là, inconsciente de quelque autre et plus secret dessein. Elle regardait Nadia et s'interrogeait. Elle aurait aimé comprendre comment, pourquoi, un être si dérisoire avait pu déclencher des événements qu'il était, sans aucun doute, incapable de mesurer et même d'imaginer. Geneviève l'invitait à dîner ? Elle devenait donc une amie. Tout s'arrangeait. C'est en toute innocence et visiblement sans arrière-pensée que Nadia la trouvait sympathique.

Geneviève continuait à tenter de voir ce que son mari avait pu trouver d'attirant, dans ce visage aux yeux délavés et sournois. Les femmes ne comprennent jamais rien à ces sortes de choses, dit-on. Geneviève s'y appliquait pourtant... et sans doute avec un peu trop de zèle ! Elle voyait bien le menton bestial, les hanches étroites et les seins lourds. Oui, des seins lourds qui évoquaient peut-être sur ce torse frêle l'idée de volupté. Geneviève eut envie de sentir le poids de ces seins dans sa main. Elle imaginait le buste nu sous la robe d'étoffe légère. Brusquement, le charme de cette femme fermée sur elle-même comme un objet poli lui apparut... Elle se savait, elle, d'une autre trempe ! Et vivante ! L'autre existait à peine, l'essentiel lui serait toujours inconnu. Geneviève devenait le maître, le seigneur, elle se sentait forte, virile ; cette femme-animal, il la lui fallait ! Ce corps, à son tour, elle le connaîtrait ; bientôt il n'aurait plus de secret pour elle. La vérité apparaîtrait enfin. Qu'importait le reste ! Geneviève découvrait que c'était pour sentir Nadia contre elle, pour ne rien ignorer de son comportement dans l'amour, pour devenir Noël en quelque sorte et violer son secret qu'elle se jouait depuis plusieurs mois cette comédie.

Un voile se déchirait, son tourment gisait loin d'elle avec sa mauvaise foi. Elle oubliait le passé, simplement elle avait envie de cette femme ; elle voulait la tenir dans ses bras, la garder à sa merci, la voir soumise, aller même jusqu'à la séquestrer... **Pas un instant, Geneviève n'envisagea** que, peut-être, Nadia pourrait ne pas goûter, comme elle, la saveur de cette situation. Seules des timides peuvent assumer de telles audaces.

Jusqu'alors, aucune femme, jamais, n'avait attiré Geneviève, aucune ne l'avait touchée... Jamais, fût-ce pour louer ou blâmer, elle ne s'était souciée de ces questions. Il s'agissait là d'un monde qui lui demeurait étranger — uniquement livresque. Elle se sentait, au demeurant, envers ces mœurs d'autant plus d'indulgence, lorsqu'on les évoquait, que cela ne la concernait nullement. Des choses qui arrivent à celles que l'on ne connaît pas. Déjà assez d'ennuis avec les hommes !

Nadia, c'était différent, Geneviève la désirait. Et elle l'aurait ! Comment, au reste, cette larve lui eût-elle résisté ? Larve, certes, mais qui éveillait en elle un désir inconnu, tout neuf, et combien merveilleux ! Devant ce sentiment qui la possédait tout entière, l'objet devenait sans importance. Geneviève découvrait une joie intense à désirer sans avoir encore possédé. Cet être, elle savait qu'elle le tiendrait à sa merci. Elle le caresserait jusqu'à le faire hurler. Ce serait une forme de vengeance mais qui lui apparaissait à présent comme un bénéfice secondaire, au second plan, après le plaisir. Par ce corps aussi elle retrouverait Noël et le supplanterait sur le terrain même où elle avait été battue autrefois. Oh ! elle n'était pas amoureuse ; comme elle la haïssait même cette femme stupide, mais elle la désirait. Violemment. Ainsi, c'était vrai ce que racontaient les hommes ? Le désir pouvait se dissocier de l'amour ? Geneviève ne se souvenait pas d'avoir jamais eu envie d'un homme comme de cette femelle. Ensuite, mais seulement après s'être gorgée de plaisir, elle la rejetterait, la piétinerait. Auparavant, Nadia aurait crié de désir entre ses bras. Celle que Geneviève abandonnerait serait vidée. Une loque, que Noël lui-même n'eût pas ramassée. Leurs ébats d'autrefois n'auraient plus de secrets pour elle. Connaître enfin ces formes trop cruellement imaginées, entendre les mots que Nadia murmurait dans l'amour... Geneviève l'amènerait même à d'inutiles et scabreuses confidences. Tout ce que Noël avait dissimulé sur une intimité louche, elle l'apprendrait. C'en serait fini des questions obsédantes, des fantasmes, des images rejetées comme trop douloureuses.

Le dîner se poursuivait, tandis que les deux femmes échangeaient des propos, que Geneviève jugeait dérisoires, sur les films du dernier festival et sur la vie des stars en vogue.

Geneviève attendait la fin du repas avec une impatience toute masculine. Elle venait de décider d'avoir la fille le soir-même, lorsqu'elle s'avisa que, pour mener cette entreprise à bonne fin, elle manquait totalement d'expérience. Elle avait lu *les Chansons de Bilitis, Sodome et Gomorrhe...* Sans oublier Théophile Gautier... Cela ne la conduirait pas loin ! Bah ! sa volonté suppléerait à tout et la chance sourirait à l'audacieuse qu'elle se sentait devenir. Au-delà d'un certain seuil il ne reste plus d'autre voie que le courage. Et puis, Geneviève pressentait confusément que Nadia ne détesterait pas ces plaisirs-là... Toujours disponible et pour tout ! Cet air d'attente, de passivité consentante devait plaire aux hommes... Consentante, elle le serait avec Geneviève aussi ! Une femme, si refermée sur elle-même, n'aimait pas les hommes avec autant d'intensité qu'elle cherchait à le laisser paraître. Sans aucun doute frigide. Et lesbienne !

Nadia s'amollissait. Ses yeux s'embuaient. Tendresse ? Vodka ? Geneviève faillit se laisser emporter par un mouvement d'impatience lorsque la fille choisit un dessert compliqué. Elle y discerna comme une coquetterie. Elle-même commanda un café.

L'addition signée, les deux femmes quittèrent le restaurant.

Geneviève, après quelques hésitations, proposa d'aller boire un dernier verre chez elle.

— Mais non, venez plutôt chez moi.

— Et votre voiture ? Elle est toujours là-bas...

— J'irai la reprendre demain. Qu'elle couche dehors, là ou ailleurs...

Chez Nadia ?... Geneviève s'inquiétait : « Chez moi j'aurais été plus habile. » Au moins le cadre, à défaut des gestes, lui était connu... « Mais si elle propose... »

Geneviève décida qu'avant de descendre de voiture, elle devait risquer... marquer un point. Le cœur battant, elle prit le poignet de sa compagne et se pencha vers ce visage qui l'avait hanté si longtemps. Nadia avança les lèvres... et c'est en souriant, la main dans la main, comme deux écolières, qu'elles gravirent les quelques marches qui les séparaient de l'entresol.

Tout alla plus vite et mieux que Geneviève n'eût osé l'espérer. Nadia, évidemment, n'en était pas à sa première expérience et ce qui inquiétait si fort sa partenaire n'était pour elle qu'une distraction entre beaucoup d'autres. Que cette femme fût l'épouse de son ancien amant ne la troublait nullement et n'ajoutait non plus rien à son plaisir. Elle n'y pensait visiblement pas. L'intelligence décuple les joies, la sottise en rétrécit le champ.

Geneviève passa la nuit chez Nadia.

L'imprévu la déborda par surprise. Là où elle cherchait vengeance, éclaircissements, confidences, elle découvrait un corps, des caresses inattendues. Nadia était à la fois passive et savante. Geneviève devait prendre les initiatives. Ce fut elle qui ouvrit le chemisier. Des boutons sautèrent, la peau terne apparut. Il y eut un temps d'arrêt. Dans l'attente, Nadia retenait jusqu'à son souffle. Elle gardait une immobilité tout active. Soudain, Geneviève n'y tint plus, elle arracha brusquement ce qui restait de vêtements et le corps apparut tout entier. Parfait, elle l'eût redouté ; excitant dans ses formes inharmonieuses, il devenait à sa merci. Prise de vertige par les caresses qu'elle donnait, tout en les ressentant elle-même, elle éprouvait que rien, jusqu'alors, ne l'avait comblée autant que cette étrange communication. Peu à peu, Nadia s'animait avec une gradation étudiée, mais Geneviève n'acceptait rien encore. Ce fut plus tard seulement, ayant déjà connu le plaisir sans être touchée par Nadia, qu'elle se fit implorante, goûtant une joie trouble à diriger une main plus experte que la sienne.

Cette fois, elle retrouva des sensations plus familières mais c'est ce dédoublement des gestes — était-ce elle ou l'autre qui agissait, elle ne le savait plus — qui l'excitait si dangereusement. Cette fraternité sans égalité ajoutait au plaisir. Pourtant, en dépit de cette jouissance fulgurante et libératrice, Nadia demeurait pour Geneviève un objet qu'elle méprisait.

Pas un instant, Nadia ne se douta qu'elle venait d'enlever à cette femme une forme de virginité. C'était un vrai mâle qui l'avait possédée. Il l'écrasait de son autorité.

Geneviève découvrait qu'au goût de la revanche se substituait celui, plus exaltant, d'infliger à autrui ce qu'elle regrettait de n'avoir pas subi elle-même. Elle en prit seulement conscience à l'aube.

Ainsi, après une si longue attente ! Et c'était cette femme haïe qui lui apportait ce présent !

Cette femme qui lui faisait horreur et qu'elle désirait si fort ! Le plaisir imprévisible que **Nadia** lui révélait involontairement, Geneviève le refusait sans pouvoir y échapper.

Au matin, Geneviève se leva. Nadia la retenait encore. Geneviève résista. Le petit déjeuner pris en commun lui paraissait être le comble de la débauche. Elle se cramponna à ce refus dérisoire.

De retour chez elle, Geneviève se coucha et s'endormit. Elle se réveilla à midi. C'était dimanche. Sa première pensée, avant d'avoir recouvré tout à fait ses esprits, fut qu'il lui arrivait quelque chose de fort désagréable. Un instant plus tard, elle était fixée sur la **nature de ce désagrément**.

Sa décision fut immédiate : ne plus jamais revoir Nadia ! Lucide à présent, les images qui s'imposaient lui faisaient horreur, mais elle sentait son être meurtri, rompu, et chaud pour la première fois depuis longtemps. Elle referma les yeux.

Au bout d'un moment elle savait que tout ne serait pas si simple car déjà le désir remontait en elle. Toucher jusqu'à satiété ce corps détesté pour le vaincre ! Inquiète aussitôt, elle se voyait asservie, ayant perdu cette partie-là aussi. **Nadia** ne lui apporterait, comme il fallait s'y attendre, que douleur, désespoir, peine et honte. Geneviève n'accepterait pas. Pour elle, les femmes avaient été jusqu'alors celles que l'on regardait avec plus ou moins d'agrément suivant leur beauté ; rien de plus...

Le téléphone sonnait :

— Allô ! Geneviève ?...

— Oui...

— On déjeune ensemble ?

— ...

— Je passe vers une heure...

Ainsi, Nadia reprenait l'initiative... Comme pour elle tout était facile ! Elle enchaînait... Puisque c'était dimanche, autant en profiter... Mais pourquoi Geneviève s'était-elle laissé surprendre ainsi ?... En fait, elle n'avait rien dit... mais l'autre était sûre d'elle.

Heureusement la vie laborieuse reprenait le lendemain. Déjà, Geneviève se cramponnait, attendait un secours des obstacles à accumuler sur cette route maudite. « Pourquoi ne pas continuer aujourd'hui, puisque demain, en tout cas, ce sera terminé ? »

Une semaine durant, pour se libérer du désir obsédant, Geneviève accepta de le satisfaire, mais cette prétendue libération l'amenait seulement à s'enliser chaque jour davantage. Pour la première fois sans doute elle était dominée par des liens physiques qu'elle qualifiait d'ignobles et contre lesquels tout son être se révoltait. Elle haïssait Nadia de toutes ses forces, plus encore et plus sûrement qu'autrefois, mais elle ne pouvait renoncer à cette présence, à ce plaisir si nouveau. Elle méprisait cette femme pour sa niaiserie, pour son oisiveté, pour son égoïsme aussi, mais ce mépris même plaisait à Geneviève par l'assurance qu'il lui donnait. Elle demeurait attachée. Comme un homme à une fille qui satisfait ses sens. Les sentiments de la fille, qui s'en soucie ?

Le samedi les deux femmes dînaient ensemble au restaurant. Assises côte à côte sur une banquette de velours rouge, leurs cuisses se touchaient et ce frôlement excitait Geneviève.

En face d'elles un grand miroir, allant du sol au plafond, occupait tout le mur et donnait à cette salle une étrange perspective.

Nadia parlait et Geneviève regardait seulement remuer ces lèvres comme si aucun son n'en sortait. Quittant tout juste cet entresol où, depuis une semaine, elles se retrouvaient chaque soir, elles s'apprêtaient à y retourner le dîner achevé.

Geneviève, mécontente, trouvait que cette cure ou ce caprice — selon les heures elle employait l'un ou l'autre terme — tournait à la liaison... Cela l'irritait. Elle oublia un moment Nadia et regarda droit devant elle, dans le vague. Deux femmes se détachaient, floues dans le miroir. Avant de les avoir vraiment reconnues, Geneviève avait vu un couple de femmes. Un instant, il lui fut donné de voir ce que les autres voyaient... pensant ce qu'ils pensaient... tout naturellement.

Le choc que Geneviève ressentit fut plus fort que les autres sentiments qui l'habitaient. La honte les balaya tous. Elle ne put supporter de s'être vue comme les autres la voyaient encore en cet instant. Ce regard d'autrui la marquait et le terme même de couple lui parut intolérable. Elle n'acceptait pas cette image, ni la réalité qu'elle recouvrait. Pas davantage, non plus, ce qu'elle imaginait en surimpression. La violence de sa réaction fut si intense qu'une semaine de plaisirs fut anéantie en un instant. Elle avait vécu dans un monde irréel elle se retrouvait soudain parmi les hommes.

L'idée que Geneviève se faisait d'elle-même avait toujours représenté pour elle une valeur d'importance qui pouvait l'emporter sur une réalité même plaisante. Elle n'accepterait jamais de se mépriser, encore moins de se faire horreur. Elle prit en même temps conscience de l'odieux comme du burlesque de la situation. Tout le passé se réveilla avec son halo de souffrance. Elle ne comprenait plus son comportement des derniers jours, elle se jugeait comme une étrangère. Non, ce ne pouvait être elle...

Le couple était toujours là — impitoyable reflet. Geneviève prétexta un malaise soudain pour s'enfuir immédiatement. Elle eut du mal à éviter que Nadia l'accompagnât, mais elle tint bon. A minuit, elle avalait tous les barbituriques qui se trouvaient à sa disposition. Pour sortir de l'impasse et résoudre toutes les questions.

Peu après, Lamblain la prenait en charge et Nadia réintégrait sa place, redevenait une ombre. Mais une ombre toute différente, plus nocive encore dans sa dualité. Ce désir trouble d'identification, ce plaisir, en vérité rien de tout cela, Geneviève ne l'avait assumé et c'est vraiment un pauvre animal blessé, qui avait voulu aller au-delà de ses forces, que Lamblain ramassa. Elle n'était pas bâtie pour ces rôles-là. Peu à peu, il la tira de l'ornière. Ce qui n'était encore que séparation devint divorce. Les décisions prises, Geneviève se sentait toujours soulagée. Le travail l'aida. Un moment même, elle crut presque à une résurrection. Sa vie évoluait entre son domicile, le quai Voltaire, et son bureau des Champs-Elysées. Elle rentrait le soir exténuée mais elle avait retrouvé le sommeil.

Combien de fois voulut-elle abandonner le traitement ? Y penser était un jeu, car elle savait ne pouvoir se passer de ce soutien.

Aujourd'hui, c'est Lamblain qui s'en va... Par esprit de vengeance, elle calcule ce que cet homme lui coûte... par semaine... par mois. Elle tente de se consoler en imaginant comment elle emploiera l'argent ainsi économisé. En comparant une heure de traitement et l'achat d'un chandail, Geneviève a l'impression de trahir Lamblain. Pour deux visites, un cachemire... Ces calculs lui semblent sordides et c'est, pour elle, blasphémer que de s'y livrer. L'argent entache les relations, fausse tous les rapports humains. Aucun n'en est exempt. Les psychanalystes, au lieu de chercher à camoufler cette charpente, l'ont érigée en système. D'aucuns disent que c'est bien commode et que le détour est savant. Peut-être... mais Geneviève a des exigences, une fois encore, elle n'accepte pas. Accepter... Encore... Toujours... La venue de l'un, le départ de l'autre. Ronde infernale.

Depuis son enfance, Geneviève se rebelle. Aimant à foncer sur l'obstacle plutôt que de le contourner, sa vie n'a été néanmoins qu'une suite de compromis. Et cela, non par absence de courage — il ne lui fait pas défaut — mais par manque d'assurance. Elle ne croit jamais avec assez de fermeté à la valeur de son jugement, à la mise en garde que lui apporte son intuition ; elle critique son audace, la précarité de son information... Manque d'indulgence de sa part ? Excessive sévérité ? Se croirait-elle infaillible par hasard ? Même pour s'engager, elle a dû toujours transiger avec elle-même. L'adhésion totale lui demeure étrangère. Il lui a toujours fallu surmonter une répugnance : les mauvaises manières de l'un, les fautes de goût d'un autre, ou bien certain mépris qu'elle ressentait en découvrant une lâcheté, une manifestation de vanité, sans oublier la honte qui l'envahissait face à l'avarice.

Elle a même dû passer sur certains dégoûts physiques. Là encore, devant le garçon boutonneux et gauche, elle se raisonnait : « Ma fille, tu es trop difficile... La perfection ? Es-tu parfaite, toi-même ? » Jamais Geneviève n'a connu l'élan sans retour qui fait dire : « C'est une folie, mais une folie qui en vaut la peine. » Toujours, elle percevait des failles que son esprit sage s'efforçait aussitôt de combler. Néanmoins, les vulgarités, le manque de cœur, comment les excuser ? Un tic lui est insupportable, certaines odeurs aussi. Elle croyait toujours devoir se faire violence. « Accepte l'homme tel qu'il est, sinon tu resteras celle que l'on n'aimera jamais... » La solitude lui paraissait pire que de supporter les mauvaises manières, la lâcheté et l'avarice, conjuguées avec toutes les formes de vulgarité. Elle craignait de demeurer isolée des autres et de se dire : « On n'a pas voulu de moi. » Son propre professeur de maintien, qui ne lui laissait jamais un moment de répit, vigilant et toujours aux aguets, telle devenait Geneviève vis-à-vis d'elle-même. Et méchante.

C'est ainsi qu'en quête d'une perfection inaccessible, assoiffée d'absolu, Geneviève se retrouvait en proie à tant de compromissions acceptées comme inéluctables. Longtemps pour elle, le monde fut coupé en deux : monde manichéen. Existaient ceux qui avaient raison et les autres, ceux qui avaient tort. Les bons et les méchants, la vérité et l'erreur. La valeur était récompensée, on choisissait le meilleur, la préférence était justifiée. Une solide charpente juridique structurait l'univers dans lequel Geneviève évoluait. Un univers juste.

C'est bien plus tard seulement qu'elle découvrit les subtils parcours de l'irrationnel. Un ordre inconnu et fluide lui apparut. Là, tous les dés étaient pipés. Les lois qui régissaient ce domaine incertain n'étaient pas celles qu'elle connaissait et parfois même l'absence de lois ne troublait personne. Les exigences ne semblaient pas satisfaites par la perfection. La vérité ne se confondait pas avec la raison. A l'amour se mêlait souvent la haine. Les frontières entre le bien et le mal étaient indécises et celles entre les sentiments ambiguës. On pouvait se détester soi-même, se faire du mal volontairement, courir à sa perte. Geneviève n'avait jamais imaginé auparavant ce qui était une évidence pour les autres. Elle commençait seulement à distinguer que le non-dit seul importe, que le ton est signifiant. Les phrases balbutiées se détachaient peu à peu pour elle de la grisaille d'une conversation avec la fatalité du mot imprévu. Le langage devenait un signe qu'elle apprenait lentement à déchiffrer sans tenir compte des propos apparents.

Autre fait singulier : une cloison séparait ses lectures de son expérience personnelle. Geneviève ne transposait jamais l'univers de la fiction dans le monde vécu. Elle ne tirait aucune leçon de ce qu'on lui contait ; nul enrichissement ne lui venait de l'extérieur. Un abîme séparait ce qu'elle savait de ce qu'elle comprenait. Se soûlant de lecture, elle vivait comme une illettrée ; sa tête se meublait sans le moindre profit.

Et elle lisait les grands auteurs ! On n'aurait pu lui en remontrer sur une citation ! Mais de la vie des héros, de leurs sentiments et de leurs avatars, elle ne tirait aucun enseignement. Ces destins exemplaires ne participaient pas au rythme qui était le sien. Ils n'entraient pas dans son monde conformiste. Elle les voyait sur la scène, alors qu'elle-même stagnait au parterre, l'œil appliqué à sa lorgnette. Entre acteur et spectateur, aucune communication possible.

Petite fille, elle était fort bonne élève, sage, studieuse, appliquée, précise. Son enfance évidemment l'avait marquée, mais ses souvenirs vivants demeuraient surtout des souvenirs de vacances. Elle aimait à partir dès l'aube avec son père ; c'est près de lui qu'elle avait connu l'enivrement qu'apporte la nature. A son côté, elle se sentait à la fois une femme, puisqu'il la choisissait comme compagne, et un jeune garçon, camarade capable de le suivre. Sa mère restait à la maison. De mauvaises jambes, des robes trop longues, toujours incommodes, l'empêchaient de prendre part aux expéditions entreprises par ces deux êtres libres. Avec son père, Geneviève buvait du vin, goûtait aux fromages forts, toutes joies interdites à la table familiale. Elle savait que cet homme ne lui appartenait pas par destin. En vérité, elle le volait à sa mère. Un sentiment merveilleux l'envahissait lorsqu'elle y pensait. Comme elle se sentait forte alors !

Il ne faudrait pas croire que cette femme, qui approche de la quarantaine à présent et qui ne lutte plus guère pour le dissimuler, soit une sotte... Bien au contraire. Trop organisée peut-être... Elle ne peut ouvrir un tiroir qu'après avoir refermé l'autre. Elle aime savoir dans quel élément elle doit se mouvoir, mais c'est demander l'impossible. Toujours, on doit se débrouiller seul, comme à tâtons, et imaginer seul ce que l'on attend de vous dans un monde incohérent. L'homme n'est-il pas son propre ennemi ? Sans pitié, sans douceur, sans pardon, sans amour. Il cherche à s'approprier l'autre, à le dominer, le domestiquer, l'asservir. Que Geneviève n'a-t-elle deviné tout cela à vingt ans !

Elle finissait par croire que ses parents auraient aussi bien agi — et sans grand dommage pour son avenir — en la confinant dans les travaux ménagers si appréciés dans sa famille. N'est-ce pas là le vrai destin des femmes ? A s'écarter de la résignation, ne trouve-t-on pas malheur plus grand qu'en économisant ses moyens ?

Geneviève pensait souvent avec nostalgie à ces existences modestes où la jeunesse se passe à espérer d'improbables métamorphoses, imaginant de hasardeuses réussites. Des femmes vivent en projetant tout au long des jours des rêves infantiles. Elles discutent : « Aujourd'hui, cela m'est indifférent de vivre simplement, de me priver même, mais plus tard, lorsque les enfants seront grands, je déménagerai, je recevrai, j'aurai des domestiques. » Alors suivent des descriptions où le conventionnel des propos ne le cède qu'au burlesque des prétentions.

C'est ainsi que la vieillesse survient, à pas feutrés, prévue mais inattendue. Un jour cependant, c'en est fait, elle est installée. Rien n'a changé dans la vie de la femme si ce n'est que les rêves oubliés la laissent sereine et que les enfants sont devenus des hommes. On habite toujours le même immeuble ; les craquelures seulement sont plus visibles et le tapis plus élimé. Les désirs apaisés, on pourrait douter de leur existence passée puisque rien n'a été tenté, jamais, pour les satisfaire.

Devant la génération qui monte, devant ceux qui ne l'ont pas connue autrefois, la vieille dame se trouvera des justifications : « Vous me voyez, maintenant je suis âgée, je vis simplement, mon mari et moi ne possédons plus nos forces d'autrefois, mais si vous nous aviez connus dans notre jeunesse... Nous voyagions, je m'habillais, je recevais... Tant de relations ! Et une vie mondaine qui nous accaparait ! » Suivront les mêmes descriptions qui, récitées autrefois au futur, seront maintenant transcrites au passé.

Ainsi, ces mythes permettent à certaines existences de s'écouler sans heurts ni excessives tristesses. Les enfants ont été bien élevés, sans les nurses souhaitées, mais auprès d'une mère attentive. Cela pour leur plus grande chance.

A mener une vie d'homme, où la carrière remplace l'enfant, Geneviève a-t-elle trouvé la plénitude ? Allons donc ! Réduite à s'accrocher à Lamblain ! Au reste, a-t-elle jamais cru vraiment trouver en elle la force de se délivrer de cette servitude ? Une véritable emprise !

« Vous êtes libre », prend-il soin de préciser à chaque rencontre, mais il sait bien la dérision d'un tel propos. Geneviève aussi. Elle doit tout à Lamblain — même les sentiments qu'elle porte à un autre.

Depuis six mois, en effet, Geneviève a un amant. Si elle a commencé à voir le monde autour d'elle, ce qui est indispensable pour croiser le regard de l'autre, c'est grâce à Lamblain qui l'a, peu à peu, libérée de son passé encombrant. Par lui elle a su qu'elle était prête pour de nouveaux échanges. Elle ne devait plus se diriger en aveugle et s'étonner ensuite de n'être reconnue par personne. Elle était belle encore. Mince, enfin assez mince, musclée en tout cas, en dépit de la vie stupide qu'elle menait. Oui, elle pouvait plaire... Son regard se posait sans indulgence sur cette grande fille qu'elle connaissait trop. Jamais elle n'avait pu voir en elle une dame. De cette tignasse presque rousse, elle était saturée comme de ces yeux verts qui alimentaient une mémoire pesant si lourd.

Geneviève a rencontré Serge au journal. Il est membre du conseil d'administration. Elle assistait exceptionnellement à une des séances pour présenter un long rapport qu'elle venait de rédiger. On l'invita d'abord à le lire et ensuite à en argumenter.

Serge apprécia Geneviève immédiatement, et pour des qualités qui n'étaient pas les siennes. Cependant, un peu plus tard, il opéra assez subtilement une révision de son jugement hâtif. Il n'en demeurait pas moins que c'était du fait de cette erreur initiale qu'il s'était intéressé à la rédactrice littéraire. Il l'avait aimée masquée, l'acceptant ensuite à visage nu, mais il souhaitait parfois qu'elle devînt vraiment cette femme d'affaires, forte et efficace, qu'il avait cru entrevoir un instant.

Ce personnage, elle l'incarnait ce jour-là car elle était très intimidée. Elle demandait en annexe à son étude une augmentation sensible de son traitement, annonçant son intention de quitter le journal si elle ne l'obtenait pas et décidée à jouer le tout pour le tout. Cet argent lui était nécessaire autant pour la rassurer sur ses capacités que pour maintenir le train de vie assez dispendieux auquel

Geneviève était habituée. Contre Serge et ses pareils, elle avait gagné la partie.

Outre ses gains personnels, Geneviève disposait de ressources assez importantes. Noël s'était montré élégant lors du divorce, ne discutant pas la somme qu'elle demandait comme capital et y ajoutant même une rente qu'il servait régulièrement. Geneviève pouvait donc affirmer que Serge ne l'entretenait pas. Toutefois, aurait-elle pu jurer que la fortune qu'il affichait n'avait pas joué un certain rôle lors de l'entreprise de séduction fort habilement menée par lui ? Investie, telle une place forte, Geneviève s'était rendue après un mois de soins attentifs. Beau, séduisant, fort et nonchalant tout à la fois, Serge paraissait vraiment épris. On ne dissocie pas un être de ce qui l'entoure, de son mode de vie, de ses manières. L'intelligence, bien sûr... mais les vêtements aussi marquent la personnalité comme le goût des livres ou l'aménagement d'un appartement.

Geneviève avait-elle été totalement insensible aux pourboires généreux que Serge dispensait avec indifférence dans les restaurants et les hôtels de luxe où il la conduisait ? Et la Jaguar puissante et silencieuse faisait partie de son personnage comme sa désinvolture et sa capacité de résoudre des questions qui souvent embarrassaient Geneviève. Elle aimait l'aisance avec laquelle il se déplaçait, méconnaissant les distances, qui ne se comptent plus en effet qu'en dollars. Il n'acceptait jamais qu'un obstacle s'interposât entre lui et un désir. De cela Geneviève ne profitait pas. Elle en pâtissait plutôt. Elle eût souhaité qu'il fût plus stable, moins inquiétant, plus enchaîné, moins maître des choses.

Geneviève aime regarder Serge, ses mouvements harmonieux, sa démarche légèrement voûtée, comme si l'homme était trop grand pour se déplier tout à fait.

Les cadeaux jouent un grand rôle dans leurs relations. Geneviève les accepte sans réticence, car ils sont généralement tout à fait inutiles. Serge est un homme de goût qui ne quitte le ton sérieux des affaires — domaine sacré où les femmes ne pénètrent pas — que pour la plus extrême futilité. Il traverserait Paris pour chercher une clef ancienne, l'Europe pour trouver une opaline qu'il donnera aussi bien dès son retour.

Parfois, il part pour de longs voyages. Tout est organisé, minuté. Le guide est étudié avec soin, les monuments importants soulignés. Arrivé dans la ville, l'horaire prévu n'existe plus. Serge doit trouver sur-le-champ une chose banale dont il ne peut se passer. Il parcourt les rues, les boulevards, cherche les meilleures adresses : pourquoi se contenter d'une brosse, d'un stylo ou d'un briquet quelconques ? Aucun autre souci ne l'habite avant que le nouveau caprice ne soit satisfait. Ensuite, tout rentrera dans l'ordre, l'objet sera oublié dans la chambre d'hôtel car, en vérité, Serge ne tient réellement à rien, si ce n'est à lui-même. Cette faculté qui est la sienne d'être partout chez lui, surtout lorsqu'il est ailleurs, il la partage avec beaucoup d'hommes. Simplement, il la pousse à son degré extrême.

Serge a quatre enfants, une épouse qui l'adore et il est libre. Plus libre que Geneviève, toute solitaire qu'elle soit. Mais libre, il ne l'est pas toujours pour elle, car les joies de l'instant n'admettent aucune entrave.

Serge compte parmi ces hommes d'affaires dont la situation est si considérable que, selon l'opinion de Geneviève, elle confine à l'oisiveté. La besogne arrive tellement préparée qu'elle est réduite à n'être plus qu'une mince boulette, cent fois malaxée par autrui. Seule, la décision finale appartient au patron. Pour lui, pas de dossiers, pas de courrier, une table lisse où parfois est posée une feuille épaisse et gravée. C'est cela son bureau. Il ne reçoit que la quintessence, l'essentiel, dira-t-on... Sans doute... Il y faut du génie... peut-être, mais du travail, point !

Pour Geneviève, le travail c'est la lecture fastidieuse des manuscrits, la réception d'auteurs sans talent, le volumineux courrier auquel, chaque jour, il faut répondre et qui le lendemain n'a pas diminué pour autant, les photos à choisir, l'exaspération, la course contre la montre. Et le soir, souvent, les éditeurs étrangers avec lesquels il faut passer la soirée.

D'autres diront : « Ça du travail ! Assise devant un bureau d'acajou, des secrétaires qui répondent à la sonnerie, le thé à cinq heures. Il est des femmes qui restent debout huit heures devant une machine et qui trouvent, en rentrant chez elles, une autre journée de labeur qui commence. » Evidemment...

Quant à Serge, homme d'affaires important, l'avion représente une de ses résidences, le téléphone son mode d'expression.

Généreux, exquis, léger, irresponsable (sauf en affaires), comme certains acides jetés sur le métal, il détruit tout, même le cœur. Mais existe-t-il des hommes honnêtes, sincères, responsables et bons qui ne soient pas ennuyeux ? Hormis Lamblain bien entendu !

Contrairement à Noël, Serge ne dit pas à Geneviève qu'il l'aime mais, visiblement, il se plaît en sa compagnie. Il est gai et l'entraîne dans sa farandole. C'est cela vivre ! Néanmoins, il n'est pas parvenu à la guérir. Leurs corps ont trouvé une liberté et un accord ; Serge a su ne pas organiser cette liaison mais la laisser évoluer avec fantaisie. Rien n'est décidé. Jamais ils ne parlent de l'avenir.

Serge serait sceptique si quelqu'un, qui la connaissait vraiment, lui parlait de Geneviève. Il ne voit qu'une face de sa personnalité. L'effort auquel elle consent afin de lui dissimuler l'autre est excellent pour elle. Une forme de gymnastique

L'AUTRE PERSONNE

des plus salutaires. Serge est satisfait ainsi. Discret, distrait, il n'oublie cependant pas les anniversaires et il sait que le vison tient plus chaud au cœur et au corps que l'astrakan.

Geneviève est surprise que Serge ait des amis. Peu, il est vrai, au sens où elle-même l'entend. Toutefois, il demeure fidèle depuis l'enfance à un mystérieux Remi. Elle aimerait d'autant plus le connaître qu'il se refuse à le lui présenter. Il serait actuellement dans une clinique. Oui, peut-être... mais avant ?... mais après ?... Non, tous les prétextes sont bons pour éviter une rencontre. C'est un sauvage, dit Serge, un être à part, un original... qu'il n'est pas loin d'admirer. Quant à la femme de Serge, Geneviève l'a rencontrée une seule fois. Elle en a conclu que c'était là le couple le plus étrange qu'il lui ait été donné de voir. Isabelle est une blonde épaisse et gaie qui doit être telle qu'elle se montre. Sans arrière-plan. Sans doute ferait-elle même la lesssive avec grâce. Exactement une belle lavandière ! Dans un appartement parisien, encombré d'objets rares, on l'imagine se cognant partout. Serge décide, Serge installe, Serge organise. Il est là, il disparaît, il revient ; Isabelle attend, elle est heureuse de la présence comme de l'attente qui est son lot, car l'attente annonce le retour. Aucun doute ne l'effleure. Tout la comble. Même Remi, l'intraitable, apprécie Isabelle et leurs relations sont empreintes d'une certaine forme de complicité. Serge en sait gré à l'ami et cela rehausse le prestige de l'épouse.

Geneviève reste fort satisfaite d'une liaison qui lui convient parfaitement et qui aurait dû lui permettre de recouvrer un certain équilibre. Ce n'est pas le cas, néanmoins. Si tout est si aisé entre eux, sans drames ni même difficultés, c'est simplement qu'ils ne s'aiment point.

Serge va, vient, et, tout comme Isabelle, Geneviève attend. Serge a-t-il parfois quelque aventure ? Elle n'y regarde pas de si près... C'est cette indulgence même qui prouve qu'elle n'est pas guérie, qu'elle est encore retenue ailleurs. La passion, voilà la misère qui rend la vie obscure et tourmentée, mais là réside aussi la joie. L'indifférence, mêlée de tendresse, et les journées s'écoulent comme les nuits, gaies et faciles. Qu'un ouragan passe et l'on se laisse emporter loin de cette satisfaction tranquille qui s'efface immédiatement devant une promesse de bonheur incertain...

Serge n'a permis à Geneviève d'oublier ni Nadia ni Noël. Au contraire, ils se confondent à présent dans des accouplements monstrueux où elle-même se dédouble et intervient avec l'envie de hurler.

Serge plane et ne sait rien de ces tourments. Il est si doucement lâche. S'il voulait forcer ses secrets, Geneviève ne résisterait pas longtemps, mais, tout comme Noël, il choisit toujours de ne pas savoir ce qui le dérange. En fait de soucis, il a ses affaires ; les femmes sont là pour le plaisir. Il est loyal en quelque sorte, il n'interroge pas et, si on lui posait des questions, il ne se donnerait même pas la peine de mentir. Certains prétendent que le mensonge est un hommage que l'on rend au partenaire berné. Pour l'épargner. Sans doute... Mais Geneviève n'a jamais apprécié cet hommage-là. Serge représente dans sa vie des heures de luxe qui viennent par surcroît, un glacis qui recouvre un mal profond. Il n'est jamais parvenu à lui inculquer son art de vivre. Elle conserve ce désir de tout partager avec l'autre. Seule, elle se sent comme une moitié d'être. Comment remédier à un mal si profond ?

Cette liaison, qui dure depuis une demi-année, paraît à Geneviève à la fois fondamentale et éphémère. En même temps que cette absence d'avenir la délivre du souci de la durée, elle enlève toute vérité à ses amours. Geneviève est légère sans effort. Elle ne se soucie pas d'enchaîner son amant.

Cet homme, qui n'est esclave que de son bon plaisir, observe néanmoins quelques rites : la fin de semaine familiale est du nombre. Seul Remi est admis à la troubler.

Chaque dimanche, Serge téléphone à Geneviève, très exactement à midi. « Comme d'autres achètent un saint-honoré à la sortie de la messe », remarque-t-elle par moquerie. Jamais il n'oublierait ; il s'informe, alors, des projets de Geneviève et il s'étonne si elle n'a rien prévu. Mais il ne s'intéresse pas vraiment à son existence — hormis ce qui leur est commun. Toutefois, si elle évoque quelque souci financier, il change immédiatement de ton, prend un air grave. Il s'agit là de questions d'importance. Il écoute avec attention et donne un conseil utile. Il juge Geneviève dépensière, non parce qu'elle se livre à des achats inconsidérés mais parce qu'elle ne respecte pas l'argent. Crime impardonnable !

Le budget de Serge ne peut se mesurer à celui de cette femme seule et cependant ses caprices dispendieux sont domestiqués. Comme tous ceux qui sont riches, il paie chaque chose moins cher que les autres car, sans être avare, il est attentif. Il traite Geneviève de folle lorsqu'elle n'utilise pas les bonnes adresse, parfois éloignées, qu'il lui donne, préférant, même si elle doit payer davantage, posséder immédiatement ce qu'elle désire — et sans fatigue inutile. Ou bien elle a de l'argent et le dépense, ou bien elle n'en a pas et ce n'est pas un drame ! « Une vraie bohème ! » dit Serge avec mépris. Cette indifférence le choque — tout autant sinon davantage que l'attitude de Remi.

Il fait bon néanmoins vivre auprès de Serge ; le passé paraît si lourd à Geneviève qu'aucun futur n'y ferait contrepoids. Autant ne pas s'en soucier ! Elle n'est vivante que par les traces des souffrances laissées dans son âme tourmentée. Modelée de toutes ses expériences, chaque blessure l'a marquée, chaque être a gravé en elle son empreinte.

Geneviève dit qu'elle n'est que creux et bosses, roulée par les flots. Le tout est de se retrouver droite, lucide, après la tempête. Ce n'est pas toujours aisé. Au jour le jour, Serge lui permet de vivre. Tant bien que mal. Vivre... avec Lamblain comme recours. Elle a souvent parlé d'arrêter les séances, de le quitter. Mais à présent, c'est lui qui disparaît. Plaquée. Toujours plaquée ! Que n'eût-elle, une fois au moins, choisi de quitter l'autre ? Y penser... bien sûr, mais en arriver au fait, jamais ! Toujours l'homme s'éloigne. Même aujourd'hui, celui qu'elle paie pour être là l'abandonne. C'est son destin... Son destin à elle, bien entendu.

CHAPITRE III

Christian Lamblain n'était pas satisfait. Ni de lui-même ni des autres.

Revenu depuis quelques jours à peine de cette longue cure de solitude qu'il s'était imposée, le travail intensif, repris aussitôt, le laissait chaque soir épuisé et un peu plus désemparé que la veille. Les malades se succédaient. Les demandes de rendez-vous et les appels téléphoniques occupaient deux pages d'agenda. Douze traitements en cours, c'est déjà lourd à assumer pour un psychanalyste. Douze êtres dépendants de soi...

Il rayait des noms : Jacques Bernis, lui aussi, avait appelé. Pourquoi ? Lamblain hésita un moment et ce fut le même coup de crayon avant de rendre le cahier à sa secrétaire.

— Alors, non pour tout le monde, Monsieur ?
— Vous voyez le moyen de faire autrement ?

Ce n'était pas une question qu'il posait. Elle

ne donna pas son avis et s'éloigna silencieusement.

Lamblain, demeuré seul, songeait avec nostalgie à la sérénité qui marquait autrefois le déroulement d'une existence sans heurts, toute tournée vers autrui. Et puis, il y avait eu ce choc. En vérité, il était parti car il se sentait à bout, il lui fallait se ressaisir, accepter. De l'infidélité d'Elisabeth, il avait souffert tout comme un autre. Davantage peut-être, car il refusait cette souffrance qu'il jugeait absurde, sans objet. Il en connaissait les ressorts secrets. Il ne pouvait s'abuser. Les reproches dont il s'accablait, sa sévérité envers lui-même n'amélioraient rien.

Plusieurs semaines de réflexion et de solitude lui avaient permis de retrouver ce qui constituait pour lui les vraies valeurs. Christian avait bien dû se résoudre à admettre le comportement d'Elisabeth. En démêler les causes était une autre affaire ! Aucune rancune ne l'animait ; il était simplement malheureux. Qui, cependant, mieux que lui, connaissait la vanité de la souffrance, du gâchis ? Le temps irréversible... Il se reprochait son attitude tout en s'abandonnant, comme le premier venu, avec délectation, à la critique, à l'injustice... L'amour-propre s'en mêlait aussi. Il n'était pas cet homme fort devant lequel les autres s'interrogeaient et dont ils attendaient le salut. Lui seul connaissait la mesure de ses faiblesses, de ses révoltes. Il demeurait surpris et mécontent de ne pouvoir les maîtriser. Mais la certitude est seulement dans l'imaginaire, le réel est toujours ambigu.

Depuis son retour, en toute quiétude, il pouvait changer de soucis, ce qui était pour lui une forme de délassement : son attitude vis-à-vis d'Estève était-elle justifiable ? N'outrepassait-il pas ses droits ? Ne serait-il pas amené à regretter un jour une telle intrusion dans la vie d'autrui ? Le hasard, si adroitement ménagé, ne lui apportait aujourd'hui qu'une satisfaction mitigée... Il lui avait été permis d'infléchir, en quelque sorte, le destin, jeu dangereux entre tous — où cela les conduirait-ils ?

A l'inverse, pourquoi ne s'être pas résolu plus tôt à la décision prise il y a quelques mois ? Pourquoi cette insouciance ? A quoi correspondaient ces années de passivité, suivies de cette hésitation, puis de cette longue attente. Que Remi s'enlisât, Christian le savait depuis longtemps et s'en accommodait. Une certaine idée de la liberté... Déjà Christian se cherchait des excuses, tant pour son indifférence d'autrefois que pour cette intervention présente. Un jour donné, inopinément — ce jour-là et pas un autre — son devoir lui était apparu, comment eût-il pu se dérober ?

Jacques Bernis, naïvement et sans mesurer la portée de ses paroles, était intervenu. Christian, par cette entremise, avait sollicité ce que les autres nomment le hasard, ce hasard qui pour lui, naturellement, n'existait pas. Seule, une nécessité, parfois mystérieuse, commande les événements et tout se joue entre le possible et l'inévitable en une dialectique aux alternances imprévisibles. Remi aurait pu ne pas se laisser prendre ; Christian avait voulu que les chances demeurassent très faibles pour lui-même, comme s'il craignait ce qu'il allait mettre en branle. Remi n'était-il pas attaché à ses habitudes, attentif au luxe ? Comment imaginer qu'il choisirait un changement ? Pour lui, presque une aventure. Lamblain aurait su attendre une autre occasion. Il appréciait ces détours où librement les chemins se croisent. Remi, Christian, les deux hommes ne s'étaient jamais parlé avant cette rencontre à la clinique. Remi ignorait tout de Christian — jusqu'à son existence — mais Christian savait mille choses sur Remi : ses faits et gestes récents, son mode de vie, ses préoccupations, ses goûts. Il savait que cette existence était gérée en vue du meilleur rendement possible. Il n'ignorait pas non plus que Remi aimait à apporter parfois et sans se l'avouer quelques joies imprévues dans la vie des autres, mais seulement des humbles, des déshérités, comme pour se donner une preuve supplémentaire de sa bonté et d'un pouvoir qu'il se plaisait à exercer. Christian devinait et comprenait Remi bien mieux que lui-même.

Lamblain avait su ainsi utiliser une retraite choisie à des fins bien différentes. Un an auparavant, il avait rencontré ce long garçon triste, isolé dans un luxe dérisoire. Il avait décelé sans peine à travers le comportement triomphant tout ce qui faisait de Remi un être démuni, vide, perdant. Cela avait suffi à le décider. N'eût-il pas contemplé, tout à loisir, dans un hall de palace, ces cheveux clairsemés, cette peau flétrie, ce regard impérieux qui n'acceptait pas, que tout sans doute se fût passé différemment.

Remi Estève revint à Paris sans encombre. C'eût été mal le connaître de l'imaginer se laissant aller, quel que fût son tourment, à une négligence quelconque.

Dès son arrivée, la vie avait repris selon son rythme habituel, au moins apparemment, les traces d'une absence devant toujours être effacées au plus tôt et cette fois encore plus qu'à l'ordinaire. Bagages mis en place, courrier mis à jour — sur chaque lettre, de sa fine écriture, une observation pertinente —, c'était là occupation naturelle après dix-huit jours de vacances.

Restait l'essentiel auquel Remi s'était refusé de penser jusqu'alors. Quel allait être le sort du tableau ? Toutes décisions lui paraissaient scandaleuses, chacune comportait une forme de trahison ; choisir semblait impossible ; subir devenait un moindre mal.

Le tableau avait été enveloppé pour le voyage

dans une toile écrue trouvée dans le coffre de la voiture. Tel quel, il fut déposé dans le hall de l'appartement avec les deux valises de cuir fauve. Un moment plus tard, le paquet gisait là, solitaire, incongru dans une maison si bien ordonnée. Le domestique s'inquiétait : Monsieur ne semblait pas d'humeur causante. Inutile de l'irriter par une question. Le tableau fut entreposé dans un placard qui servait de vestiaire, le valet en décida ainsi. D'ailleurs, Monsieur ne recevait jamais...

Remi, pour un moment délivré, accepta cette solution d'attente. Dans l'état où il se trouvait, la lâcheté même devenait excusable. Il devait d'abord se rétablir.

La photographie avait repris sa place, mais le halo de certitude et de sérénité qui l'entourait était brisé. Elle évoquait maintenant pour Remi des pensées dangereuses, tout un univers inconnu où il refusait de s'aventurer. Il avait subi un choc, n'était-il pas sage d'attendre et de retrouver des forces avant de se lancer à l'assaut ? A l'assaut de quoi, il n'aurait pu le préciser mais cette image s'imposait à son esprit.

Les jours succédaient aux jours, la même monotonie régnait, comme si cette coupure n'eût pas existé. Remi allait au bureau, en revenait. Le bureau ! C'est-à-dire le bagne lorsqu'il y pensait ; en fait, le seul lieu où Remi existât vraiment ; ailleurs, il se regardait vivre. Des affaires, il avait toujours aimé l'atmosphère nerveuse, les appels de

New York, d'Amsterdam, de Londres, les décisions à prendre sur l'instant. Cette force qu'il sentait en lui et l'intuition qui l'habitait parfois lui avaient donné l'audace nécessaire pour réussir.

A présent, tout était différent, l'équilibre était rompu, il voyait son activité comme du dehors. On s'était souvent étonné de l'ascension assez spectaculaire de cet homme solitaire. En vérité, on attache toujours trop d'importance à la vie mondaine, aux relations. « Pourquoi se croire tenu de rencontrer des ducs, des ministres ou des milliardaires, si on n'en a pas le goût et si l'on porte en soi le talent nécessaire au succès ? » Voilà ce qu'il répondait, ajoutant : « Le tout est d'avoir su, à l'heure juste, découvrir ses dons véritables. » En fait qu'avait-il découvert ? se demandait-il maintenant. Il n'avait aucun don. Le travail ? Oui, c'était bien là l'essentiel ! Au moins, il l'avait cru. Pour le reste, quelques déjeuners d'affaires, de temps à autre un dîner, des soirées mornes, des dimanches solitaires et, dans le courant de la journée, des quémandeurs, des importuns, toujours des importuns. Et puis ? Serge Morel, cet ami d'enfance qui avait survécu, car, lui, acceptait, comprenait toutes les sautes d'humeur de Remi. Un jour prochain, il allait bien devoir lui parler.

Existaient aussi les femmes. Les femmes ? Depuis son retour de Savoie ces sortes de préoccupations demeuraient dans l'ombre. Remi, lorsqu'il disposait d'un moment, passait chez son tailleur, achetait quelques cravates. Très soucieux de sa tenue, il appréciait toujours les fins draps venus de Londres, les nœuds papillons aux dessins imprévus. Ses choix semblaient rarement de mauvais ton ; seule faiblesse : un goût que certains eussent jugé peut-être excessif pour les objets en or.

Remi Estève se replongeait avec hâte dans ses habitudes, espérant que peu à peu tout rentrerait dans l'ordre et que ces prétendues vacances pourraient être oubliées, voire gommées. Il continuait à visiter les librairies régulièrement, car il était à la fois — et cela depuis sa jeunesse — bibliophile et curieux des choses de l'esprit. Parfois, il acceptait un détour pour se rendre chez un antiquaire qui venait de lui signaler quelque pièce rare. C'était là dépense justifiée, mais qui ne lui apportait plus les joies escomptées.

A présent, à la banque, c'était comme une folie de certitude qui s'emparait de Remi par instants, mais il savait la dissimuler et sa secrétaire ne le trouvait pas exagérément nerveux ; elle n'était pas loin, même, de considérer que ces dix-huit jours de repos avaient été profitables au patron.

Soudain, un soir, après une longue conversation avec son bureau de New York, Remi Estève décida de partir d'urgence. « Quarante-huit heures là-bas suffiraient » assurait-on. « Et je n'y resterai pas davantage », répliquait-il.

En effet, pour un si bref séjour, il pouvait ne

L'AUTRE PERSONNE

modifier en rien ses habitudes — et cela lui paraissait essentiel. Excellente occasion aussi de donner libre cours à son désir de domination. Pour si peu de temps, il ne comptait pas se plier aux habitudes locales, tenir compte du fuseau horaire ; il vivrait selon son rythme et à l'heure française ; son sommeil — toujours difficile — ne serait pas perturbé. Quant aux autres, puisqu'ils désiraient le rencontrer ils se plieraient à ses convenances. Faisait-on appel à lui oui ou non ? Il savait s'organiser et il avait appris, récemment encore — et à ses dépens — que lorsqu'il agissait à sa guise, et seulement dans ce cas, tout allait bien. Ses correspondants furent à peine surpris par les câbles adressés pour prévoir et minuter un horaire aussi insolite. Ils avaient l'habitude.

En dépit des précautions prises, Remi se trouva dès son retour plus tendu qu'à l'ordinaire et sa première colère, on ne dut pas l'attendre longtemps. Estève avait déjeuné ce jour-là avec une vieille amie qu'il voyait rarement car elle habitait le Japon, mais à chacun de ses voyages — parfois elle restait cinq ans sans venir en Europe — elle téléphonait et ils prenaient un repas ensemble. « Sa survie dans l'amitié tenait à ses passages éclairs », disait Remi en ironisant sur lui-même.

Donc, ce jeudi, Remi Estève regagnait son bureau en fumant un cigare. C'était un plaisir qu'il s'offrait rarement car il le considérait comme nuisible. « Il en va, au reste, ainsi de tous les plaisirs... » pensait-il mélancoliquement. En arrivant, il sourit à sa secrétaire et jeta son chapeau sur la table, comme par jeu. Rien ne laissait présager l'orage.

Le téléphone sonna peu après...

— Monsieur, je vous passe le docteur Lamblain.

— Je ne suis pas là...

— Mais Monsieur j'ai cru...

— Je ne suis pas là...

Il attendait cet appel et sa colère venait de ce que, justement, il l'attendait, mais il se refusait à l'admettre. Il ne céderait pas à cet intrus.

— Mademoiselle, venez je vous prie.

La secrétaire entra. En quinze ans avait-elle entendu plus de deux fois ce ton rogue ?

— Ainsi, Mademoiselle, c'est le forum ici, la place publique, et moi, comme un esclave, je dois répondre quand on m'appelle !

— Mais, Monsieur, ce monsieur m'avait dit que c'était personnel, que vous étiez au courant. Il a déjà appelé deux fois... J'ai dit que vous seriez là à trois heures.

— C'est le comble ! Je dois rendre des comptes à présent, arriver à l'heure, prendre des communications qu'on m'impose. Et vous tranchez. Qui est le patron ? Qui fait marcher cette boîte ? Qui fait vivre tout le monde ? C'est insensé ! Et d'abord, si ce monsieur a téléphoné deux fois, pourquoi n'est-ce pas noté ?

— C'est noté, Monsieur, sur votre bureau, il y a la fiche. C'est même pour cela...

— Je vous ai dit cent fois — mais qui fait état ici de mes ordres ? — que je ne voulais plus de fiches, un cahier et rien d'autre sur la table.

— Monsieur, la semaine dernière encore...

— Vous voulez me prouver quoi, Mademoiselle... Que vous êtes chaque jour plus incapable ?

La secrétaire sortit du bureau, haussant les épaules dès la porte refermée. Un moment plus tard elle se perdait encore en conjectures sur la personnalité de l'inconnu qui mettait le patron dans un tel état.

Remi Estève était profondément troublé. Sa colère tombée, il s'inquiétait lui aussi. Bien sûr, depuis des semaines, il tentait d'oublier... et cet intrus revenait, au mépris du plus élémentaire savoir-vivre. De quel droit entrer ainsi dans la vie des autres ? Si Lamblain appelait de nouveau, Remi prendrait cette fois la communication et lui dirait son fait.

« Sans doute ne rappellerait-il pas. Trois fois... il aurait compris ! »

— Mademoiselle, M. Lamblain a-t-il laissé son numéro de téléphone ?

— Non, Monsieur.

— Bon, tant mieux !... Cela dit, vous auriez dû le lui demander.

La secrétaire, devant son clavier, haussa derechef les épaules. Décidément, le patron devenait cinglé aujourd'hui !

Remi ne parvenait pas à fixer sa pensée sur les notes qu'il feuilletait. En rentrant chez lui, à neuf heures, satisfait de gagner enfin une retraite que nul ne viendrait troubler, un sentiment inattendu de tristesse et d'abandon l'envahit et lui parut soudain insupportable... Ainsi, on travaille des années pour s'affermir, on construit sa solitude par renoncements successifs, on croit être enfin devenu un homme libre et voilà qu'au premier choc tout semble remis en question. En vérité, Remi tenait-il tellement à se protéger ? Le dialogue, quelle tentation ! Et avec un inconnu dont il ne savait rien et dont il n'aurait même pas pu dire dans quelle mesure il lui était sympathique ! Très jeune encore, cependant, Remi avait compris la vanité du divertissement et qu'en soi seulement résident les joies comme les peines. Alors ?... Eh bien ! Tout n'est pas si rationnel, voilà ! Il regardait la vie sans plaisir. Les murs tendus de velours cramoisi qui l'avaient charmé si longtemps lui paraissaient grisaille comme tout le reste. Il avait attaché jusqu'alors la plus grande importance au cadre qui l'entourait. Aussi son divorce était-il devenu pour lui un instant de perfection totale. N'avoir emporté qu'une valise légère, repartir à zéro, tout recommencer, c'était cela le luxe. Qu'il ne restât rien de fêlé auprès de soi. Et aujourd'hui ? Apporter à ce désir de perfection

L'AUTRE PERSONNE

tant de soin pour se trouver un soir ainsi désemparé ! Remi avait mis cinq ans à trouver, puis à meubler cet appartement ; en vérité, il s'agissait plutôt d'une garçonnière de luxe : trois pièces dont la surface correspondait à celle de six aux autres étages. Bien installé, certes, mais sa vie n'en demeurait pas moins vacante, au moins au sens où l'entendaient les bourgeois de ses amis. Et voici que, tout à coup, il se demandait si ce n'était pas eux qui avaient raison... Libéré des êtres, bien sûr, mais pas des choses. Ainsi il conservait encore le téléphone ! Conformisme sans doute, car jamais il ne demandait de communications. Quant à ceux qui eussent pu l'appeler... ils étaient deux ou trois peut-être... Remi trouvait soudain inconcevable de n'avoir jamais fait supprimer ce fil indiscret le reliant encore inutilement au monde. Il se prenait à haïr cette invention diabolique, véritable piège qui le menaçait, le narguait et l'attirait tout à la fois. De rage, tout à coup, il décida d'appeler Serge. Naturellement... Serge était sorti ! Celui-là... lorsqu'on avait besoin de lui ! Encore avec cette Geneviève Harbant sans doute ! Serge se croyait libre... Il refusait de voir les faits : cette femme commençait à être envahissante. Une folle très certainement ! Enchaîner Serge pourtant n'est pas aisé. La femme devait être habile et intéressée. Un jobard ce Serge ! Ce n'est pas Remi qui eût accepté pareille entrave. Il ne supportait nulle contrainte. Il venait même de renoncer à son ultime distraction : il n'irait plus à la salle d'escrime. A quoi bon s'astreindre à entretenir un corps inutile ?... Le sport ? Un alibi... qui longtemps l'avait occupé, il est vrai. Il continuerait seulement à s'entraîner avec ce professeur de culture physique auquel il avait même confié les clefs de l'appartement. L'homme arrivait à cinq heures du matin. Une heure de travail intensif, ensuite deux heures pour sa toilette — oui, c'était ainsi — et Remi n'en arrivait pas moins au bureau avant neuf heures.

Mais à quel propos ces réflexions ?... Ah oui ! Serge...

Remi se leva et comme en se cachant — en vérité, ne se cachait-il pas de lui-même — se dirigea vers son bureau. L'annuaire se trouvait à portée de la main, glissé sous la tablette de la petite table qui supportait le téléphone. Lamblain, boucher... Lamblain, entrepreneur... il s'impatientait. Lamblain Christian, médecin, quai Voltaire... il aurait dû s'en douter... snob, banal... Il nota le numéro sur un bloc qu'il laissa sur le bureau, puis regagna son lit.

Au bout d'une demi-heure, il appelait. Une voix sèche répondit. Il hésita un moment... Il pouvait encore raccrocher.

— Docteur Lamblain ?
— Oui, c'est moi.
Le ton était impatient.
— Bonjour...

On eût dit que l'interlocuteur venait de passer le combiné à quelqu'un d'autre.

— Je suis heureux que vous m'appeliez.
— Il est peut-être un peu tard...
— Non... je travaillais. Après toutes ces semaines de vacances...
— Ainsi vous êtes médecin ?
— Comme je vous l'avais dit.
— Absolument pas... Je l'ai appris à mon retour.
— Encore un oubli curieux. Et, ce qui est plus grave, là, il y a récidive.
— Vous m'avez téléphoné ?
— Oui, et même plusieurs fois. Je ne suis pas susceptible ! Alors quand se voit-on ?
— Mais...
— Voyons, voulez-vous venir dîner... demain soir. Ma femme est aux sports d'hiver. Elle ne rentrera que dimanche. Elisabeth sera sûrement mécontente que je vous aie reçu en son absence ; son orgueil de maîtresse de maison se trouvera mis en cause. Et puis, elle avait fort envie de vous connaître... Bah ? Je vous attends demain pour moi, et vous reviendrez la semaine prochaine pour elle.
— Soit, à demain... Remi s'entendait lui-même prononcer ces paroles.
— Huit heures et demie si vous voulez bien, je reçois des malades assez tard ; même neuf heures moins le quart...

Médecin, marié... sans doute avait-il des

enfants, mais après tout... Parlait-il de Remi à son épouse ? En quels termes ?... Le portrait... Savait-elle ?... C'était inconcevable. Et Remi s'apprêtait à aller dîner quai Voltaire... Il serait encore temps demain de réfléchir — voire de se décommander — car Lamblain parlait déjà d'un autre dîner. Une vie qui s'organisait... Remi devrait être vigilant... Surtout pas d'engrenage.

La journée du lendemain fut très dure pour Estève. Sa secrétaire téléphona dès huit heures du bureau où elle se trouvait déjà, appelée en préavis d'Amsterdam et de Londres. Des ventes à terme inquiétaient les correspondants. Remi redevenait lui-même dans ces cas graves. Les ordres sonnaient précis, rapides, mesurés, efficaces. Cet homme ne donnait réellement sa mesure que lorsque tout allait mal. C'est en réglant ces sortes d'affaires qu'il avait assis cette solide fortune qu'on lui connaissait et qu'il était devenu le patron de cet établissement où, très jeune encore, il était entré comme employé. « Et cela sans appui, sans concession », soulignait-il volontiers.

Le banquier, tout à ses affaires, ne quitta pas son bureau de la journée. Il se sentait heureux enfin, aimant à lutter, à dominer les événements et avoir prise sur les choses. Il devenait alors totalement la proie de ce qui le préoccupait et qu'il devait vaincre, les autres soucis s'effaçant provisoirement.

A cinq heures, Remi eut un premier moment de répit, il pensa au dîner. Certes, sa mauvaise foi ne pouvait aujourd'hui être mise en cause. Depuis le matin, il n'avait guère eu de loisirs. A présent, il était vraiment trop tard pour se décommander — à moins d'être tout à fait impoli et il ne le désirait pas. Il se sentait fort après cette journée de lutte et bien loin des enfantillages de la soirée précédente. Il sourit. Sans cet absurde engagement, il aurait bien trouvé quelque fille avec qui dîner. Cela ne lui était pas arrivé depuis longtemps et il ne s'agissait pas de se prendre déjà pour un vieillard. Cinquante-trois ans, à peine, et des muscles qui jouaient bien... Souvent, Remi s'imaginait plus âgé. Il envisageait volontiers la soixantaine comme une étape proche où tout serait terminé pour lui. Une retraite un peu prématurée, peut-être, mais définitive et allégrement acceptée. Irait-il vivre en Italie, en Grèce, passant seulement les mois d'été à Paris pour fuir les Français en vacances ? Rien n'était encore décidé. Peut-être se livrerait-il à quelques travaux personnels, cessant enfin d'être exploité par autrui ? Une fois encore il rêvait d'être démuni — mais riche — car l'argent seul ne l'encombrait pas. Il pourrait réfléchir et sa vie prendrait enfin un sens. Toujours, il avait été choqué de ce que l'homme fût plus soucieux de l'accidentel que de l'essentiel — mais il se demandait parfois si ce n'était pas par l'accidentel qu'on parvenait à l'essentiel. N'avait-il pas supprimé d'une façon excessive le fortuit dans sa vie ? Allons, il lui restait encore des chances...

Il allait maintenant rentrer chez lui avant de se rendre à l'invitation de Lamblain. Il passa devant la vitrine d'un fleuriste et s'attarda un moment à la contempler. Dommage, pas de fleurs à commander ! Mme Lamblain ne rentrait que dimanche, mais il faudrait s'en souvenir.

Remi Estève rangeait sa voiture devant l'immeuble. La concierge, qui semblait née avec le bâtiment, lui montra en maugréant l'écriteau que, dans la pénombre, il n'avait pas remarqué. « Docteur Lamblain, dans la cour, troisième à droite. »
La cour était petite mais fleurie, un platane en marquait le centre. Remi monta vivement les marches de pierre, sonna. Une vieille servante à chignon le fit entrer dans un salon où quelques sièges dépareillés entouraient une table jonchée de revues aux couvertures endommagées.

— Le docteur en a encore pour un instant. Il demande que vous l'excusiez.

Le ton exprimait tout à la fois le respect pour le maître et l'autorité vis-à-vis du visiteur.

Estève regarda sa montre sous l'œil réprobateur de la domestique qui s'éloignait. Neuf heures moins dix. Peu après la porte s'ouvrait.

— Quelle joie de vous voir, venez vite dans mon bureau. Quelle journée !

Et Lamblain prenait Estève par les épaules. Toujours ces mêmes yeux rieurs aux reflets d'acier et cette même liberté d'allure. Un chandail, une veste de tweed. Remi désapprouvait cette tenue négligée. Inconsciemment, il évoquait la solennité du vieux médecin de famille que l'on convoquait alors qu'il était enfant, celui qu'il avait vu si souvent à son chevet, la pomme d'Adam saillante entre les coins du col cassé. On attendait, angoissé, son verdict. Il ne devait pas en être de même avec Lamblain ! Celui-ci s'effaçait maintenant pour laisser passer son hôte. Le cabinet de travail, aux murs tapissés de bibliothèques, donnait sur la cour et les feuilles du platane atteignaient les vitres. Trois fauteuils, un canapé, le bureau ; l'ensemble, d'une honnête médiocrité. Lamblain, sans doute, ne se souciait pas de ces vétilles, sa femme devait être responsable. Remi l'accablait déjà.

— Un whisky ?

— Volontiers, mais léger.

— Toujours soucieux de sa santé à ce qu'il semble. Pourtant la mine est bonne.

— La mine... Qu'est-ce que cela prouve ? J'ai trop travaillé aujourd'hui...

— Nous en sommes tous là. C'est excellent.

— Peut-être...

— Mais oui, croyez-moi, excellent. Alors que devenez-vous ? Ce retour, pas trop dur ?

— Non. Et vous-même ?

— J'ai prolongé un peu mon séjour, je viens tout juste de rentrer. Je vous ai téléphoné aussitôt — et avec insistance comme vous avez pu le constater.

Lamblain sourit avant de reprendre :

— Au fond, vous n'aviez pas envie de me revoir... Ne protestez pas.

— Je ne proteste pas...

— Ce serait inutile, je sais...

— Vous vous croyez infaillible ?...

— Je ne dirais pas exactement cela mais, lorsqu'une question m'intéresse, j'applique mon esprit à la résoudre ; généralement, j'y parviens.

— Vous voilà donc un homme heureux.

— Pourquoi heureux ? Il s'agit là seulement d'une question de discipline. Le bonheur aussi du reste...

— Vous croyez vraiment que le bonheur est une question de discipline ?

— De tempérament et de discipline combinés, oui. Hormis les vrais drames, bien entendu.

Lamblain parut un moment songeur.

— Et qu'y a-t-il d'irrémédiable ?... La mort... Et encore... Si l'on n'est pas croyant...

Après une pause, il reprit sur un ton enjoué :

— Venez, Marie-Louise annonce le dîner et il

n'est pas d'usage de la laisser attendre. Ici elle régente tout, n'est-ce pas Marie-Louise ?

— Oh ! avec Monsieur...

— Bien sûr, bien sûr, seule Madame est digne d'être servie, nous savons cela. Moi, je n'ai qu'à obéir. Pas même capable de composer un menu, nous avons vu ce matin...

Les deux hommes s'étaient assis. Se tournant vers Estève, Lamblain enchaîna :

— Je dois vous dire que Marie-Louise est l'ancienne nourrice d'Elisabeth... Je vous sers un peu de ce bordeaux ? Prenant soin, comme vous-même, de votre santé, je n'ai prévu qu'un seul vin.

Le dîner se poursuivait, animé par une conversation facile. Remi appréhendait cette première reprise de contact et tout était si simple. Oui, c'était bien cela, avec Lamblain tout était facile.

Non, il n'avait pas d'enfants... c'était pour lui une déception, très vive même ; sa femme en était moins affectée. Marié depuis plus de dix ans... Jeune encore, enfin relativement jeune, il avait épousé Elisabeth...

Estève parla de ses deux filles en termes désenchantés : Lamblain ne devait rien regretter, les déceptions de Remi le prouvaient. Bien sûr, il n'en était pas toujours ainsi.

— Café ?

— Non, jamais, je tiens à mon sommeil.

— Infusion ?
— Pourquoi pas ?...

Les deux hommes regagnèrent le bureau. Remi, tout à coup, se demandait comment il se trouvait là, et pourquoi... La chose lui paraissait tout à fait saugrenue. Insolite en vérité. Il souriait, évoquant un poisson sur une pelouse.

Lamblain, visiblement, avait donné un autre sens à ce sourire... Contentement sans doute. Allons, tout allait bien ! Cet homme infaillible pouvait encore se tromper quelquefois ? Remi calculait. Combien de temps était-il décent de rester là à échanger quelques phrases banales après ce genre de dîner ? Bonne affaire, somme toute, que d'avoir accepté cette rencontre. Ainsi, il savait définitivement que cet homme ne l'intéressait pas.

Remi était fatigué et, s'il n'avait pas été esclave des convenances, il aurait bu sa tisane et serait parti aussitôt. Il pensa que les Français étaient les seuls à croire en l'agrément des longues discussions d'après dîner. D'un bout à l'autre du globe, il en va tout autrement. Aux Etats-Unis comme en Chine, dès le repas terminé, on a, selon les cas, le droit ou même le devoir de se retirer. Evidemment, ces gens-là travaillent, aussi éprouvent-ils la nécessité de se coucher et de se lever tôt, mais les Français, tous des bavards ! Remi soupira. Rien à dire à cet inconnu. Cependant, il devait feindre de s'intéresser.

— Quelle belle bibliothèque...

— Spécialisée et incomplète. Je suis un mauvais organisateur.

— Pourquoi donc ?

— L'ordre ne me paraît pas essentiel. Il prend trop de temps. Finalement, c'est une duperie.

— Une question de caractère plutôt. Moi, je ne pourrais vivre dans le désordre, je serais trop malheureux.

— Si c'est dans votre nature... Pour en revenir à ma bibliothèque, on y trouve des ouvrages rares, mais tant d'œuvres importantes manquent qu'elle en devient sans valeur... Si l'on veut travailler, j'entends. Car pour le reste...

Remi se faisait une règle de ne jamais poser de questions. Son institutrice anglaise l'avait fortement marqué sur ce point. Aussi la conversation languissait-elle. Il sentait le sourire intérieur de Lamblain attendant que son hôte se dévoilât enfin et attaquât de lui-même, quand et comme il lui conviendrait. Eh bien, Lamblain en serait pour ses frais... et ses intuitions.

— Cher Monsieur, je suis un mauvais convive. Je vais vous demander l'autorisation de me retirer, j'ai eu comme vous une dure journée, exceptionnelle en vérité et fort heureusement. Me pardonnerez-vous de vous quitter déjà ?

— Je vous en prie. Je connais bien cette fatigue qui s'abat tout à coup, je n'aimerais pas que vous fassiez un effort de politesse. Au reste, que vient faire ce mot ? Nous nous reverrons un autre jour, voilà tout !

Remi Estève prit congé.

Remontant en voiture, il se sentit tout à coup satisfait, optimiste, le corps et l'esprit déliés. N'avait-il pas gagné la partie ce soir ? Et contre un médecin qui se croyait psychologue ! N'était-ce pas là sa spécialité ! Au fait, quels étaient ses titres ? En tout cas, l'homme ne correspondait en rien à l'idée que Remi gardait d'un grand médecin. Bien entendu la psychanalyse... Une fumisterie pour gens du monde désœuvrés... Ce n'est pas lui qui...

Tout en conversant ainsi avec lui-même, il appuyait sur l'accélérateur avec insouciance, mais les berges de la Seine étaient désertes à cette heure.

Rentré chez lui, Remi déposa comme à l'ordinaire son chapeau et ses gants sur le bahut de l'entrée, puis il s'immobilisa un instant. Ensuite il agit comme un automate. Il entra dans le petit vestiaire dont la porte se trouvait face au bahut et en retira le tableau toujours empaqueté. Avec calme et minutie il défit chaque nœud de la corde et plia la toile d'emballage. Le tableau se trouvait durant ce temps retourné sur le dallage. Remi porta cordes et toile à l'office.

Revenu dans le hall, il prit le portrait à bras le corps, toujours sans l'avoir regardé, et s'en fut vers le salon. C'était une très vaste pièce dont un des côtés n'était qu'une baie donnant sur le Bois. Dans le coin opposé, un faisceau lumineux arrivait droit sur un chevalet supportant deux visages d'enfant, presque des adolescentes. C'était là un Renoir des années 95. Remi retira avec précaution ce tableau et le déposa sur le sol, non sans lui accorder une moue d'excuse. Ce n'était pas contre ces jeunes personnes qu'il en avait ; qu'elles soient rassurées, on leur trouverait une autre place digne d'elles.

Enfin, il installa le portrait de cette inconnue qu'il s'apprêtait à aimer. Il la regardait maintenant de tout près en froissant machinalement le damas pourpre jeté sur le chevalet comme pour accueillir plus doucement le tableau. Remi s'éloigna, jugea de l'effet, sourit et songea que le lendemain il lui faudrait trouver un cadre. Ce ne serait pas là mince affaire.

Il s'empara d'un fauteuil, se plaça face au tableau et se prit à réfléchir. Somme toute, il avait choisi une bonne solution : la photographie dans la chambre, le tableau au salon. Peu à peu, sans le décider vraiment, il s'était accoutumé à cette idée. Lui aussi savait résoudre les difficultés, sans brusquerie, mais avec tact et sans la prétention qu'y mettait ce médecin.

Remi contemplait la toile. La gêne du début disparaissait ; il s'habituait insensiblement à ce nouveau visage et imaginait ce qu'eût été la vie de cette femme, auprès de l'homme faible et peut-être bon qu'avait été son père. Il eût souhaité connaître les circonstances de leur rencontre, mais cela, comme le reste, demeurerait enseveli à jamais. Son père et sa grand-mère disparus, plus de témoins pour raconter l'histoire. Autrefois, il s'était refusé à savoir pour ne pas parler d'elle, pour ne pas la partager, pour oublier qu'elle avait connu d'autres amours que les siennes. Envers celle qui avait vieilli, souffert, il se sentait moins exclusif. Il était prêt à lui inventer un destin.

Curieux, il le devenait moins des jours passés — elle était morte si jeune — que d'un avenir où il se plaisait à imaginer mille embûches. Cependant, qui mieux que lui-même pouvait le deviner et déduire le futur du passé ?

En regagnant sa chambre, Remi conclut en se frottant les mains : « Curieuse journée quand même ! » Et il n'était pas mécontent.

Le lendemain était un samedi. Remi Estève en principe ne travaillait pas ; toutefois il allait d'ordinaire au bureau, mais s'y trouvait seul. Il aimait ce royaume silencieux, sa ville endormie. Souvent il y venait pour un instant, puis, classant, rangeant, revoyant de vieux dossiers, il demeurait là jusqu'à la nuit. Cela dépendait de ce qui l'appelait ailleurs. Le dimanche était un jour triste, mort ; du samedi il en allait tout autrement, Paris était ouvert à toutes les explorations. Ce samedi-là serait réservé à la recherche du cadre. Il n'aurait pas fallu pour autant taxer Remi Estève de futilité, il s'agissait d'un choix et d'un achat d'importance. La futilité ne réside pas dans l'occupation mais seulement dans l'esprit qu'on y apporte. Comme toujours, et plus qu'en toute autre occasion, Remi n'accepterait pas un objet médiocre. Il ne pouvait juger objectivement de la qualité de la toile qu'il s'agissait d'encadrer : pour lui, elle était sans prix. Il s'avisa soudain qu'il avait accepté cette toile de bien curieuse façon et sans même un remerciement. Il ne tenait pas à être redevable à Lamblain d'un tel don. Il devrait sûrement lui offrir... peut-être un livre, mais, tel qu'apparaissait l'homme, la valeur lui serait sûrement moins sensible que le contenu. Problème délicat... Aucune urgence, après tout...

Le samedi soir, le cadre trouvé, il n'était plus que de le mettre à la dimension du tableau, ce qui ne présentait aucune difficulté. Remi, d'un naturel impatient, avait obtenu du marchand qu'il vînt immédiatement prendre les mesures et qu'il ajustât le cadre, à domicile, le lendemain même, bien que ce fût un dimanche. Exigeant et autoritaire, mais y mêlant quelque bonhomie, Remi parvenait souvent à ses fins. Le marchand avait admiré les connaissances de son client : en fait de bois doré, il n'était pas aisé de lui en remontrer et lui-même aimait céder sa belle marchandise à ceux-là seulement qui l'appréciaient.

Le dimanche, tandis que l'homme posait le dernier clou, le téléphone sonna. Un dimanche, à son domicile ! Ce ne pouvait être que Serge. Ah ! celui-là, toujours absent quand on avait besoin de lui, mais pour déranger...

Remi décrocha :

— Passer me voir, maintenant ? Impossible, mon vieux, je sors ! J'étais même déjà dans l'escalier.

— ...

— Non, pas une histoire de femme... Tu es idiot... Oui, entendu, je t'appelle demain... Amitiés à Isabelle.

Remi paya rapidement le marchand. Il était préoccupé. Il n'avait pas pensé à cette complication : le portrait au salon, expliquer à Serge... Il ne pouvait en être question ! Quelques intimes avaient encore accès chez lui, mais à présent, allait-il devoir fermer sa porte à tous et définitivement ?

Lorsque Remi s'était marié, Serge, s'entendant bien avec la jeune femme, était devenu très vite un familier du ménage. Au hasard de ses déplacements, il entrait sans s'annoncer. On le retenait à dîner, on passait gaiement la soirée. Après le divorce, il eût aimé agir de même, et avec plus de désinvolture encore, chez son ami redevenu célibataire. Il se faisait un devoir alors de le distraire. Mais celui-ci ne l'entendait pas ainsi. Pour se libérer de cette présence indiscrète et établir une solitude qu'il avait choisie, Remi dut s'inventer des maîtresses. Il mentait mal ; des explications éclataient sans parvenir cependant à ternir les liens affectueux qui unissaient les deux hommes depuis l'enfance. Serge se résignait, n'était-il pas habitué à ce caractère ombrageux ?

Plus tard, Remi accepta avec une gentillesse imprévue le mariage de Serge et adopta aussitôt cette fille un peu abrupte qui avait séduit son ami. Sans doute offrait-elle un contraste qu'il appréciait avec celle qui avait été un moment sa propre femme. Serge, inquiet de ce que serait la première rencontre, l'avait longtemps différée ; il fut reconnaissant à Remi de la simplicité d'un accueil qui était peu dans sa manière et qui amena Isabelle à devenir pour cet original une alliée à toute épreuve.

Fermer dorénavant la porte à Isabelle était inconcevable. Elle accourait au premier rhume, et comment lui cacher la moindre indisposition ? Si elle téléphonait rarement à son domicile — elle avait de ces délicatesses —, elle appelait souvent au bureau et s'inquiétait de l'humeur du patron avant de le déranger. Cette complicité avec la secrétaire n'était pas sans agacer Remi, mais, pour Isabelle, il avait des indulgences. Ces relations affectueuses ne rendaient pas plus aisée la dissimulation du tableau. Bah ! il attendrait. Parer au plus urgent, comme il venait de procéder à l'instant. La solution définitive se trouverait plus tard. Il n'allait pas gâcher son dimanche ! Il sauvegardait jalousement ces heures de calme et de solitude comme un bien précieux... qui le décevait souvent. Depuis quelque temps il ressentait même comme un désir de présence qui l'amenait — ce qui eût été inconcevable autrefois — à ouvrir la radio, à écouter les bruits du monde ; la musique, les livres, ses compagnons habituels ne lui suffisaient plus tout à fait et l'image de sa mère, tout en restant le grand recours, perdait parfois de son efficacité.

Involontairement, Remi pensait à Lamblain. Ce Lamblain qui réussissait pour le moins à l'intriguer. Il devait bien s'avouer aussi que l'idée de ne jamais le revoir l'agaçait. Il s'agissait là d'un cas curieux. Comment ne pas tenter de l'élucider ?

La journée s'acheva morne ; Remi crut bon de s'imposer une longue marche qui fut suivie d'un dîner solitaire dans un restaurant du quartier. La salle était comble, mais on lui installa immédiatement une table exiguë et il remarqua, non sans amertume, que lui seul dînait sans compagnie ce dimanche-là.

Quelques jours passèrent, Remi n'avait pas songé à rappeler Serge. Quant à Lamblain... Vexé, attendait-il quelque signe de Remi ? En tout cas, Remi demeurait résolu à ne pas faire les premiers pas. Cette expression n'était assurément pas celle qui convenait. Et il le savait. N'était-il pas redevable à Lamblain d'un tableau, d'un dîner ? Sans compter les impondérables...

Néanmoins, même les fleurs qu'il eût, en toute autre occasion, adressées à la femme du médecin, lui paraissaient tenir actuellement du prétexte.

Heureusement, restait le travail. Sur ce plan, Estève ne comptait que des satisfactions ; ses affaires ne cessaient de se développer. Sans doute, devrait-il se rendre sous peu une nouvelle fois à New York. La situation, rétablie là-bas grâce à ses vues exactes, l'exigerait. Lui seul savait prévoir un avenir qui lui obéissait. Que ne possédait-il, pour sa vie privée, les mêmes dons ! Cette forme de fortune, que l'on nomme simplement la Fortune bien qu'elle n'en soit pas l'unique face, lui souriait toujours. Peut-être y attachait-il du prix bien qu'il refusât d'en convenir.

Le vendredi soir arriva. Remi vit sans joie venir la fin de semaine. Isabelle appela. Il accepta d'enthousiasme le dimanche campagnard qu'il refusait depuis plusieurs années. Ses amis s'en réjouirent d'abord mais, la journée passée, ils s'inquiétaient de l'humeur sombre et maussade de Remi ; c'était plus qu'ils n'en supportaient à l'ordinaire. Sûrement quelque souci — vrai cette fois — l'agitait. Avec lui comment savoir ?...

Une nouvelle semaine commençait. Le mardi matin Lamblain téléphona. Estève se félicita de ce qu'il considérait comme une victoire, sur l'autre évidemment, sur lui-même, il ne l'eût jamais admis.

— Alors, quand vous voit-on ? Elisabeth, comme je l'avais prévu, était fort mécontente que je vous aie reçu en son absence. Elle brûle de vous connaître.

— Cette fois c'est vous qui viendrez dîner.

— Chez vous ?...

La voix marquait de l'étonnement.

— Oh ! non, chez moi, je ne suis pas organisé... Quel jour vous conviendrait ?

— Peut-être vendredi ?

— Parfait.

Remi Estève avait tenu à choisir un restaurant élégant. Il détestait les petits bistrots, prétendus à la mode, inventés seulement pour étonner les provinciaux. Un bon restaurant se doit de pratiquer des prix élevés. Pour Remi, sortir des billets de banque n'est-ce pas une façon d'exprimer son pouvoir ? Pourboires royaux, whisky d'une marque spéciale, réservée à son intention, mais à son domicile pas de domestique — de crainte d'être volé. « Avec ces gens, sait-on jamais ? » Il tolérait seulement une femme de ménage dont il comptait minutieusement les heures.

Le rendez-vous avait été pris pour neuf heures. Estève arriva en avance, fit prévoir plusieurs menus parmi lesquels ses hôtes choisiraient, commanda les vins. Il hésita entre la grande salle et un cabinet particulier. Ne connaissant pas Mme Lamblain, il lui était difficile de décider avec certitude. Pour dire vrai, il s'attendait au pire en ce qui la concernait.

Elle entra tandis que son mari rangeait la voiture. Estève était debout près du bar et c'est sans hésitation qu'elle se dirigea vers lui. Il n'aurait pas deviné Elisabeth Lamblain en cette jeune femme qui le déconcertait.

Grande, brune, des yeux bleus au regard interrogateur. Trente ans, un peu plus sans doute, mais son apparence pouvait aussi être celle d'une jeune fille. Des cheveux très courts retombaient en mèches. On pensait à Bonaparte au pont d'Arcole. Simple, directe. Gaie ? Oui, sûrement. Elle était vêtue d'une robe noire décolletée qui laissait voir des épaules bronzées et des bras ronds. Sans ornements, sans vaine coquetterie, cela aussi plut à Remi, comme le ton immédiatement amical qui fut le sien.

— Oh ! pourquoi un cabinet particulier ? C'est amusant la salle. Il ne s'agit ce soir ni d'un complot ni d'un rendez-vous galant. Alors...

— Mais, chère Madame, c'est seulement pour vous laisser la liberté du choix que je n'avais pas pris de décision.

Il pensait : « Aucun rapport avec l'appartement; après tout, peut-être est-ce celui de ses parents laissé en l'état. » Déjà il cherchait à cette inconnue des excuses. Et l'on disait Remi méchant !...

Lamblain arrivait.

— Vous avez fait connaissance... sans mon aide à ce qu'il paraît. Cela ne m'étonne pas d'Elisabeth !

— Tu penses, je n'ai pas hésité une seconde à reconnaître Remi.

Estève se demandait ce que pouvait bien savoir Mme Lamblain pour montrer une telle assurance.

A peine assis et le repas commencé, la conversation s'engagea sur la politique, Remi ne sut jamais comment. Il semble que ce fût Elisabeth... On parla de l'« oxygène » du référendum, de la décolonisation, de la démocratie, de l'élection du président de la République au suffrage direct, de l'instabilité ministérielle qu'Elisabeth défendait par des arguments sérieux. Aux idées générales émises par les deux hommes — et d'un ton détaché — se mêlaient des considérations plus techniques de la part de la jeune femme. Elle discutait de la réforme de l'exécutif et se demandait si le viol d'une nation pouvait être considéré comme légitime. Elle interrogeait : « Peut-on accepter de bonnes réformes, arrachées par des moyens douteux ? » Oui, pensait Remi. Elisabeth s'insurgeait au nom des principes et développait longuement ses vues. Son mari la laissait parler, visiblement amusé par la surprise de Remi qui n'avait imaginé la jeune femme ni si belle qu'il la voyait ni si sérieuse dans ses propos. Lamblain souriait comme s'il avait voulu dire : « Eh, oui, elle est ainsi ! C'est cocasse, mais il faut l'accepter. »

— Vous vous occupez de politique, Madame ?

— Pas en militante, en théorie plutôt, et encore, dans l'Antiquité ! Je prépare l'agrégation de droit.

Estève s'étonnait une nouvelle fois devant ce visage qu'il n'aurait pas prêté à un futur professeur de faculté. Il rassemblait ses souvenirs. Non, en vérité, pas du tout...

Elisabeth poursuivait :

— Avant mon mariage, j'avais préparé en même temps la licence en droit et celle de philosophie. J'aurais préféré poursuivre dans cette seconde voie, mais deux philosophes dans le même lit, c'est trop !

— Elisabeth !...

Elisabeth continuait néanmoins et sans se départir de son ton faussement sérieux.

— Alors j'ai passé mon doctorat en droit. Comme toujours je me sacrifie...

— Mais votre mari est médecin...

— Médecin, oui... bien sûr. Si l'on peut dire !

— Voyons Elisabeth !

— C'est vrai, quand même ! Tu appelles cela de la médecine, toi ?

Remi ne comprenait pas. Après ces dernières

répliques, dites sur un ton enjoué, Elisabeth semblait tout à coup se durcir.

On servait le café. On proposa des liqueurs, des cigares... La conversation se poursuivait animée, mais la salle peu à peu se vidait.

— Vous montez boire un verre à la maison ?

— Si je ne dois pas vous déranger...

Des boissons étaient préparées dans le bureau.

Assez rapidement Elisabeth s'éloigna sans prendre congé. Estève fut surpris. L'entretien aurait-il été préparé comme le whisky ? Soudain Remi n'avait plus rien à dire.

— Est-ce pas discrétion ou par ennui que Mme Lamblain nous a quittés ?

— Ni l'un ni l'autre très certainement...

— Lui aurais-je déplu ?

— Je puis vous assurer du contraire. Sans doute reviendra-t-elle dans un moment.

— Je suis vraiment désolé...

— Ne prenez pas cet air soucieux, vous la reverrez.

Lamblain enchaîna presque aussitôt.

— Remi, je ne voudrais pas vous bousculer, paraître impatient, mais j'aimerais bien savoir...

— Savoir...

— Ce que vous avez décidé pour le tableau.

Le ton se fit plus autoritaire :

— Je vous vois très bien me répondant : « Quel tableau ? » Mais je vous dispense de jouer ce jeu. Dites-moi seulement si ce nouveau visage, vous l'avez adopté ou non.

— Je souhaiterais tellement ne plus parler de tout cela...

— En êtes-vous sûr ?

— Oh ! oui, absolument.

— Eh bien ! moi, je suis convaincu du contraire.

« Voyez-vous et quoi que vous en pensiez, je suis votre ami, c'est ainsi. Remi Estève n'est pas un étranger pour moi, j'aimerais l'aider à sortir de lui-même.

— Et s'il s'y trouve bien ?

— Vous savez — je vous l'ai déjà dit — que vous valez mieux que la vie que vous menez, Remi, il existe en vous des richesses et, sur la médiocrité de votre vie actuelle, sur son étroitesse, je pense que nous pouvons tomber d'accord.

— Je ne comprends rien à tout ce que vous me dites.

Lamblain devenait dur.

— Remi, vous savez tout de même que votre vie n'est qu'une suite de démissions et de refus...

— De quel droit ?...

— Laissez-moi parler ! Je ne méconnais pas votre réussite professionnelle indiscutable. Vous pouvez être riche, très riche même, quelle importance pour ce qui nous occupe ? Cette réussite, vous en avez conscience, n'est qu'un moyen de vous rassurer, rien de plus. Un moyen de combler les vides, de masquer les échecs... Le mot vous fait sursauter, bien sûr, mais ne feignez pas de vous lever, vous ne partirez pas.

— Qu'en savez-vous ? Je suis libre encore !

— Non ! C'est un peu comme un hold-up ! Un gangster vole vos secrets. Mais ils sont si visibles... à portée de la main pour qui sait regarder ! Oui, vous avez peur de la vie. Et, pour vous rassurer, vous vous agrippez... à quoi ? A une photographie, à l'argent... Autant de dieux morts. Je suis peut-être brutal mais depuis des semaines vous refusez de m'entendre. J'aurais pourtant préféré que ce soit vous qui parliez...

Il y eut un long silence, les deux hommes se regardaient, Remi paraissait las, Lamblain reprit :

— Savez-vous que, sans moi, vous risquiez de finir vos jours entre cet amour-refuge et cet argent-refuge.

— Enfin, Lamblain, de quoi vous mêlez-vous ?

— Vous avez déjà accepté le tableau, Remi, donc vous ne refusez pas mon aide. Bien mieux, vous la recherchez, mais sans avoir le courage de vous l'avouer. Ne protestez pas. Votre vie n'est que retrait, démission devant les vraies responsabilités, les vraies questions. Vous vous êtes inventé un ordre laïc ; la solitude que peu à peu vous vous êtes ménagée et qui vous envahit maintenant est bien une sorte d'entrée dans les ordres. Remi, vous avez peur de vivre ! Et pourquoi cette peur ? Vous le découvririez vous-même, si vous le vouliez bien.

— Mais je n'ai rien à découvrir !

Estève se leva, Christian marchait de long en large.

— Eh oui, les mobiles qui vous conduisent sont diffus, parfois contradictoires. La solitude n'est pas pour vous un goût vrai. Les monastères doivent aussi refuser certains vœux après en avoir percé le secret. A l'appel des vocations se mêlent parfois des névroses. Tout cela est guérissable. Il faut seulement le vouloir. C'est cette volonté que je veux vous donner.

— Cela tient du délire. Qui parle ici d'ordres, de religion...

— Personne... Seulement une comparaison qui devrait vous éclairer. Je voudrais libérer vos dons, vous apporter quelques chances d'épanouissement et, peut-être, qui sait, un peu de bonheur.

— Qui prétendez-vous être ?

Lamblain était pensif.

— Vous ne pouvez pas savoir, Remi, combien je vous ai ménagé, en peignant le tableau. J'ai eu pitié de vous. Votre mère, si elle vivait encore, serait aujourd'hui une très vieille dame. Ce n'est pas la mort qui a détruit l'image, la vie eût mené l'ouvrage encore plus sûrement. Remi, vous vous accrochez à un mythe. Tant de forces et de dons gâchés ! Sur un étrange malentendu. Il faut réapprendre à vivre. Je vous aiderai.

Réapprendre à vivre ! C'étaient les mots mêmes qui étaient venus à l'esprit de Remi en sortant de cette clinique maudite. Il arpentait à son tour le bureau, vérifiait son nœud papillon, regardait les livres de la bibliothèque, caressait le dos des reliures. Soudain il se retourna :

— Ainsi, Lamblain, vous auriez entendu parler de moi par Jacques Bernis ? Et alors ? Qu'est-ce que cela explique ? S'agit-il d'une machination ? Je ne vois pas d'autre mot. Que cherchez-vous ? Que vous ai-je fait ? Tout cela n'a aucun sens. Bonsoir Lamblain. C'en est trop ! En tout cas plus que je n'en puis supporter.

— Bonsoir Remi. Je suppose que vous ne tenez pas à prendre congé d'Elisabeth...

— Non, en effet, vous saurez m'excuser auprès d'elle. Je regretterai de ne l'avoir rencontrée qu'une seule soirée. Peut-être, vis-à-vis d'elle aussi, vaut-il mieux s'en tenir là... Elle restera pour moi comme un joli souvenir.

Son dos se voûtait, il poursuivait.

— C'est mal, Lamblain, d'agir ainsi. Je suis obligé de vous dire que vous êtes un homme méchant. J'avais cru un moment le contraire, je m'étais trompé... en faisant crédit, comme d'habitude.

La voix de Remi était grave.

— Vous me faites souffrir inutilement. Vous vous acharnez, je ne comprends pas pourquoi, mais c'est ainsi.

— Vous réfléchirez, Remi, et nous nous reverrons !

— Je ne le crois pas...

Estève descendait lentement et Lamblain attendit sur le pas de la porte que celui dont il se disait l'ami eût totalement disparu.

Moins d'une demi-heure plus tard le téléphone sonnait. Elisabeth répondit. Au bout d'un moment elle appela son mari :

— Je ne sais ce qui se passe. Personne n'a parlé.

— Une erreur, sans doute.

Et Lamblain sourit avec satisfaction.

Remi Estève s'endormait. Des images sautaient devant ses yeux, un film mal réglé. Que lui voulait cet homme ? En son for intérieur, Remi savait que cet étranger n'était pas vraiment mauvais, pas autant, en tout cas, qu'il semblait l'être. Il existait très certainement une grille permettant de le déchiffrer. Certaines phrases retentissaient encore aux oreilles de Remi. Peut-être, en effet, croyant réussir avait-il sacrifié l'essentiel... Lorsqu'il était jeune, pauvre, enfin pas dans la misère — même pas — mais obligé de calculer, de réfléchir avant tout achat selon la tradition de ces familles bourgeoises où « l'on connaît la valeur de l'argent », un jour il s'était dit : « plus tard, je pourrai habiter où je voudrai — dans les beaux quartiers », c'était là une expression oubliée qui lui revenait soudain à la mémoire. En fait, il habitait alors à la limite des Ternes et de la plaine Monceau et, pour lui, l'élégance, la bonne adresse, c'était l'avenue du Bois, l'Etoile. Il rêvait : « Ce que je voudrai, je l'obtiendrai toujours. Je descendrai la rue de la Paix, Bond Street ou la Cinquième avenue et rien de ce que je désirerai ne me sera inaccessible. » Soudain, il eut honte d'avoir été le jeune homme de cette ambition-là. Certes, le rêve s'était réalisé : tout ce qui pouvait s'acheter, il l'avait obtenu : livres, tableaux et, à une certaine époque, cette collection d'antiques qui l'avait absorbé. On lui téléphonait de tous les points du monde pour lui signaler les objets prestigieux. Et puis, ayant acquis ce qu'il désirait, lassé, il avait revendu l'ensemble. Dans d'excellentes conditions ! Ce fut une belle soirée, la foule élégante s'interrogeait sur les initiales du mystérieux collectionneur. Le produit de la vente ?... Il avait été réinvesti dans les affaires... Et l'on disait qu'il aimait l'argent ! Un symbole, rien qu'un symbole ! Avait-il même jamais gaspillé un centime ? C'était peut-être cela que les pauvres lui reprochaient... Ceux qui ne comprenaient pas.

— Oui, j'ai reçu votre facture. Je veux bien payer comptant, mais avec un escompte...

— ...

— Cinq pour cent ? Pour qui me prend-on... Vingt pour cent, pas moins ! Décidez...
— ...
— C'est entendu ?... Bon d'accord.
Et Remi raccrochait.
Bien sûr ils ont cédé. Il en est toujours ainsi. Toujours, il faut discuter, même pour de petites sommes. Mais il n'est pas Crésus, que diable !
Chaque soir, les comptes. Au bureau, on pose sur sa table la balance de la journée. Chez lui, il note : entrées, sorties. C'est d'une toute autre monnaie qu'il s'agit, mais combien précieuse, elle aussi. Les zéros ne s'alignent pas... et pourtant... on finit par atteindre certains chiffres qui apportent quelque satisfaction. Inutile de payer trop tôt les factures. Il faut se défendre. On ne sait jamais... l'improbable comptabilité mal tenue... l'oubli. Ce ne serait jamais qu'une revanche sur les vols, les prix exorbitants !
Gagner plus, toujours plus. Dépenser... mais pas en fumée. Toute dépense doit être examinée, avoir un sens, fût-ce celui d'établir un personnage. Et pourquoi pas celui de l'homme généreux ?
« Evidemment, je n'aime pas être grugé, mais qui aimerait cela ? Le gâchis dans tous les domaines me fait horreur. Pourquoi accepterais-je de voir l'argent gaspillé ? Une femme, qui se dit mon amie, prétend que le vrai luxe consiste à ne pas se soucier des prix, à payer sans vérifier, à ne pas éteindre l'électricité. Nature bohème, elle juge ces

choses du dehors. Elle se croit libre à côté de tous ceux que l'argent asservit. Lorsqu'elle dit cela, elle me gratifie d'un sourire exaspérant. Mais est-ce être asservi par l'argent que de considérer le travail humain et ce qui en résulte comme représentant toujours une valeur ? Il reste à déterminer laquelle. Je ne connais rien de vraiment gratuit ; tout a un prix puisque tout peut s'acheter, les femmes comme la puissance. On doit le savoir. On doit aussi se défendre contre ceux qui cherchent à vous donner mauvaise conscience. Je hais les envieux comme je hais les riches honteux. La classe dirigeante a une mission et elle ne doit pas se laisser déborder. C'est avant tout une question de principes. Ai-je tort alors de dresser un rempart contre la veulerie générale ? En refusant de payer certaines augmentations j'ai le sentiment d'accomplir simplement mon devoir. Ce n'est pas l'argent qu'il m'en coûterait qui me préoccupe. Non, je vois là comme une sorte d'obligation morale, de respect devant les responsabilités qui m'incombent, mais il existe en moi d'inépuisables possibilités de générosité qui ne demandent qu'à s'exprimer — à bon escient évidemment. »

A présent qu'advenait-il de tant de certitudes ?

Remi revoyait une fois encore ces jours passés auprès de sa femme. Dépensière, elle achetait sans réfléchir sur un coup de tête — elle disait un coup de cœur — et lui recevait les factures.

Ce n'était pas qu'il fût avare, non, il souhaitait la voir élégante : fourrure, bijoux, rien ne manquait, mais il ne pouvait supporter les achats stupides. Cinq robes du soir, dix pull-over et pas un manteau... Cela, c'était le dernier hiver de leur vie commune.

Et maintenant... Après tant d'années... Toujours cette pension à payer. Elle avait même demandé un réajustement ! Les juges, des pauvres types qui le croyaient riche. La justice... Parlons-en, un scandale !

Une autre semaine s'achevait, Remi revit Serge, mais il était sans nouvelle de Lamblain. Enfin !

Un soir, désœuvré, il décida qu'une jolie fille lui permettrait de passer la soirée agréablement. Il connaissait des maisons accueillantes où se rendaient seulement des hommes qu'il jugeait de sa qualité, appartenant à la diplomatie, à la politique et aux grosses affaires. La discrétion y était vraiment assurée. On ne risquait aucun chantage, la police protégeait les lieux.

L'un de ces salons surtout gardait sa préférence. Les filles y étaient jeunes, toujours de bonnes manières, voire d'assez bonne famille. Là-bas, Remi avait ses habitudes ; il était considéré. Mme Hélène gardait toujours quelque histoire nouvelle à conter. Certains soirs de mélancolie, elle disait, avec amusement, que les vies qu'elle aurait pu briser par son bavardage comptaient parmi celles qui passaient pour exemplaires. Cette forme de puissance la consolait et lui suffisait. Fine, cultivée, compréhensive, on pouvait se demander à la suite de quels avatars elle se trouvait là, et si bien à sa place. Ne paraissant pas la soixantaine, cap redouté et depuis longtemps dépassé, elle connaissait tous ceux qui, depuis quarante ans, avaient tenu une place à Paris. Certains même étaient morts chez elle. Elle avait su faire preuve alors d'un tact très personnel et tout spontané. Que d'épouses elle avait consolées car Mme Hélène se plaisait aussi à avoir de l'esprit et du cœur !

Remi possédait également une petite garçonnière qu'il qualifiait de sordide et qui se trouvait non loin de l'Opéra. Louée sous un faux nom, il croyait se perdre lui-même en y entrant. Il l'utilisait au reste de plus en plus rarement. Il aimait parfois à y jouer un personnage falot, miteux : le pauvre type ! Il se dépouillait alors des objets précieux, toujours attachés à chacun de ses gestes, vidait en partie son portefeuille... et il ne trompait personne pour autant. Lui seul était dupe, mais n'est-ce pas l'essentiel ? Le dépaysement recherché était atteint. Dépaysement d'ailleurs relatif. Remi était homme d'habitude, l'hôtel et ses surprises l'eussent rebuté. D'aller chez sa partenaire occasionnelle, il n'eût pu être question

L'AUTRE PERSONNE

non plus. « Pour se glisser entre des draps douteux ! » Les corps l'inquiétaient moins que le linge ! Quant à son domicile... Cette seule idée lui faisait horreur.

La fille qui se trouva sur sa route ce soir-là était avenante, gaie et d'apparence sensuelle. Remi l'avait cueillie non loin des Champs-Elysées, ne désirant pas, pour une fois, le cérémonial habituel des maisons qu'il connaissait.

Il était à pied. Elle, en voiture.

Son personnage, tel qu'il l'avait construit, ne devait pas être tout à fait au point, car la fille lui dit aussitôt :

— C'est curieux que vous veniez avec moi...

Elle le regarda avant de poursuivre.

— Vous devez pourtant trouver gratis tout ce qu'il vous faut !

Aussitôt Remi se redressa. Il se sentait subitement rajeuni.

Elle reprit gentille :

— Des chagrins d'amour ?

Puis soudain sérieuse :

— A moins que vous ne soyez vicieux ?... En ce cas, je vous préviens tout de suite, les trucs, c'est pas mon genre.

— Ni le mien.

— Ah ! bon, j'aime mieux ça ! Vous êtes drôle quand même mais vous me plaisez bien. Vous verrez, vous serez content. Vous venez chez moi ?

— Non, chez moi, c'est tout près d'ici.

— Oh ! avec la bagnole...

Elle était fière de son engin tout neuf, qu'elle conduisait encore maladroitement.

La fille se révéla plutôt décevante ; gauche au lit comme au volant. Remi était puni d'avoir recherché l'aventure alors que chez Mme Hélène ces sortes de choses se passaient toujours avec juste ce qu'il fallait d'inattendu. Elle connaissait ses goûts, devinait même son humeur du jour. Il ne l'avait jamais vue commettre une erreur de jugement. Ce n'est pas à lui qu'elle eût vanté les charmes d'une écolière ou d'une jeune mariée déçue au lendemain de ses noces. Des fables pour étrangers ! Remi néanmoins n'avait pas gâché sa soirée, il rentra chez lui apaisé et plus tranquille qu'il ne s'était senti depuis longtemps.

Près de quinze jours s'étaient écoulés depuis le dîner avec Lamblain. Il était neuf heures du soir, Estève encore à son bureau achevait de relire une longue note dictée la veille. Il en était assez satisfait. Allons, la mécanique restait en bon état !

D'humeur soudain enjouée, il eut envie de se distraire. Le cinéma ? Il n'avait nul désir de s'occuper de la vie de tous ces médiocres qui s'agitent sur les écrans. Un musée ? Une exposition ? Naturellement, tout était fermé le soir. A Paris, l'art ne se consomme que durant la journée. Pourquoi ? On ne sait pas. Un bon dîner ? Non, déjà un déjeuner d'affaires trop copieux... Il devait se surveiller à présent ; ne pas s'empâter devenait un souci constant à son âge... Incontestablement, il était encore bel homme : grand, élégant, des mains fines... Pas tout à fait assez de cheveux... Bah, il les raserait entièrement bientôt et c'en serait fini de s'inquiéter de leur quantité comme de leur couleur. Quant à ses yeux bruns au regard caressant qui correspondait si peu à son caractère, ils demeuraient intacts. Rien d'affligeant en somme dans tout cela.

En dépit de la honte qu'il en ressentait, Remi devait bien convenir que depuis un moment il se donnait la comédie. Cinéma, exposition, allons donc ! Jeu, prétexte que tout cela. Au moins être lucide ! Un seul acte le tentait, et combien facile : étendre le bras vers le téléphone et peut-être entendre Lamblain. Comment résister à une impulsion si aisée à satisfaire et qui comportait si peu de risque ?... Pourquoi se torturer sans profit, d'autant que selon toutes probabilités le médecin serait sorti à cette heure-là ? Remi fut presque surpris d'entendre la voix sèche.

— Allô !...
— Bonjour... ici Estève.

— Quelle bonne idée de m'appeler !
— Je vous dérange...
— Bien au contraire. Je suis seul. Elisabeth a dû aller à une réunion et, faute d'autre distraction, je travaillais. Vous venez me voir ?

Remi était certain qu'il n'avait pas pensé à une rencontre mais seulement à quelques mots échangés par téléphone...

— J'aurais scrupule...
— Ne soyez pas si compliqué, je vous attends.
— Bon, je viens.

Estève fumait une dernière cigarette.

— Dites-moi, Lamblain, je désire depuis longtemps vous poser une question... Avouez que je n'abuse pas... Qu'est-ce qui vous attirait dans cette clinique, assez médiocre il faut bien le dire, où nous nous sommes rencontrés ?

— Votre question ne me surprend pas... Un long repos m'était nécessaire. Je devais aussi terminer un travail : un livre commencé depuis près de dix ans... A Paris, c'est impossible. En fait, je désirais surtout me recueillir... Et pourquoi cet établissement plutôt qu'un autre ? J'en connais le directeur... un camarade d'étude malchanceux. Ensuite ? Eh bien ! comme vous avez pu le constater, les prix sont accessibles. Je ne peux, hélas ! pas faire fi de ces détails !

— Excusez-moi, cela m'intriguait.

— Je n'ai pas répondu très précisément à votre question, Remi. Le reste viendra peut-être plus tard.

— Somme toute, pour une fois que je m'enhardis, je tombe mal.

— Il n'y a pas de question indiscrète, comme vous le savez... seules les réponses... C'est tout ce que vous vouliez me demander ?

— A mon tour de vous dire que le reste nous entraînerait trop loin et je ne veux pas m'aventurer...

— Vous aventurer... Il n'y a pas d'aventure. C'est tout simple.

Non, Remi ne trouvait pas cela tout simple... Il se posait des questions. Il avait affaire à un médecin, certes, à un psychanalyste, mais comment Lamblain entendait-il la chose ? Une profession ? Un apostolat ? Une science ?

Les deux hommes se taisaient.

— Christian, je vais finir par croire en vous. Les actes de foi ne m'ont jamais réussi, mais, si je suis stupide une fois encore, tant pis.

— Remi, il faut me faire confiance.

— Je ne sais, je ne comprends pas, je n'ai jamais eu autour de moi que des êtres qui m'exploitaient.

— Parce que vous attachez trop de prix à l'argent. Ce n'est pas que je le méprise, j'en ai besoin comme quiconque, plus même que certains, c'est ce qui fait que je ne suis pas un être vraiment libre. J'aimerais le luxe en dépit des apparences. Cela vous surprend ?

Un sourire éclaira un instant son visage, il reprit :

— Je ne veux pas me laisser asservir. Il existe une ligne que l'on ne doit pas franchir. Ensuite, tout est perdu.

— Et moi, ne croyez-vous pas que j'aime, tout autant qu'un autre, aider, donner, créer du bonheur ? Mais, toujours, lorsque je me laisse aller à ma vraie nature, j'entends en sourdine : « Oh ! cela lui coûte si peu ! ». Alors, à quoi bon ?

— La générosité est cependant une des manifestations les plus agréables pour autrui de la volonté de puissance que vous souhaitez exercer.

— Vous-même ne croyez pas à l'altruisme pur... Sauf dans votre cas, évidemment. J'aimerais pourtant convertir l'argent en bonheur. Voyez-vous, il existe des dépenses haïssables, c'est ce que j'appelle le gaspillage : les nuits passées à boire, les parasites qui profitent, tout cet or qui s'en va en fumée...

— Rien de cela n'est important, le seul gaspillage irrémédiable est celui du temps. Remi, je voudrais à mon tour vous poser une question.

— Volontiers, au reste cela ne vous est-il pas arrivé bien souvent ? Non ! En y réfléchissant, vous m'avez très rarement interrogé, vous vous êtes contenté de répondre pour moi, sans même prendre la peine de formuler les questions.

Il sourit :

— J'attends.

— Eh bien ! Voici : j'aimerais, et c'est la deuxième fois que je vous le demande, connaître le sort qui a été réservé au tableau.

— Rien de mystérieux.

— Vous avez, jusqu'ici, refusé de...

— Il est dans mon salon, sur un chevalet.

— Et la photographie ?

— A sa place habituelle, dans ma chambre. Voudriez-vous le plan de mon appartement ?

— Inutile... Et cette coexistence ne vous gêne pas ?

— Quelle coexistence ?

— Photographie et tableau.

— Non... Le salon est une pièce où je me tiens rarement.

— C'est bien ce que je pensais... Dites-moi, Remi, d'autres que vous ont-ils vu ce tableau ?

Cet homme pensait à tout.

— Je ne crois pas...

— Vous savez très bien que non ! Et moi, je ne voudrais pas que cette présence sur le chevalet vous amenât à écarter les rares visiteurs que vous receviez encore jusqu'ici. Je veux votre libération, comprenez-le donc, et non un repli plus grand.

— Ainsi manque-t-on parfois son but... pour assuré que l'on soit.

— Non ! Remi, ce portrait vous devez l'imposer aux autres comme vous l'avez accepté vous-même. En vérité, reconnaissez qu'un changement est intervenu dans votre existence depuis...

— Depuis que je vous ai rencontré, certes, mais comment savoir si ce bouleversement, ce désordre sont bénéfiques ? Sincèrement je ne le crois pas.

— Un peu de patience que diable ! Attendez ! Un demi-siècle d'un côté, trois mois — même pas — de l'autre. Ecoutez-moi, Remi. Comme vous le savez, je suis psychanalyste ; après avoir achevé mon internat, j'ai compris ma vraie vocation ; jusqu'alors, je tâtonnais. Eh bien ! je vous le dis tout net, vous ne serez jamais mon patient. Et cela, pour de multiples raisons. Vous allez me rétorquer que vous n'y pensez pas.

— En effet...

— Le souhaiteriez-vous un jour, cela ne serait pas. Je veux seulement vous aider, vous faire du bien, rien d'autre. Et cela, en oubliant ma profession. Jusqu'ici, j'étais un peintre du dimanche, dorénavant j'aurai un client du dimanche ! Ne peut-on, une fois, faire une entorse ?... Seulement pour le bien de quelqu'un qui vous est sympathique. Vous n'êtes pas heureux, Remi, et cela est bien une maladie. Après tout, notre profession nous ordonne de porter secours... Je plaisante, mais j'espère que vous avez compris : près de vous, je n'agis pas en professionnel, seulement en ami.

On frappait à la porte.

Elisabeth rentrait de sa réunion.

Remi se leva. Il allait prendre congé.

— Ah non, vous n'allez pas partir quand j'arrive ! Moi aussi je veux ma petite visite.

— Figure-toi que Remi a téléphoné juste comme tu venais de partir.

— Une chance pour un mari abandonné ! Et vous avez dîné ensemble ?

— Ma foi non, et je n'ai même pas pensé à le lui proposer... Excusez-moi, Remi, j'aurais dû, mais comme j'aime assez sauter un repas... Sûrement j'aurais trouvé quelque chose ici...

Elisabeth s'exclamait :

— Ah ! non alors, j'ai horreur des hommes qui fouillent dans les réfrigérateurs ! Pour mettre la pagaïe !

— Voyez, Remi, comme elle est autoritaire. Et c'était bien, chérie, cette réunion ?

— Assommant... Un professeur libanais. Il parlait de sciences trop compliquées pour moi. Décidément, les femmes sont encore des animaux inférieurs. Il serait temps qu'elles le comprennent et regagnent le foyer. Offrez-moi quelque chose à boire. Pour me réveiller.

— Mais Madame, je vais me retirer...

— C'est insupportable à la fin ! Vous ne pouvez pas rester tranquille ! Je vous ennuie à ce point ? Dès que j'apparais, vous vous levez pour nous quitter.

— La dernière fois, c'est plutôt vous qui...

— J'en conviens ! Mais ce soir vous avez vu mon mari tête à tête assez longtemps, ne comptez plus sur moi pour être discrète.

Ils bavardèrent ainsi, de tout et de rien, assez tard dans la nuit.

CHAPITRE IV

Elisabeth est avant tout une personne occupée. Avare de son temps, craignant les heures perdues comme un manque irréparable, elle se sent volée si on lui rend visite plus longtemps qu'elle n'en a décidé ou si une soirée se prolonge au-delà de ses prévisions. Qu'elle vécût à Paris, d'une vie aussi studieuse que mondaine, aux confins du désert, sur une île ou sur quelque pic neigeux, elle se trouvait toujours aussi peu désœuvrée, et pour des fins hautement justifiées.

Malade, à la clinique, elle n'avait pas eu un instant à elle. Un jour, par privilège, on lui installa dans sa chambre un poste de télévision alors qu'elle allait entrer en convalescence. Elle ne disposa jamais d'un moment pour l'utiliser. Là, comme ailleurs, son agenda la possédait. C'est son seul maître. Si l'on détaille ses horaires on ne peut que s'incliner devant les impératifs qu'elle accepte. Il eût fallu seulement détruire le tout. Pour être libre.

Menteuse, Elisabeth l'est aussi. Soupçonnée, elle s'était attachée à défendre ce qui n'était même pas un bonheur. Elle en était convenue ensuite, mais elle refusait d'être prise au piège et cette assurance, cette fermeté dans la négation de l'évidence avaient déconcerté Christian, allant jusqu'à le faire douter de lui-même. Profondément affecté, il le fut ensuite. Elisabeth ne sut pas ce qu'elle avait perdu en ces journées. Elle sépare mal la vérité du mensonge, elle anéantit immédiatement les souvenirs qui la gênent. Pourquoi s'encombrer de bagages lourds ? Christian mêlait à présent, dans le sourire qu'il lui adressait, bienveillance et tristesse. Il savait distinguer le désarroi dans la révolte et, de cette révolte, il connaissait le sens.

C'est toute seule qu'Elisabeth avait émergé d'un milieu sordide. Aucune aide ne lui était venue du dehors. C'est en elle seule qu'elle trouva le désir violent qui lui permit tout d'abord de rejeter ce qui l'entourait et ensuite de construire un personnage nouveau. Le goût, le jugement, la force de parvenir à ses fins, chez d'autres fussent peut-être restés inemployés. Elle savait orchestrer ses dons.

Elisabeth ne parlait jamais de ces années de jeunesse, même à Christian. Une fois néanmoins, peu après leur rencontre, elle avait tout décrit, expliqué : la nourrice tant aimée puis la mère ne rêvant pour sa fille d'autre destin que celui qu'elle-même avait subi, allant d'un homme à l'autre. Il était difficile d'imaginer ainsi l'enfance de celle que l'on voyait aujourd'hui si belle, si simple, si adaptée au monde qui était devenu le sien. Cette confession amena le garçon à créer autour de la jeune fille ce halo de pureté... Ayant traversé sans dommage tant d'épreuves, qui ne l'aurait crue invulnérable ? Elisabeth parlait de rachat pour des fautes qui n'étaient pas les siennes : sa naissance, sa famille... et même Bernis.

Arriver vierge au mariage dans de telles conditions représentait un exploit ; elle y était parvenue par une forme de fidélité à une certaine image d'elle-même qu'elle désirait sauvegarder. Mais fidèle à un autre ?... C'était là une toute autre affaire ! Un homme était passé. Pourquoi pas un autre. Bien sûr, pas dix autres, mais un, deux, quelle différence puisqu'elle s'était rendue ? Le merveilleux eût été de sauver cette intégrité, de demeurer sans faille, une sorte d'objet parfait, lisse, clos ; Elisabeth avait espéré un moment... Néanmoins, la vie lui réservait un autre destin. Elle ne croit pas au hasard. Le cours de l'existence s'explique par le caractère. Devenir ce que l'on est. Obligation, vocation, mauvaise fortune, autant d'alibis commodes.

Lorsque Lamblain rencontra cette fille étrange,

elle était déjà étudiante. Secrète, ombrageuse, personne ne l'abordait. Seul ce garçon timide trouva l'audace nécessaire pour briser ce cercle de solitude.

Les heures qui suivirent restent gravées dans la mémoire de Christian et le rendent aujourd'hui, à la fois plus exigeant et plus indulgent, plus proche aussi et plus désespéré. Cependant l'un et l'autre s'aiment et c'est là l'essentiel.

Si Elisabeth admire son mari, elle mêle souvent quelque condescendance au respect nuancé qu'elle lui porte. Pour elle les êtres n'existent pas objectivement mais en fonction des relations qu'elle entretient avec eux, des sentiments qu'ils lui vouent et qui déterminent ceux qu'elle va bientôt ressentir. Toutes ses appréciations restent subjectives et son obstination dans la défense est à la mesure d'une certaine forme de faiblesse. Hormis les cas où elle se défend et où sa cause est mauvaise, elle cède toujours à l'insistance. Il suffit donc d'être de caractère difficile pour l'amener à composition et la dominer. Toujours elle cherche à charmer ceux qui lui sont hostiles. De ses amis, elle ne s'occupe guère. Au demeurant qui peut prétendre à ce titre ? Des engouements, tout au plus...

« Oui, je vais m'en aller. Pourquoi pas après tout ? Ainsi, après son départ, il y aura eu le mien. N'est-ce pas normal ? Il est revenu. Je reviendrai aussi. Non, je ne suis pas mesquine. Je ne compte pas les jours ! Deux mois ou presque pour l'un, une semaine... ou deux pour l'autre. Combien de temps au juste ? A vrai dire, je n'en sais rien. Dix jours, peut-être douze ?... Sûrement pas davantage. Il s'agit d'une bouffée d'air frais. Retrouver une indépendance, un semblant d'indépendance, et je serai apaisée... Au moins pour un moment. Il ne faut pas toujours se débattre. »

Cruelle et sensible femme ! Impitoyable envers les autres mais indulgente à ses propres caprices. Sincère, irresponsable, passionnée, elle s'invente une morale qui lui permet de satisfaire ses désirs du moment tout en ne brisant pas l'idée qu'elle doit conserver d'elle-même. La bonne conscience est un des éléments nécessaires à son bonheur. Vertueuse, bien sûr, mais le mariage ne comporte-t-il pas, inclus dans son contrat, son corollaire d'infidélité ? La vertu se trouve ailleurs. Dans une certaine éthique peut-être, car, en vérité, qui pourrait soutenir qu'une vie entière puisse s'écouler, droite, sans un écart et auprès du même corps ? Néanmoins, Elisabeth ne serait pas loin d'évoquer certains jours avec nostalgie ce que, à d'autres moments, elle qualifierait de monotonie, cette réussite exceptionnelle à laquelle peu d'êtres peuvent prétendre. Sans doute fallait-il des conditions exceptionnelles pour trouver cette diversité dans l'unité. Elle rêvait parfois d'affrontements imprévus qu'il ne lui avait pas été permis de connaître.

L'amour n'est-il pas empreint d'une gravité qui tient à son essence même ? Ce que l'on nomme aujourd'hui ainsi est justement son absence. Pour combler ce néant, on mêle le goût de la distraction, la vanité, l'intérêt, le snobisme. L'amour... un chef-d'œuvre difficile à réaliser. Il faut, pour cette construction quotidienne, une vigilance de tous les instants.

Elisabeth, prudente, s'écarte d'un destin qu'elle sait ne pas être à sa mesure. Cet engagement, elle ne peut l'assumer. Tous les êtres ne sont pas nés pour l'héroïsme, le bonheur... ou la patience. Tout compte fait, l'ambition est plus aisée à satisfaire ; elle comporte des degrés, des attentes, des espoirs qui donnent le change.

Indulgente à ses propres caprices... Elisabeth toutefois n'omettrait pas d'être jalouse, si l'occasion lui en était donnée, mais l'attitude de Christian lui permet de prôner en toute quiétude l'autonomie qu'ils doivent l'un et l'autre conserver.

Il est indiscutable néanmoins qu'elle vit difficilement sous l'œil indifférent de cet homme qui, dans son cabinet, accommode sa vision pour élucider les mystères tumultueux de l'âme d'autrui. Elle vit difficilement... davantage même, elle se révolte. Que représente-elle pour lui ? Le repos du guerrier définitivement assuré, sans qu'il se pose jamais la moindre question... Devant une situation imprévue, il s'était contenté de fuir... sans parler, sans tenter de comprendre. Qu'elle fût heureuse, s'en était-il jamais vraiment soucié ? Un jour, il était revenu, serein et silencieux. La vie avait repris, sans qu'aucune leçon ne soit tirée de cette séparation ni de ce qui l'avait entraînée. On ne parlait jamais. A quoi bon ? Christian s'était lié avec Estève... Pourquoi ? Comment ? Les deux hommes, pourtant, ne semblaient pas avoir d'affinités. Quelque chose, néanmoins, d'indéfinissable et que l'on ne parvenait pas à analyser les rapprochait... comme malgré eux. Elisabeth ne se sentait guère attirée par cet intrus mais il l'intéressait. Elle imaginait une vie aventureuse ou bien au contraire repliée, l'aventure étant toute intérieure, une solitude ardente et violemment construite. Mais que savoir d'autrui sans connaître son comportement en amour ? Comment l'appréhender ? Découverte nécessaire mais pas encore suffisante. Rien, au reste, ne convient si ce n'est une sorte d'intuition rare, d'harmonie comme pré-établie. De Christian même que sait-elle ? Le comprendre ? Une page blanche n'est pas déchiffrable. Pour lui tout est si simple, même le lit, même la nuit, même les corps. Un plaisir constant et comme dosé, qui n'atteint pas, semble-t-il, les cimes, mais qui n'est jamais défaillant, paraît lui convenir. Quant à elle... elle eût préféré d'autres émois.

Remi devait être plus savant, plus compliqué. Lui aussi était silencieux, mais à ces moments-là peut-être parlait-il enfin, se dénouait-il ? La sexualité des autres reste un de leurs biens les plus secrets. La liberté de mœurs qui s'installe, l'appel constant ne change rien, ne simplifie rien — au contraire. Comme si d'être étalés, commentés, les secrets des hommes n'en devenaient que plus obscurs. Et s'il n'existait que les hommes ! Mais les femmes, aujourd'hui, prétendent se mêler au jeu, abandonner leur passivité séculaire. Cette femme nouvelle, libérée, juge l'homme au lieu d'accepter ses hommages comme autrefois, incompréhensive et reconnaissante. A présent elle veut intervenir. Ces relations nouvelles se chargent de tout un poids de sérieux, de gravité et de complications imprévues. Et tout cela, est-ce donc si important ? On s'intéresse le plus souvent aux corps seulement pour vérifier une capacité de séduction qui n'est pas si assurée. Elisabeth aimerait savoir si elle pourrait séduire Remi... Et, pourtant, il ne l'intéresse pas... pas vraiment en tout cas. Seule, l'idée de réussite lui plairait mais elle n'aimerait pas aller jusqu'à la vérifier si elle parvenait à être certaine de son pouvoir auparavant. Christian n'a aucune idée de la puissance de l'érotisme, Remi doit être plus doué. Au demeurant, l'érotisme se place aux antipodes de l'amour. Est-ce même compatible ? Celui qui aime peut accepter l'érotisme de l'autre, s'y plier...

En ce qui la concerne, elle ne parviendrait jamais à être heureuse ainsi.

Que souhaite-t-elle dans l'aventure ? Trouver le merveilleux qu'apporte la nouveauté, rencontrer celui qui n'existe pas en dehors de la minute présente. La vie sociale, sentimentale, l'intelligence demeurant floues, noyées dans l'ombre. Deux corps s'unissent sous une lumière habilement circonscrite.

Elisabeth aime Christian de n'être pas ce partenaire-là. Elle lui pardonne, pour une vertu qui lui semble soudain précieuse et comme inestimable, ce qui lui paraît souvent insupportable dans la vie quotidienne. Elle se sent compréhensive, protectrice et toute pénétrée de tendresse.

Peu avant de rencontrer Christian, un soir, sans bien comprendre, un soir de déception trop dure à supporter seule, Elisabeth s'était laissé entraîner par Jacques Bernis. Il était là. N'était-ce pas une raison suffisante ?

Elisabeth, cependant, était farouche en ce temps-là. Pour Bernis seulement elle avait surmonté une fois une certaine répugnance, pressentant peut-être quelque frein intérieur venant de lui. Ce Jacques, simplement un pont. Certains êtres ont cette vocation absurde de n'exister que pour permettre aux autres des parcours imprévus. Pourquoi penser à Jacques à présent ? Ce qu'il avait pu devenir ne l'intéressait pas. Décidément, elle était fatiguée.

Christian venait de l'abandonner. A son tour

n'avait-elle pas droit à quelques vacances ?... Son mauvais garnement de frère souhaitait l'emmener sur le voilier appartenant à un couple ami. Pourquoi pas après tout ? Quand même, elle se renseignerait sur ces gens... A quoi bon ? Sans doute n'apprendrait-elle sur eux rien qui plairait à Christian... Il n'appréciait guère son beau-frère. Néanmoins, il laissait Elisabeth libre. Autrefois par confiance, maintenant par décision. Un voilier, voilà de quoi tenter... Un voilier confortable, Alain l'avait précisé. Dix jours d'air marin, de soleil... Pour en revenir aux amis d'Alain, on pouvait s'attendre au pire... On devait sans doute... Mais, déjà, elle savait qu'elle partirait ; elle était certaine que Christian s'inclinerait et finalement approuverait... Ensuite, il attendrait son retour. Excellent à tous points de vue. Départ. Retour.

Ce n'était pas une réconciliation qu'elle cherchait. Comment, en effet, se réconcilier ? Elle ne se souvenait d'aucune dispute. Existait seulement ce désir de liberté et aussi l'espoir qu'il arriverait quelque chose — à elle toute seule ou à tous les deux. Oui, enfin, quelque chose qui secouerait Christian, sans entraîner sa fuite. A son retour — ou bien durant son absence... Comment l'eût-elle su déjà ? Elle rêvait d'un déclic qui obligerait cet homme à sortir de cette forme d'absence si pénible... C'était encore avec lui qu'elle souhaitait trouver le bonheur... tout recommencer. Les autres... un pis aller, pour vivre, parce qu'il ne voulait pas, lui, être là... et qu'elle n'acceptait plus d'attendre.

Elisabeth rêvait rarement, mais un matin elle s'éveilla l'esprit en bataille et des heures s'écoulèrent sans qu'elle pût retrouver la paix.

Ce qui la bouleversait à ce point et la mettait dans un tel désarroi, elle ne l'acceptait pas. Une certaine image de son personnage se trouvait bousculée par ce rêve et elle ne tenait pas à remettre en question les assises mêmes d'une éthique qui lui était chère. Le système de valeur de la femme qu'elle avait été cette nuit-là n'était pas le sien... et pourtant, c'était bien elle qui organisait ce dîner. Douze invités : six hommes et six femmes. Ainsi seraient-ils quatorze — un bon chiffre — et tous des amis. Dans l'après-midi, elle ne retrouvait plus la liste des convives ; soudain, elle s'apercevait qu'elle avait oublié jusqu'à leurs noms et, de ce fait, ne parvenait pas à rédiger les cartons qui devaient marquer les places à table. Elle appelait la secrétaire de Christian et voyait arriver une inconnue. Pourquoi s'en étonner ? Elisabeth lui faisait part de son inquiétude. L'autre répondait qu'elle possédait effectivement la liste en question. Elle revenait un moment plus tard ayant en main un rouleau qu'elle tendait à Elisabeth. Il se présentait sous la forme de certains écrits religieux de l'Antiquité : un parchemin enroulé autour d'un manche d'argent. Elisabeth prenait l'objet qui se déroulait indéfiniment — il comportait des centaines de noms... C'étaient là les invités du soir. A l'appel d'Elisabeth la secrétaire revenait silencieuse. Aux questions pressantes qui lui étaient posées, elle répondait d'un ton neutre : « Oui, c'était là en effet la liste des invités du dîner. » Avaient-ils été prévenus ? Oui, sans doute. Et les douze amis se trouvaient-ils parmi eux ? Elle ne savait rien de plus, elle ne pouvait en dire davantage. La panique d'Elisabeth devenait indescriptible et, sous le coup d'une souffrance intolérable, elle se réveillait.

Ainsi, ce qui l'avait mise dans un état dont elle ne pouvait se souvenir sans effroi se réduisait à une simple péripétie mondaine.

C'était cela qui, à présent, lui semblait intolérable : ses critères inconscients échappaient à son contrôle. Ses attachements, ses souffrances relevaient d'un système bourgeois... Pour elle, le plus profond désarroi, l'humiliation majeure viendraient donc des conséquences possibles d'une réception mal organisée. Aucun événement réel ne lui avait jamais semblé aussi effrayant que cette invention stupide dont elle ne retrouvait pas l'origine. Cette révélation, elle ne pouvait la supporter. Les réactions de cette inconnue la troublaient. En cette femme aliénée, déterminée par

L'AUTRE PERSONNE

son habileté ou sa maladresse mondaine, jugée sur l'organisation et la réussite d'une réception, elle refusait de se reconnaître.

Ah, si elle pouvait seulement parler à Christian ! Mais elle savait qu'il la rassurerait sans même réfléchir. Il sourirait. Pour lui, elle n'était rien d'autre qu'Elisabeth, une personne transparente et maîtrisée à jamais. Une autre, il l'écouterait le temps nécessaire ; une inconnue pourrait parler indéfiniment, Christian ne ressentirait aucune lassitude. Il ne feindrait pas seulement l'intérêt, il l'éprouverait. Elisabeth se prenait à haïr les malades de Christian : les hommes, les femmes qui requéraient sans relâche son attention. Oui, les hommes, les femmes, mais surtout les femmes. Jalousie ? Non... plutôt une frustration... comme si on enlevait de la nourriture à un affamé. Elle qui aurait eu un tel besoin de Christian ! Mais il ne donnait pas prise. Ce n'était pas une fuite ou un refus, simplement il n'était pas là.

Ce sentiment de solitude l'amenait à revoir la ronde que toujours elle imaginait autour de sa mère. Sa mère... Rarement à présent elle revenait à elle. Des liens apparemment si bien tranchés ! Sa mère... bien plus libre qu'elle ! Aucun préjugé, mais des besoins à assouvir... Le sexe, l'argent... Non, elle non plus n'était pas libre... Une dérision ! Et puis, pourquoi Elisabeth n'avait-elle jamais pu se délivrer de cette obsession : la liberté ? Un mot qui ne renferme que des rêves bafoués. Y songer

c'est déjà ne plus être libre. La liberté intérieure
— la seule qui se vive — n'est jamais remise en
cause, elle ne se revendique pas... Elisabeth, en
proie à trop de tourments, est enchaînée à Christian par un lien vigoureux qu'elle souhaiterait
tellement refuser, renier, et qui lui pèse. Pourquoi?
Les événements ne peuvent ici être mis en cause,
tout peut toujours donner des résultats différents.
La liberté... c'est peut-être aussi le rapport entre
le choc extérieur et la réaction individuelle... Il
reste une marge qui nous permet de nous déterminer, une marge de liberté et de hasard.

De là à s'enfuir sur un voilier ! C'est parce
qu'Elisabeth se sait aliénée qu'elle cherche à
fuir... Fuir avec une laisse pendante qui la ramènera à Christian... inévitablement. Une mouche
retenue dans un filet. Que le filet soit vaste ne
change rien à la chose.

Qu'il ose seulement parler de liberté celui qui
compulse fiévreusement les horaires et prend
l'avion avec un billet de retour. Néanmoins, il
existe une frontière ; un jour une goutte d'eau en
trop. « Non... cela suffit. » Pouvoir dire non, c'est
peut-être cela aussi la liberté.

Mais à quoi Elisabeth doit-elle dire non ? A
qui ? Personne ne l'attaque. Christian la laisse agir
selon son bon plaisir. C'est elle qui, de son propre
fait, n'est pas une personne libre. Toujours tournée vers l'autre... qui n'y est pour rien. Elle veut
l'enchaîner et c'est elle qui est dupée. Au début,

déjà, elle était dépendante de l'attention qu'il lui accordait et qui l'empêchait d'être elle-même authentiquement. Elle s'efforçait toujours de coïncider avec ce personnage qui naissait de ce regard pénétrant, quelquefois émerveillé et toujours interrogateur... Que ne l'eût-il été en paroles ! Tout aujourd'hui serait différent. Absurdité... Devant l'absurde, un soir, on se révolte et le goût du bonheur l'emporte.

« Il faut s'aimer pour se taire ensemble. » Allons donc ! Pour Elisabeth s'exprimer était une nécessité. Les longues conversations, les digressions ne la lassaient jamais. Elle attachait aux mots une valeur singulière. Un pouvoir. Christian, quant à lui, semblait détenir d'autres moyens de communication — au-delà du langage. Aux paroles, il préférait la douceur d'une présence, la chaleur d'une soirée côte à côte, l'échange d'un regard tendre ou complice. Il savait interpréter le silence. Il prétendait même que l'on pouvait se comprendre si bien en silence... Parfois une réflexion de Christian, dite nonchalamment, permettait à Elisabeth de prendre conscience d'une part d'elle-même qu'elle n'avait jamais connue. C'était exceptionnel, mais ces moments privilégiés la retenaient mieux que de lourdes entraves. Ils marquaient le prix d'une vie auprès de cet homme clair et mystérieux tout à la fois.

Pour un temps, néanmoins, elle allait s'évader. Oh... seulement avec Alain. Rassurant, ce frère, mais compromettant aussi ; Christian ne l'aimait pas... Oui, elle jugeait tout en fonction de Christian. Le contrarier, pour marquer une liberté, c'était la preuve d'une dépendance totale et peu équivoque.

Son frère... Sa mère... Mme Hélène... Tant d'efforts pour couper avec ce monde, le monde de sa jeunesse. Et, pourtant, elle devrait un jour le retrouver, ne le savait-elle pas ? Etait-ce inscrit dans son avenir ?

Pour en revenir à Alain, une petite gouape bien sympathique. Curieuse insistance pour entraîner Elisabeth... Des amis charmants, libres... Cela changerait pour elle. Que voulait-il insinuer ?

Avec son cynisme habituel, il avait ajouté :

« Et une sœur de ton genre, cela me pose vis-à-vis de ces gens... Pour les affaires cela fait sérieux ». Quelles affaires ? A présent, Elisabeth détestait moins un passé qu'elle avait réussi à vaincre. Elle éprouvait des tendresses inavouées pour ceux qu'elle maîtrisait.

Mme Hélène l'inquiétait autrefois par le danger qu'elle représentait, l'ornière toujours possible... la voie tracée. Eh bien ! elle avait résisté !

Quel étonnement pour Christian s'il suivait ces pensées-là...

Elisabeth allait partir... Pour une semaine ou deux... Pourquoi pas après tout ? Nerveuse, fatiguée, et puis sans doute tenait-elle à marquer puérilement que, si lui-même avait disparu un temps, rien ne saurait la retenir...

Christian pourrait lui parler, tenter un rapprochement... Rien, en vérité, ne les séparait... Une grande tendresse... mais il fallait savoir attendre l'heure juste pour la manifester. Pudeur... prudence... Non, il s'agissait de toute autre chose...

Ne pas se laisser aller. Encore des malades à recevoir. Christian ouvrait son agenda. Dans cinq minutes exactement on ferait entrer Marie Latima. Il connaissait son histoire. Il l'entendrait une fois encore.

Dans son enfance, les parents de Marie n'étaient pas mariés, elle en souffrait comme d'une indécence. Pourtant le foyer était paisible. Plus tard — Marie devait avoir quinze ans environ — l'homme et la femme s'étaient mariés, ils avaient alors commencé à se battre et les cris ne cessaient pas. Marie, toute meurtrie, souffrait de ne pas comprendre. Rien n'était donc jamais comme il convenait ? Toujours à côté ces deux-là. Un wagon qui ne suit pas les rails mais court la campagne. Voilà ce qu'elle raconterait. Dans les faubourgs, elle était heureuse mais elle n'aurait pas dû. Et puis la famille avait émigré dans le dix-septième arrondissement ; un milieu hybride, populaire ou aristocratique selon les rues. Là, elle avait connu un gars tout simple qui l'avait aimée, mais c'est le vieux riche et un peu escroc qu'elle épousa. Des deux jumeaux survenus bientôt, l'un était mort, d'autre, anormal, l'accaparait, et elle demeurait convaincue que l'enfant mort lui eût apporté tout le bonheur du monde. Cette incohérence marquait sa vie et engendrait la révolte.

Christian écoutait. La femme ne se libérait guère. L'essentiel, elle ne l'avait pas encore dit. Mais cela ne tarderait pas. L'écoute du psychanalyste conduit le patient à s'exprimer comme à son insu et soudain il s'entend dévoiler des faits, des pensées qui, jusqu'alors, lui étaient demeurés inconnus. Il s'agit là, vraiment, de révélations. La qualité particulière du silence du médecin appelle la vérité. Ensuite, l'écheveau se déroule plus ou moins aisément.

L'optimisme foncier de Lamblain comme ses connaissances le portent à croire que la prise de conscience ne peut déboucher que sur le bien, sur la lumière, sur un mieux-être. Pour lui, se connaître, c'est progresser. Ce qui fait mal, ce qui est vraiment nocif, ce n'est pas tant une situation que tout ce qui n'est pas exprimé à son propos. Devant le « dit » un nouveau départ reste toujours possible. Lamblain aime les hommes et sa mission auprès d'eux, mais il sait que cette mission est incompatible avec le pouvoir, la richesse, fruits de concessions fondamentales. Il joue parfois avec l'idée de s'éloigner de ce monde si lourd : rejeter — au moins pour un temps — ces obsessions, ces fantasmes qui ne sont pas les siens, pourquoi pas ? Ne pourrait-il, lui aussi, penser à sa carrière ? Non, en vérité. Le confort intérieur qu'il recherche est tout autre chose.

Contrairement à ce que croient les malades, chaque homme représente pour le praticien un cas nouveau, essentiel, inattendu. La routine existe, certes, néanmoins le patient devient rapidement un guide que Christian suit. Ce n'est pas le médecin qui mène le jeu. Il s'efforce seulement de parler le langage de l'autre, de le mettre en accord avec lui-même, pour une difficile synthèse. Dès qu'il s'agit des femmes la situation se complique encore et la différence s'accentue entre le milieu extérieur et les démons intérieurs. Les difficultés de la vie quotidienne prennent parfois une importance sans mesure et entraînent des névroses inattendues ; souvent le foyer est plus redoutable que le bureau ou l'usine. Certaines femmes croient que le suicide est la seule manière de montrer, au moins une fois, qu'elles existent. Ce jour-là, elles imaginent choisir leur destin. Lamblain les amène parfois à découvrir qu'elles peuvent trouver d'autres voies. A quelques-unes même, il apporte la paix sinon la joie.

Par exemple, cette Geneviève Harbant, ne l'a-t-il pas positivement sauvée ? Encore six mois et il pourra la détacher de lui, peu à peu et très doucement. Il sait que, parfois, elle se révolte contre le traitement, mais, lorsqu'il est parti, quel drame ! Et que de reproches à son retour pour l'avoir laissée seule. Eh oui ! Toujours le même processus !

Maintenant Bernis veut venir le consulter. Lamblain n'aime pas cela du tout. Déjà, une fois, il a refusé de le recevoir mais l'autre s'obstine. Un vieil ami pourtant, remis en confiance sans doute parce que Christian a fait appel à lui, légèrement, sans appuyer, comme si la chose était de peu d'importance.

Ils se connaissent depuis le lycée. Pas un aigle, mais un brave garçon. Célibataire... Au fait, non, Christian le considère comme tel, mais, au contraire, il s'est marié très jeune, pendant son service militaire sans doute. Ils s'étaient perdus de vue alors et, lorsqu'ils se retrouvèrent, Jacques était divorcé. C'est ainsi que, pour Lamblain, cet intermède n'a jamais existé. Et à peine pour Jacques, semble-t-il ! Deux petites filles pourtant sont nées de ces liens si vite rompus.

Jacques Bernis a rendez-vous. Que peut-il donc vouloir ?

Christian alla chercher son agenda et il s'aperçut avec mécontentement qu'il devait recevoir aujourd'hui même cet ancien condisciple. Ainsi, avec cette organisation, son temps appartenait à tout le monde. Il suffisait de téléphoner : la secrétaire organisait les horaires. Il était de mauvaise foi et le savait. Les rendez-vous devaient être pris longtemps à l'avance ; il était bien difficile d'en obtenir un. Il se souvenait très bien qu'une quinzaine de jours auparavant on lui avait parlé d'un premier appel de Bernis. Puis, une seconde fois, il avait vu son nom sur une fiche et répondu distraitement :

— Oui, quand j'aurai un moment...

Il existait ainsi une longue liste d'attente que l'on débloquait peu à peu. Une cliente était décommandée pour ce soir à six heures moins le quart. Une grippe, précisait-elle. Il faudrait vérifier s'il ne s'agissait pas là d'une grippe... chronique. Sinon l'on aviserait. Pas de temps à perdre auprès de femmes capricieuses alors que tant de vrais malades demeurent sans secours.

Enfin, il recevrait Bernis... au moins une fois ! Ou bien il ne relevait d'aucun traitement et Lamblain le lui dirait rondement, ou bien, en effet, Jacques aurait intérêt à se faire soigner et on l'adresserait à quelque confrère ami, car lui-même ne pouvait plus prendre personne en charge.

C'était un mauvais jour que ce mercredi. Retenu trop tard à l'hôpital, les efforts conjugués d'Elisabeth et de Marie-Louise aboutirent seulement à faire avaler à Christian deux tasses de café et une tranche de jambon sans pain. Cette vie était décidément absurde, il en convenait volontiers — mais le moyen de s'y dérober ?

Les yeux fermés, Lamblain écoutait les litanies de cette femme que six maternités laissaient encore désœuvrée. Elle continuait à se chercher des raisons de vivre, se plaignait de l'indifférence et de l'incompréhension de ceux qui l'entouraient. Elle parlait de travail, d'indépendance et secouait ses mains chargées de bagues précieuses en évoquant la bienheureuse pauvreté...

Christian savait que certains eussent pensé qu'une bonne paire de claques... et que les maris sont là pour ça ! Tant pis pour eux s'ils préfèrent envoyer l'épouse chez le psychanalyste... Tout être pourtant est digne de pitié, même ceux qui paraissent nantis. C'est de l'intérieur qu'il faut voir, comprendre.

A présent, on introduisait Jacques.

« Ce garçon boursouflé... Il a mon âge ! Blanc, malsain, il n'a pratiqué aucun sport. » Et tout à coup, Christian le revoyait au stade, debout, seul, tenant la barrière et s'y cramponnant. « Plus beaucoup de cheveux non plus. Toujours ses beaux yeux pâles d'un bleu délavé qu'aucune ligne de sourcils n'accompagne ; des dents jaunes. Le tabac ? Apparemment non. »

— Ce n'est pas sans hésitation que je me suis résolu à venir te voir...

Il bredouillait presque mais un sourire timide indiquait qu'il était heureux d'être parvenu au

terme de cette première phrase. Il poursuivait :
— Quand même... parler dans ton cabinet, c'est autre chose...

« Autre chose que quoi ? » se demandait Christian. Il trouvait soudain Bernis minable. Quels chocs avaient troublé l'existence de ce jeune garçon qui autrefois cherchait à l'éblouir ? L'argent, les costumes neufs à chaque saison, les voitures, tels étaient alors les attributs qui participaient à sa légende. Christian, lui, était boursier, et il ne cessait d'être obsédé par l'idée que chaque année d'études coûtait des heures de peine à sa mère. Elle eût été heureuse de le voir aujourd'hui, dans ce bureau, recevant cet ancien camarade riche, parfois hautain, et qui venait à présent, tout tremblant, demander assistance.

Depuis un instant, perdu dans le passé, il n'écoutait plus son malade. Une telle faute était exceptionnelle. Décidément, on ne devait jamais transiger, recevoir des amis, les entendre, les conseiller. Tout reste tellement plus facile avec les inconnus.

Bernis parlait :
— Mais oui, mon vieux, les choses pour moi n'étaient pas si simples alors que tu semblais le croire. Toi, tu travaillais... Jamais ton regard ne s'égarait hors de la page imprimée. Rien d'autre n'existait. D'une certaine manière, c'était une chance ! Quant à moi j'étais à la fois ardent et timoré ; je mis longtemps à me rendre compte

que, seules, les femmes inaccessibles me plaisaient, celles mariées, plus âgées que moi... En fait, les difficultés m'apportaient une certaine sécurité. Les barrières qui résidaient en moi, je les situais au-dehors et mon exaltation tournait à vide. Les obstacles me rapprochaient de l'autre plus que toutes les facilités. L'abstinence me convenait et je lui attribuais des mobiles nobles. Tu vois, je suis lucide... à présent !

Le téléphone sonnait discrètement. Lamblain décrocha.

— Mais, je l'ai vue ce matin... Bon, faites-la transporter immédiatement.. Oui, un lavage d'estomac. Je passerai ce soir...

Un coup d'œil à son agenda.

— Oh ! pas avant huit heures trente.

Il reposa le combiné.

— Alors tu disais... Excuse-moi.

— Oui, le moment décisif fut une conversation avec mon père. Je crois que cette soirée-là a déterminé toute ma vie. Si je viens te voir aujourd'hui, c'est que, depuis vingt ans, je n'accepte pas les paroles prononcées alors. Vois-tu, mon père était inquiet de mon amitié avec Alain ! Tu te souviens de ce garçon pâle, blond, efflanqué ? Dès la troisième, nous ne nous quittions plus. Cette amitié était pure. Seule la vigilance de mon père m'a alerté d'abord, éclairé ensuite sur mes vrais penchants. Que serait-il advenu sans cette intervention ? Je n'en ai aucune idée. Refaire l'histoire m'a toujours semblé vain. Alain qui ne représentait aucun danger fut écarté. Dominique est arrivé plus tard. On n'échappe pas si aisément... J'avais plus de vingt ans et j'étais prêt cette fois à assumer mon destin. Il y eut cette scène avec mon père ; j'ai osé lui dire que je voulais partir, vivre avec Dominique, que rien ne m'empêcherait... que j'étais majeur. Toujours cet argument stupide que l'on brandit comme un bouclier pour cacher sa faiblesse.

Bernis s'arrêta comme s'il attendait une interruption.

— Continue...

— Au lieu des remontrances attendues et auxquelles j'étais prêt à faire face, mon père s'effondra et prononça des mots très simples qui me brûlent encore : « Mon pauvre petit ! J'ai connu les mêmes souffrances que toi. » Je répliquai que j'étais satisfait, que la souffrance m'était épargnée et que je ne comprenais rien à ses propos. Il poursuivit : « Et c'est parce qu'elle fut la mienne que je puis t'assurer que tu ne pourras jamais porter cette croix. » Je le regardai sans comprendre, mon père ajouta : « Marie-toi, Jacques, ainsi on s'en tire, c'est la seule voie possible, crois-moi. »

A son tour Lamblain regardait Bernis qui concluait :

— Je me suis marié, j'ai divorcé. Depuis, je me tiens éloigné des hommes, des femmes... Je viens vers toi, à présent, peux-tu m'aider ?

Il y eut un long silence.

« Ainsi, même ce garçon tout simple et un peu naïf... »

Christian se sentait soudain étrangement découragé. Qu'il eût aimé soigner des corps, des blessures qui saignent ! Des tourments des autres, il était écœuré. « Ne se préoccupent-ils que de leur sexe tous ces gens-là ! » Bien sûr, il savait... mais tout de même ! Cet asservissement aux sens est accepté, davantage même, attendu, voire souhaité. Ainsi jamais un homme libre... Le caractère, la volonté ne sont pas des mots vides de contenu... Sur ce divan, tant de haine et d'amour exprimés... Et de souffrances aussi... Toujours pour les mêmes trahisons ! Les mots revenaient identiques : adultère, homosexualité, masochisme, agressivité, culpabilité. Suivait l'inéluctable bilan : victoire, défaite ? Lamblain en venait à douter : « Etait-il juste de consacrer toute une existence à soulager quelques centaines de névrosés ?... Une goutte d'eau dans la mer... Une piqûre dans un monde malade. Dérisoire ?... Bien sûr ! Ne pas se poser de questions. Défricher sa petite part de terrain, sans plus... » Il se souvenait d'un temps où chaque malade le fascinait. Le médecin jouait alors un jeu dangereux ; une sorte de corrida, avec les névroses qu'il s'attachait à anéantir. A présent il était las. Non ! Il allait se reprendre, dominer cet instant de faiblesse.

— Jacques, je ne peux rien pour toi. Nous nous

connaissons depuis trop longtemps... Oui, je sais, pas si bien que cela, mais tout de même, une vieille camaraderie... Si tu le souhaites vraiment, je peux t'adresser à un confrère... Oui, parfait, je t'assure. Je lui téléphonerai lorsque tu seras tout à fait décidé... Tu ne l'es pas encore, crois-moi. Rien ne presse, au reste.

Ainsi avait-il éconduit l'ami d'autrefois en dépit des protestations formulées, si véhémentes qu'elles aient été.

En vérité, Christian ne disposait plus d'une seule heure dans la semaine pour entreprendre un traitement suivi et il en eût fallu plusieurs pour mener à bien une cure sérieuse.

Même les heures qui seraient libérées par Mme Harbant étaient déjà retenues pour l'hiver suivant. Ah ! comme elle avait été contente de reprendre les séances... Si souvent, cependant, elle croyait se rebeller.

Elisabeth rentrait ce soir-là de fort bonne humeur. A présent, Christian se demandait parfois d'où elle venait. Il repoussait immédiatement la tentation de se laisser aller sur ce sol glissant où une question appelle une autre question. Ne pas exiger de savoir... Il prenait l'habitude. Ce n'en était pas moins pour lui un effort, une sorte de gymnastique qu'il croyait devoir s'imposer.

Elisabeth suggéra d'aller au cinéma. Christian trouva l'idée heureuse : un bon western lui conviendrait parfaitement.

— Surtout rien qui fasse penser... Je t'en prie.
— Tout ce que tu veux... Et si l'on appelait ton Remi ? On ne le voit plus.
— Oh, non ! Pas ce soir.

Christian en avait assez des autres aujourd'hui... Il ajouta :

— J'aime mieux sortir seul avec toi.

Elisabeth sourit. Après tout, elle aussi préférait cela, elle avait parlé de Remi, sans y penser vraiment... Ils pourraient à la sortie souper tous les deux. On lui avait parlé justement d'un nouveau bar.

Lorsqu'ils rentrèrent, à minuit, une fiche près du téléphone indiquait un appel de M. Estève à neuf heures et demie.

— On le verra un de ces jours, dit Elisabeth.
— Mais oui, rien ne presse...

Lorsque Elisabeth avait recommencé à travailler, animée de cette ferveur inquiète et inattendue, Christian aurait dû y prêter plus d'attention. Sept années d'oisiveté et, il fallait bien en convenir, de paresse, suivies de ce réveil... Il y avait là de quoi surprendre, même quelqu'un de moins averti que Lamblain. Mais les malades le harcelaient, l'accaparaient tout au long du jour et, lorsque arrivait enfin le départ du dernier client, il souhaitait se délivrer de toutes complications psychologiques, fermer à clef cet univers et oublier ces heures où il se consacrait aux autres. Le soir venu, il devenait un homme différent, son attention se mettait automatiquement en veilleuse jusqu'au lendemain matin. Il s'agissait là d'une hygiène indispensable, comme l'escrime ou le cheval qu'il pratiquait volontiers selon la saison. Parfois, lorsqu'ils dînaient en ville, Elisabeth au retour lui faisait part de quelques remarques plus ou moins pénétrantes sur l'un ou l'autre convive. Lui n'avait jamais rien vu ni noté. Hors de son cabinet, il s'appliquait à ne pas quitter le monde des apparences, il se cramponnait à cette attitude reposante.

Aussi ne s'était-il par alarmé lorsqu'il avait pris conscience du brusque changement intervenu dans son foyer. Enfin, Elisabeth redevenait elle-même ; cette passivité langoureuse devait bien avoir une fin. Il admirait la faculté de travail de son épouse, fier aussi de ses premiers succès.

Que cachait cette ambition nouvelle ? Pourquoi ce désir soudain de quitter son foyer ? Il eût été surpris si quelqu'un l'avait questionné. Christian n'opérait pas de rapprochements entre son propre cas et ce qu'il eût suggéré aux autres dans une pareille situation ; la discipline choisie devenait réflexe. Ce qu'une telle ardeur dissimulait ? Prise de conscience ? Fuite ? En dépit des difficultés récentes il n'y songeait même pas. Qu'Elisabeth pût être insatisfaite n'était pas dans l'ordre des choses. Il s'agissait là du monde des autres, pas du leur. Pourtant, entre eux, la confiance n'était plus la même. Et c'était cette sécurité, à jamais brisée, que Christian regrettait le plus aujourd'hui. Les propos d'Elisabeth ne représenteraient plus jamais une vérité inattaquable, absolue. Dorénavant, un doute subsisterait toujours. Bah ! on s'habitue bien aux déchéances physiques qui surviennent peu à peu, sournoisement, mais à coup sûr. Après quarante ans les rouages ne commencent-ils pas à grincer ? Pourquoi sur d'autres plans exiger une perfection impossible ? Entre Elisabeth et Christian, il existerait toujours une faille à présent. Mais il saurait, lui, prendre la distance nécessaire. A quoi bon s'abîmer dans les regrets d'une union exemplaire qui n'avait existé, peut-être, que dans son esprit et pour son plaisir à lui ?

Elisabeth, comme toutes les autres, avait succombé... Pourquoi pas après tout ? Quel orgueil d'imaginer qu'il réussissait là où tous les hommes échouent ! Fallait-il rechercher les responsabilités, les causes, les incidents fortuits ? En ce qui le concernait, il n'avait pas su déceler l'instant où leur entente s'était détériorée ; toujours elle lui avait semblé aussi parfaite. Sans doute, n'avait-il pas apporté un soin suffisant à préserver la femme qu'il croyait installée près de lui pour une vie sans aléa. Elisabeth lui paraissait alors tellement claire, saine, sans réticence et, pour tout dire, heureuse. Qui eût pensé à établir le moindre rapprochement entre elle et ces autres qui gémissent ? Celles-là peuvent injurier Christian tout à loisir. Rien ne le blesse. Sa bienveillance est inébranlable. Il s'agit de malades, à qui il s'attache vraiment mais qui demeurent toujours dans ce monde à part qu'il régente. Il aurait dû savoir, pourtant, qu'il n'existe personne de vraiment tout à fait « normal » et, qu'au demeurant, ce mot est dépourvu de sens. Puérilement, il s'était habitué à croire qu'Elisabeth échappait à toute règle et pourrait se tenir au-dessus des lois communes. Eh bien, non ! Elle n'était pas cette exception et il devait accepter cette idée. Il oublierait le rêve que, peut-être par orgueil, il avait inventé, ne pouvant se contenter du sort qui lui était réservé. Il aimerait Elisabeth dans sa réalité, avec ses faiblesses. Néanmoins, tout serait différent.

Ce qui se trouve anéanti représente pour lui une valeur fondamentale. Il invente, pour expliquer l'attitude de la jeune femme, des dialectiques imprévues. Il cherche à suivre les méandres d'une pensée proche, les longs cheminements souterrains du non-dit. Comment Elisabeth eût-elle pu distinguer le mensonge sur des faits objectifs qui ne la touchent pas (la pitié le justifie parfois) de celui, impardonnable, où l'on se défend, où l'on triche ?

Elle ne sait pas que la peur est un mobile haïssable et que partout où elle rôde le mal suit. Elisabeth ne se transforme-t-elle pas parfois en un animal au regard haineux, capable de tout pour ne pas être forcée dans son repaire ? Il reste alors à Lamblain la douceur du pardon.

Christian savait son épouse coquette, mais il n'avait jamais cru qu'elle poursuivait le jeu, franchissant un certain seuil, celui des propos légers, du marivaudage, ni surtout qu'elle osât s'engager dans la voie, si soigneusement élaborée, de l'adultère le plus conventionnel. Mais c'est vue du dehors que la banalité apparaît, celui qui vit l'événement le sent comme unique.

Christian avait aussi d'autres soucis : allait-il parler à Remi ? Il devait en décider à présent. Agir ou n'y plus penser... au moins provisoirement. Il n'avait jamais connu pareille indécision. Ce qui le pousserait à s'engager dans l'une ou l'autre voie lui demeurait encore mystérieux.

Remi se retrouvait devant la vie telle qu'il l'avait choisie : Serge, Isabelle, les dîners solitaires. Et puis parfois, les Allemands, les Américains qui venaient pour affaires mais qui, dès six heures, avançaient un timide : « Et maintenant ? », d'un œil égrillard. Les cabarets ? Les boîtes de nuit ? Remi ne les supportait plus. Mme Hélène devenait alors le recours. Elle recevait agréablement et, suivant les jours, procurait des filles qui « accompagneraient ces messieurs au restaurant », ou bien elle organisait chez elle un dîner fin.

Les étrangers ne doutaient jamais d'avoir obtenu par leurs charmes ce que Remi, le lendemain, allait payer ponctuellement. L'addition était toujours élevée, mais peu importait, ces dépenses entraient dans les frais généraux, au même titre que les câbles, les voitures et le téléphone.

Remi ne détestait pas ces soirées. Rencontrer Mme Hélène lui plaisait assez. Sans raisons, il passait parfois à la fin d'une journée fatigante bavarder un moment avec elle. Souvent il se contentait de ce tête-à-tête qui lui apportait plus d'agrément qu'une conversation avec une femme du monde. D'autres fois, il traînait un peu et finissait par emmener dîner quelque nouvelle venue dont il apprenait bientôt l'histoire — plus ou moins romancée. La soirée s'achevait ainsi ou plus intimement selon son humeur. Rien de tout cela n'était bien nouveau. Ce printemps qui commençait ressemblait à s'y méprendre aux précédents. Le séjour à la clinique savoyarde... un échec, il devait en convenir. Contrairement au repos escompté, une tension nouvelle était apparue.

Remi évitait de penser à Lamblain. En fait, il eût voulu ou l'oublier tout à fait — mais comment y parvenir ? — ou le voir davantage. Le voir davantage, pourquoi ? Qu'espérait-il ? Cela n'avait aucun sens, Remi ne s'était-il pas, peu à peu, détaché de tous ses amis ? Pour être libre. Elaguer, comme il aimait à dire, tel avait été son but, après un long travail.

Christian... le portrait... C'était différent... Quel jeu avait joué cet inconnu dont parfois il se sentait si proche ? Jamais Remi n'aurait dû se prêter à cette expérience sinistre. Encore moins la pardonner ensuite. Il lui semblait que cette aventure participait d'un monde irréel. L'autre soir, il s'était risqué jusqu'à téléphoner. Lamblain n'avait même pas rappelé. Insouciant et cruel... comme les autres. Remi pourtant savait obscurément que ce n'était pas là la vérité ; il n'aurait pu expliquer pourquoi. Il eût voulu secouer ces préoccupations, tous ses soucis.

Sa fille aînée avait téléphoné le matin, mais pourquoi la rencontrer ? Il ne doutait pas que sa visite n'eût quelque but intéressé. Qu'elle vienne seulement une fois, une seule fois, le voir, sans rien demander, pour rien, pour le plaisir de parler d'elle, de lui, de littérature ou d'art mais, qu'une seule fois, ce soit sans dessein. Etait-ce trop exiger d'une enfant, autrefois tendrement chérie ? Si elle comprenait, alors, peut-être, le contact entre eux pourrait-il être rétabli ; il se sentait tout à coup si seul.

A présent, Remi rêvait de sortir de ce chemin tracé avec tant d'application et de minutie, ce chemin qui ne menait nulle part sinon à éviter les autres, pour atteindre l'absurde, le vide, le néant...

Restait la photographie... Le tableau devait être oublié pour qu'elle reprenne tout son pouvoir. Oublier le tableau, mais non point le détruire. Comment eût-il supporté de voir les flammes lécher ce visage vénéré ? Quelle vision odieuse ! A cette idée il frissonnait.

Soudain, il en arrivait à se poser des questions fondamentales. Comme si son avenir le préoccupait encore ! Mais il n'existait plus de futur pour lui. Il était devant le mur, tout finissait là. Un pauvre homme qui n'intéressait personne. Soixante ans bientôt ! Enfin pas immédiatement quand même ! Sa virilité était encore bien assurée ! Il lui restait un passé, et quel passé ! C'était cela qu'il possédait. Rien d'autre. Et aussi la solitude. Il l'avait recherchée et soudain elle devenait oppressante, inhumaine.

Lamblain venait de téléphoner. Une voix autoritaire et comme voilée qui inquiétait Remi. Il pressentait un mystère... un mystère qu'il n'eût pas voulu élucider. Lamblain proposait une rencontre le dimanche suivant. « Si le temps se maintenait, on en profiterait pour quitter Paris. » Que Remi vienne le chercher le matin vers onze heures. Et Remi avait acquiescé. Sans plaisir, comme s'il n'avait pu se dérober.

Trois jours durant il réfléchit sur ce qu'une telle démarche pouvait signifier. Il n'en était plus à hésiter comme aux premiers jours, à jouer avec la pensée d'une dérobade possible. A présent, il savait qu'il serait au rendez-vous, même si un nouveau malheur devait s'ensuivre. Il était trop engagé, trop curieux aussi et trop attaché à cet homme inquiétant.

Le dimanche, à onze heures précises, Remi rangeait sa voiture quai Voltaire. Lamblain attendait. Seul. Remi jugea que l'absence d'Elisabeth ajoutait au solennel de l'entrevue. Mais, en fait, n'avait-il pas toujours su qu'ils étaient convenus implicitement d'un tête-à-tête ?

C'était bien un beau jour de printemps, un des premiers. « Un de ceux dont on doit profiter » comme Lamblain le soulignait, « car le froid reviendrait peut-être ».

Son habituel sourire dissipait légèrement l'inquiétude de Remi.

— Où va-t-on ?... Je suis le chauffeur, vous me dirigez.

Lamblain donna un itinéraire. L'autoroute du sud. Ensuite ?... Ensuite, eh bien ! il indiquerait.

Remi conduisait vite. Les deux hommes parlaient peu. Christian, parfois, laissait tomber un propos comme pour couper un silence qui serait devenu trop lourd.

L'AUTRE PERSONNE

En une heure, ils atteignirent un restaurant campagnard et désert qui ne rappelait en rien les auberges habituelles et faussement rustiques de la région.

Un grand feu dans la cheminée et deux couverts disposés avec soin sur une table ronde laissaient supposer que le patron avait été prévenu. Déjà il quittait sa cuisine. Lamblain lui serra la main et discuta du menu. Puis il se tourna vers Remi.

— Une demi-heure à attendre.

— Juste le temps d'une bonne marche pour ouvrir l'appétit.

— Excellente idée.

Remi s'inquiétait de cette journée un peu trop préparée et de l'assurance que montrait Christian. Les deux hommes s'engagèrent rapidement dans un chemin de terre.

Il semblait évident que Lamblain était décidé à parler, et que, pour une fois, il se sentait embarrassé. Comment attaquer ?

Remi le surprit en commençant lui-même.

— Allons, Christian, cette hésitation est peu dans vos manières. Sans doute, voulez-vous me parler. De quoi ? Je n'en ai pas la moindre idée, mais supprimez l'entrée en matière. Je n'ai que faire des préambules, fussent-ils subtils.

— Remi, je dois vous parler, en effet...

La voix se fit plus ferme.

— Vous connaissez mon histoire... au moins en partie. Vous savez que je suis enfant naturel. Ah ! non, c'est vrai, vous ne savez pas... Ce n'est pourtant qu'une affaire banale. Je suis un homme d'origine modeste. Cela doit se voir, non ?

Le regard de Remi se posa involontairement sur le veston de tweed, le chandail, comme pour répondre à la question, tandis que Christian enchaînait.

— Je n'ai pas été élevé comme vous.

— Oh, comme moi ! Des bourgeois...

— Oui, des bourgeois. Justement ! Ma mère à moi était ouvrière, ouvrière en chambre. Connaissez-vous seulement l'expression ? Deux fois par semaine elle rapportait son travail à l'usine et prenait un nouveau ballot. Elle revenait exténuée mais se remettait aussitôt au travail. J'étais là, j'observais, j'essayais de comprendre. Les veilles de livraison, elle travaillait tard dans la nuit. Ma mère se sentait mauvaise conscience si sa machine restait silencieuse un moment. J'ai cru longtemps que dans toutes les familles il en était ainsi. Voyez comme nos mères... dans nos existences... Enfin la mienne parvenait à subvenir à nos besoins, mais au prix de sacrifices constants. Cela nous préoccupait tous deux. Mon père — un bourgeois — nous versait une maigre pension qui couvrait à peine mon entretien, surtout lorsque je commençai à grandir. Quant à me donner son nom, il n'y songea jamais. Je crois qu'il resta longtemps épris de ma mère, mais de là à vaincre certains préjugés... Passé l'âge de dix ans, je ne me souviens plus d'aucune rencontre avec ce monsieur de haute taille, qui encombrait de sa présence nos deux pièces exiguës au point qu'on ne pouvait plus y jouer lorsqu'il s'y installait. C'est la seule image qu'il m'ait laissée de son comportement à mon égard. Plus tard, les mandats continuaient d'arriver régulièrement, mais il ne se soucia jamais de les ajuster au prix de la vie qui augmentait. Ma mère refusait obstinément de lui parler de ces questions.

Remi écoutait, immobile, le regard fixe, poussant depuis un moment, de la pointe de son soulier, le même petit caillou gris. Cette tâche l'occupait comme si sa vie en eût dépendu. Christian poursuivait :

— Lorsque je fus en âge de questionner, ma mère trouva toujours pour mon père mille excuses. « Un homme si bien, si délicat, qui ne l'avait jamais abandonnée comme tant d'autres l'eussent fait à sa place. Elle comprenait... Elle ne pouvait songer à obtenir davantage... Entrer dans une telle famille... Une folie ! »

En vous contant ma jeunesse, j'ai l'impression que, pour vous, il ne peut s'agir que d'un mauvais feuilleton de la fin du siècle dernier. Je suis né, cependant, après la Première Guerre mondiale. L'électricité et l'automobile existaient, mais pour les autres ! Moi, longtemps, j'ai travaillé éclairé par une lampe à pétrole. Remi, ne croyez pas que je vous dépeins ma vie par désir de vous attendrir ; il faut seulement que vous sachiez...

Lamblain s'arrêta un moment.

— Dès que j'eus atteint l'âge de raison, je décidai de gagner ma vie, mais le directeur de l'école entreprit ma mère, prétendant que j'étais doué et qu'il serait criminel de ne pas pousser plus loin mes études. Il se faisait fort d'obtenir une bourse pour moi. Il rencontrait en cela les projets de celle qui voulait que je devienne un homme bien, un bourgeois, un intellectuel ; le tout se confondait un peu dans son esprit.

Lamblain semblait las.

Remi écoutait attentivement. Il fit un geste vers Christian afin qu'il poursuive son récit, mais déjà ils regagnaient l'auberge.

Le patron les accueillait, jovial, offrant l'apéritif. C'est au milieu du repas seulement que Christian reprit :

— Au fait, il me faut achever... Mon adolescence se passa dans l'acharnement. Je ne voulais pas distraire un moment de mon temps car chaque minute perdue, je la volais ; je me sentais responsable de la fatigue que ma mère s'imposait. Je ne devais pas rester à sa charge un jour de plus qu'il n'était nécessaire. C'est elle qui avait souhaité pour moi ces études longues et coûteuses dont je parlais avec respect depuis l'enfance. Dès mon baccalauréat passé, j'insistai néanmoins, une fois encore, pour gagner ma vie immédiatement et renoncer à ma carrière. Ma mère s'y opposa. Je me mis au travail. Remi, je vous impose un long récit...

— Je vous en prie...

— Mon seul but : subvenir au plus tôt à notre entretien tout en suivant la voie choisie et déjà tracée. Ma mère protestait, s'insurgeant devant mon angoisse : que je ne m'inquiète pas, elle tiendrait le temps nécessaire, ensuite elle se prélasserait. « Tu verras comme je serai exigeante, dépensière. » Une image me hantait : voir un jour cette femme se reposer ! Cela devenait une idée fixe. Que ses mains soient enfin immobiles, ses jambes reposant sur une chaise longue. Je rêvais longtemps du premier présent que je lui offrirais... de notre premier voyage...

Christian s'arrêta un moment comme perdu dans un monde de souvenirs.

— Hélas ! ma mère disparut au moment même où je devins interne. Aux prix d'efforts inhumains et que je me refuse à concevoir, elle tint jusque-là. Ensuite elle lâcha prise et s'en alla, tout doucement, comme si sa tâche accomplie, elle ne voulait plus encombrer quiconque. C'est peut-être cette coupure, cet inachèvement qui expliquent le choix que je fis, déterminant ma carrière de psychanalyste. Mais cela est sans intérêt pour ce qui nous occupe. Ce n'est pas pour parler de moi que je vous décris ma jeunesse. Vous le comprendrez dans un instant.

« J'étais un jeune homme déjà lorsqu'un jour ma mère se permit de me parler d'un ton moins conventionnel qu'à l'ordinaire. Elle laissa même percer quelque amertume.

« Oui, évidemment, mon père aurait pu... peut-être, se comporter d'une autre manière... mais ainsi elle m'avait eu à elle tout entier. « Ce n'était point une raison pour m'accaparer à présent », ajouta-t-elle aussitôt... « Je devais savoir me détacher. En tout cas elle s'y emploierait. » J'appris alors que dans sa jeunesse, elle ne piquait pas à la machine ; ce métier était venu avec moi... Oh ! elle ne regrettait rien, j'étais un enfant ravissant et si affectueux. Elle avait eu de la chance... N'était-elle pas coupable après tout ?... Elle ne devait pas se plaindre.

« A cette époque, nous n'avions pas vu mon père depuis plus de dix ans et je lui fis remarquer avec une triste ironie que rien ne m'empêchait, si elle le souhaitait, de lui rendre visite. Elle parut affolée à l'idée d'une rencontre possible. J'étais présentable... Aurait-elle honte de moi ?... Là n'était pas la question. Je dus accorder promesses et serments, jurant de ne jamais me laisser aller à provoquer pareil scandale.

Je questionnais :

— Il est donc marié, ce monsieur ?
— Non... enfin, il le fut... elle est morte.
— Mais lorsque tu l'as connu ?...
— Déjà, il était veuf...

Devant mon étonnement.

— Oh ! il m'a adorée... mais tu ne peux pas comprendre.

« Et je n'en tirai rien de plus. Je tins ma promesse et je ne cherchai jamais à revoir mon père. Mais avais-je promis de ne pas m'intéresser à sa personne ?

Christian s'arrêta cette fois un long temps. Remi semblait ému.

— Continuez.

— J'en ai bientôt fini.

« Dès la mort de ma mère, je décidai de savoir. Qui était cet homme ? Il me fallait le connaître, comprendre son caractère, analyser les causes de son intransigeance, de sa dureté. Pour cela inutile de me présenter. J'enquêtais minutieusement. Je connaissais de lui son nom, son adresse. Rien de plus. Mais avec cela on va loin si l'on y met quelque obstination. J'appris que son fils, de dix ans mon aîné, ne vivait plus avec lui et que le père en souffrait. Un fil de l'écheveau se dévide, il casse parfois, on passe sur les manques et l'on reprend. Mes sentiments pour mon père demeuraient empreints de modération... Bien sûr, je lui en voulais — à cause de ma mère — mais pour moi, j'étais loin de me sentir touché par les gestes de cet homme que je méprisais un peu sans que son existence me concernât tout à fait. Autant il m'était en quelque sorte indifférent, autant vis-à-vis du fils je ressentais une haine immédiate, violente, tenace. C'était lui qui nous avait volés, ma mère et moi... Sans lui, sûrement, tout eût été plus simple, plus équitable. Je le chargeais de tout le poids d'une responsabilité inconsciente. C'est incompréhensible, penserez-vous, cette indulgence pour l'un, cette dureté envers l'autre. Je ne le comprends pas moi-même. Toutes les revendications dont j'aurais pu accabler le père, je les reportai sur le fils qui n'y était pour rien. Toutefois il représentait une faute suprême à mes yeux : il existait.

— Comme c'est étrange.

Ce fut la première interruption de Remi. Il ajouta aussitôt :

— Mais je vous en prie...

— Je ne vous ennuie pas ?...

Le ton cette fois était ironique.

— Cessez d'être absurde...

— Donc, ce garçon symbolisait à mes yeux tout ce dont j'avais été frustré : famille, nom, argent, il détenait toutes ces facilités. La vie n'avait été jusqu'alors pour moi qu'un combat dur, âpre. Et à présent, je me trouvais seul au monde pour défendre ma mère, racheter ses peines, son humiliation, réparer l'injustice et, en quelque sorte, la réhabiliter. Sans appui, il me restait cependant le monde à conquérir. Seul au monde ! Cette idée ne me quittait pas. Je me soûlais de violence et de haine lorsqu'un soir je m'avisai qu'il existait quelqu'un dans ma vie. Un demi-frère, c'est presque une famille ! Le mot frère sonnait étrangement. Jamais jusqu'alors, je ne l'avais prononcé. Je le répétai cent fois, mille fois, comme un chant de malheur.

Remi regardait fixement Lamblain. Et puis, ce fut un cri... et si douloureux.

— Oui, Remi, vous avez deviné.
— C'est impossible...
— Impossible ?... Une histoire des plus banales au contraire.
— Mon père... une maîtresse ?

Christian sourit. Ainsi, la première réaction de Remi... cette indignation.

— Réfléchissez... A quel âge est-il devenu veuf ?

Remi pencha la tête lourdement... accablé.

— Mais, ma mère...
— Elle n'était plus là.
— Evidemment...

Lui seul était demeuré fidèle... Et encore.

— Toute cette vie de dissimulation...

N'ayant jamais aimé son père, Remi croyait en découvrir à l'instant la justification : sans savoir, il pressentait.

— Le portrait... C'est par vengeance ?
— Que non !... Vous devez me laisser achever maintenant. Remi, je vous détestais. Envie, jalousie, dépit, il vous suffira d'égrener tous les termes de la haine. Cependant, le temps passait, je continuais mes études et, comme l'on dit, je réussissais.

L'amour même, je le rencontrai. Je n'en continuais pas moins à me soucier de vous. Un certain nombre de points communs entre nous m'aidaient à vous comprendre, à deviner, à déduire. Et puis arriva le jour où tout bascula. Vous étiez riche, certes, vous possédiez des œuvres d'art ; votre situation, vous l'aviez créée de toutes pièces, vous-même, mais je discernais derrière cette apparence un échec fondamental. Remi, vous étiez malheureux. Le jour où je le découvris, j'eus moins le sentiment d'une revanche prise que celui d'une profonde injustice. Ce que d'autres eussent nommé réparation, je le nommai désordre. Il ne devait pas en être ainsi, vous n'étiez pas né pour ce destin-là. C'était donc à moi qu'incombait le devoir de vous sauver. Après tout, n'étiez-vous pas mon frère ?

— C'est insensé...

— Pourquoi insensé ? Cela me paraît tout simple. Toutefois, il me semblait difficile de venir tout de go vous raconter ma petite histoire.

— En effet...

Pour la première fois, Remi souriait. Le déjeuner était terminé depuis longtemps dans la salle enfumée ; ils étaient seuls.

— Christian, mais le portrait ?...

— Comment ai-je deviné ?... L'intuition sans doute... Je ne savais pas très bien... pas très précisément, mais il m'a suffi de vous voir... Plusieurs fois je vous rencontrai. De quoi naît l'aventure si l'on nie le sort fertile en imbrications, en coïncidences. Il existe des fils ténus qui relient ceux qui sont destinés à se rejoindre pour s'aimer ou se torturer. Il suffit parfois d'un regard vigilant... et il n'y a plus alors d'occasions perdues. La possibilité de bonheur est peut-être justement ce don du regard.

« A la clinique, où j'allais en tout cas, j'ai tenté ma chance. Une sur dix de réussir ! Dès que j'ai su que vous veniez, j'ai accepté cette présence comme un signe... Puisque nous nous trouvions sous le même toit, en dépit d'obstacles... insurmontables ou presque, ce n'était pas par hasard et je devais continuer ma tâche.

« J'ai adoré ma mère. Vous n'avez pas connu la vôtre et cette absence, vous l'avez comblée par une présence permanente, obsessionnelle. Pourquoi ? Une fois encore, ce n'est pas par hasard, évidemment. Remi, j'ai essayé de vous délivrer, mais tout ce que je vous dis là est inutile, je le sais ; vous devez être amené, seul, à le découvrir. Frustré, vous...

— J'entends bien. Cependant, vous, Christian, vous n'avez pas eu de père... Comme moi, ma mère...

— Oui... C'est peut-être ce qui nous a rapprochés... ce manque... Pour en revenir aux événements récents, vous les avez vécus.

— Ce que vous me dites est si incroyable...

— Médiocre plutôt quant aux faits.

Christian s'était levé prenant Remi par le bras.
— Tenez, allez régler l'addition, j'ai assez fait pour vous aujourd'hui.

Les deux hommes étaient séparés maintenant. Chacun chez soi dans la grande ville.

Christian savait tout ce que l'on aurait pu lui opposer, critiquer dans sa démarche. Néanmoins, s'il avait accepté, ne fût-ce qu'un instant, de remettre en cause son attitude, l'édifice même de son entreprise s'en serait trouvé ébranlé.

« Un psychanalyste ne peut agir ainsi. C'est contraire à tout ce qu'on lui enseigne et même à ce qu'il est devenu... il naît de cette contradiction une impossibilité majeure. »

Mais la profession n'est pas collée à l'homme, que diable ! Chacun conserve ses réactions. Qui oserait interdire l'esprit d'entreprise, la charité ? Incompatible avec le métier ?... Allons donc ! Christian a-t-il cédé à l'orgueil ?... Il se refuse à le croire... L'exclu se jette au secours de l'enfant choyé. L'image est tentante, mais il convient de quitter le domaine des apparences, du cliché. Ce n'est pas de cela qu'il s'agit.

Lamblain est certain d'avoir accompli son devoir. Si l'injustice un jour a changé de camp, il doit se plier à cette réalité nouvelle, en tirer les conséquences.

Christian, à présent, est le plus fort. Il a su

bousculer le coin d'univers où les circonstances, aidées par un homme pusillanime, l'avaient enfermé. Il a su trouver sa voie. Durant ce temps, Remi, au contraire, s'est enlisé. Il fallait le tirer de là.

Lamblain osera-t-il s'avouer que la structure névrotique de Remi l'intéresse vivement par les éléments de sado-masochisme et d'auto-accusation qu'elle comporte. Si Remi mène cette existence, vouée à une mère qu'il n'a jamais connue, n'est-ce pas qu'il se sent responsable de cette disparition ?... Un an après la naissance du garçon, elle est morte... C'est donc sa vie à elle qui continue en lui. Il la remplace en quelque sorte ! Un être si jeune ne pouvait pas mourir tout à fait, c'eût été une injustice trop provocante. En fait, peu à peu, il était devenu cette jeune femme : n'était-ce pas son sang à elle, déjà, qui coulait en lui, son âme, sa vie même ?... Ainsi, le drame était-il en partie atténué.

Ecarter Remi de ce mythe si soigneusement élaboré, là résidait le devoir de Christian. La cure du tableau ? Non conformiste au possible... Lamblain, néanmoins, était certain du résultat. Quant à l'argent, l'autre dieu de Remi, c'est là une affaire toute différente. Sans doute, de ce dieu mort, demeurera-t-il l'esclave. Lorsqu'un serviteur s'érige en roi, il faut trouver en soi seul la force nécessaire pour se libérer de la tyrannie. Aucune aide ne peut venir de l'extérieur.

Le mur entre les êtres existe toujours. Savoir ce que l'autre sent, pense, une fois finie la comédie, voilà où se dresse l'impossibilité majeure. Au reste, de soi-même que sait-on ? Le visage connu ne l'est jamais que réfléchi par un miroir. Dans sa réalité, il demeure mystérieux. On vivra vingt ans, cent ans, et toujours il y faudra cet intermédiaire froid pour cette pauvre connaissance. Mensonge, mensonge... on ne vit que dans le mensonge, l'aveuglement volontaire. On s'y complaît. On s'y vautre avec délices. On tente d'oublier que survient un jour la déchéance, l'impuissance, la mort... Et comment décider du poids d'une existence avant sa fin ? C'est en quittant le monde qu'un homme se détermine... Son attitude de la dernière seconde en fera un héros ou un lâche.

Depuis un moment, Christian s'identifiait à Remi. Pour avoir cherché à le comprendre, involontairement il s'était approprié ses mots, ses pensées, ses exigences. Il n'était que temps de revenir sur terre, de reprendre contact avec une réalité rassurante. Elisabeth, heureusement, était là ! Christian allait lui proposer de sortir. Par chance, elle détestait rester à la maison le dimanche soir. Préparer, ne fût-ce qu'une tasse de thé, lui semblait une tâche considérable. Elle y déployait tant d'activité qu'il semblait préférable d'y renoncer immédiatement. Elle n'y mettait, au reste, aucune affectation. C'était seulement là son comportement naturel lorsqu'elle quittait les domaines qui lui étaient familiers. Christian se souvenait de ce jour où, au début de leur mariage, une amie leur confia son bébé. Durant vingt-quatre heures, Elisabeth ne dormit pas un instant, après quoi, elle supplia que l'on reprît l'enfant au plus tôt, et elle refusa à tout jamais de le revoir !

Accomplissant avec le même soin tous les travaux qu'elle entreprenait, il était préférable de la voir se consacrer aux seules tâches méritant son effort. Christian lui épargnerait donc ce dimanche soir toute besogne ménagère. Il souhaitait se divertir, oublier les questions qu'il ne manquerait pas de se poser s'il restait tête à tête avec lui-même.

Comment envisager le lendemain ? Patiemment, ne venait-il pas de détruire les prétendues raisons de vivre de Remi ? Que lui apporterait-il en échange ? Rien du dehors évidemment, mais comment l'aider à trouver en lui-même d'autres forces ? L'amener à réintégrer le monde des hommes ?... Ce monde en valait-il la peine ? Décidément, Remi contaminait Christian. Ce pessimisme raisonné devenait dangereux, mais Christian allait se reprendre, il épaulerait Remi dont les premiers pas seraient naturellement hésitants... Cinquante ans sur une fausse route... Et puis, tout à coup, ces mots... tous ces mots prononcés par Christian. Cette suite de mots intervenant pour bousculer la vie de Remi. Tout est langage...

Remi, lui, était seul.

Et cette fois il s'agissait d'une solitude totale, irrémédiable, sans recours. Les mythes détruits, il lui fallait reconstruire un monde. Ni amis, ni épouse, ni enfants. Rien, personne. Seulement des objets. Des objets auxquels il ne tenait plus. Le désir de dépouillement l'avait conduit à la nudité, au vide. Avare d'argent, de temps, de tendresse, ayant tout perdu, il se voulait lucide. Le fut-il jamais autant qu'en cet instant de désespoir ?

CHAPITRE V

Geneviève, encore endormie, se retourna sur le lit et allongea le bras. Sa main avançait et ne rencontrait pas l'obstacle attendu, souhaité. Les efforts qu'elle fit alors pour trouver à son côté une présence, autre chose que le vide, la réveillèrent. Elle souleva le bandeau qui protégeait ses yeux ; elle put alors constater que le soleil inondait sa chambre mais que dans cette chambre elle était seule. Instinctivement, elle referma les yeux pour se défendre contre cette double agression. Emergeant enfin et recouvrant sa lucidité, elle dut se rendre à l'évidence : après s'être étendue dans l'intention de se reposer un moment, elle s'était vraiment endormie. Il y avait de cela près de trois heures. Le bercement de la mer sans doute...

Geneviève s'éveillait d'un rêve qui la troublait et l'amenait à réfléchir. Elle demeurait perplexe.

Tiendrait-elle à Serge plus qu'il n'y paraissait ? Plus qu'elle n'en prenait conscience ?

De ce monde informe de la nuit, la cohérence surtout la surprenait, les lignes précises, les démarches de la pensée, la simplicité du dialogue.

Serge, dans le rêve, prenait pour maîtresse une très vieille dame de ses amies et Geneviève donnait à cette liaison une approbation sans réserve, heureuse que la femme choisie fût celle-là et non une autre, jeune, séduisante. Si Geneviève se félicitait du choix, elle n'en comprenait pas le motif.

— Mais comment peux-tu ?

— Elle a encore un beau corps, une ligne svelte.

— Cette peau flasque et tachée de traces brunâtres.

— Pas tellement...

— Elle a dix ans de plus que toi ! Que dis-je dix ans... quinze ans !

— C'est si reposant parfois ce confort, cette certitude... Aucun effort.

— Es-tu si paresseux ?

— Non, mais j'aime la gratitude.

Et Geneviève ressentait une extrême satisfaction. C'était cette satisfaction même qui l'inquiétait à présent.

« Ainsi, je veux savoir, choisir, octroyer, donner mon accord, qu'il ne m'échappe point. » Serge prenait dans son existence une place plus vaste qu'il ne convenait et qu'elle ne l'admettait. Allait-elle s'enfoncer une nouvelle fois dans une dépendance redoutable, issue d'une autorité qu'elle ne pourrait vaincre ?

Rêve étrange en vérité...

Arrivée le matin même, elle n'était pas encore accoutumée à cette chambre accrochée aux rochers, fouettée par la mer dont les vagues lavaient par instants les vitres. Sans doute aussi la fatigue, accumulée durant ces derniers mois et refusée chaque jour, remise au lendemain, commençait-elle à se venger. Quel danger de se reposer !

Autant qu'elle s'en souvenait, Serge était étendu près d'elle lorsqu'elle s'était endormie, mais naturellement, à présent, il devait être levé depuis longtemps. Comme à l'accoutumée, après avoir perdu conscience quelques minutes, il était revenu à la vie, tout neuf, rechargé, indemne, prêt à vaincre tous les adversaires, y compris ceux qu'il inventerait. Cette vitalité tuait Geneviève. Au reste, sur tous les plans cet homme la tuait ; elle ne comprenait pas comment elle lui demeurait attachée... Enfin si... elle comprenait. Sans doute, était-ce pour les instants merveilleux où, en un éclair, il savait se faire pardonner toutes les souffrances qu'il causait sans même y prendre garde. Oui, ces instants-là étaient précieux, et fulgurant le plaisir qu'ils faisaient jaillir. La merveilleuse tendresse dont Serge savait l'entourer dépassait-elle la cruauté qui se faisait jour dès qu'un obstacle osait s'interposer entre lui et l'objet d'un désir fugitif ? Il est difficile de peser ces sortes de choses. Geneviève était-elle heureuse, malheureuse ?... Elle vivait. Et elle avait décidé une fois pour toutes que c'était là l'essentiel. Bien sûr, Serge et elle ne s'aimaient point, ce qui leur permettait de maintenir des relations faciles. Mais pourquoi réfléchir ? Les vacances commençaient ; surtout ne pas les gâcher.

Allait-elle se rendormir ? Non, mais elle n'avait pas non plus envie de se lever. Ce qu'elle eût souhaité, c'est que Serge, devinant qu'elle était maintenant éveillée, se glissât silencieusement auprès d'elle. Il avait parfois de ces presciences. Aujourd'hui ? Il ne fallait pas trop l'espérer... On venait d'arriver... Il devait être en proie à son démon habituel. Organisation du séjour, conversation avec les marins, visite des bateaux. Et l'on venait ici pour moins d'une semaine ! Pourquoi se fatiguer ainsi ? Organiser... Toujours organiser... Un lit n'était-ce pas suffisant ? Ils avaient pourtant décidé d'un commun accord de se reposer, de rompre les amarres. Geneviève, découragée, referma les yeux. Elle demeurait assez consciente pour jouir de sa paresse. Un sentiment de merveilleuse détente l'envahissait. Son plaisir se doublait du côté insolite de la situation : le réveil marquait cinq heures !

Serge ne remontait pas. Il y eut l'instant où tout bascula et où l'agrément se mua en impatience. Elle allait quand même devoir se lever, sinon ce serait une journée perdue, une journée de vacances ! Mais justement... être là sans contrainte... Son amant en jugeait autrement, il n'était pas près d'elle. Geneviève mit un pantalon, un chandail, brossa ses cheveux avec énergie et descendit en chantonnant.

Serge, installé sur un rocher, les pieds ramassés sous lui, armé d'une longue-vue prêtée par le patron de l'hôtel, regardait au large un voilier. Tout absorbé par sa curiosité, il n'entendit pas approcher Geneviève, qui l'embrassa furtivement. Il la repoussa comme un animal importun... Un enfant qui joue à un nouveau jeu ! Geneviève aurait souhaité descendre jusqu'à la plage, mais Serge ne semblait pas disposé à la suivre. Elle resta près de lui et fit un effort pour s'intéresser, elle aussi, à cette navigation. Ce voilier allait-il pointer vers l'île ou bien gagnerait-il la côte ? La seconde hypothèse, plus vraisemblable, était aussi la plus souhaitable. L'hôtel, le seul de l'île, comportait sept chambres. Pourvu que des estivants ne viennent pas maintenant troubler leur repos, gâcher leur semaine de liberté, de solitude, si jalousement arrachée aux tracas parisiens ! Serge avait tendu la longue-vue à Geneviève. L'embarcation heureusement semblait s'éloigner. Ils plaisantaient tous deux, imaginant un scénario. Ce voilier pratiquait la contrebande... de la drogue peut-être... Ou la traite des blanches. Que contenait la cale ? Leur enfance surgissait... Robinson Crusoé...

L'île n'était pas reliée au continent par le téléphone ; cela suffisait pour les dérouter et libérer leur imagination. La vie était merveilleuse... Soudain le bateau vira. Il ne faisait plus de doute à présent qu'il se dirigeait vers l'île — leur île. On commençait à distinguer les passagers. Ils paraissaient assez nombreux. On carguait les voiles, on voyait des hommes s'affairer, l'embarcation avançait plus vite tout à coup. On avait dû mettre le moteur en marche. Geneviève reprit la longue-vue. Deux hommes apparaissaient et sans doute deux femmes. L'une, en tout cas, avait de longs cheveux. L'autre ?... Les deux corps qu'elle supposait féminins disparurent. Peut-être dans une cabine... Un moment plus tard, ils surgirent normalement vêtus. Deux femmes. L'une d'elle avança vers l'avant, admirable figure de proue, avec sa longue chevelure blonde que le vent lissait. Geneviève sentit combien Serge, qui avait repris la lorgnette, vivait les moindres mouvements des navigateurs. Tout à coup, sans raison apparente et sans explication, il quitta brusquement le rocher, emportant la longue-vue. Geneviève le suivit du regard. Il rejoignait leur chambre... « Il désire être seul afin de suivre plus librement les détails de l'accostage », pensa-t-elle aussitôt. Et, immédiatement, elle se prit à haïr le voilier et toute sa cargaison.

Geneviève n'avait eu droit en ce mois de mai qu'à une semaine d'absence. Et encore dut-elle batailler afin de l'obtenir. Lamblain n'était pas très libéral en ce qui concernait les vacances, il exigeait de sa malade une assiduité absolue. Il disait bien : « Faites comme vous voudrez. C'est à vous de savoir... » Néanmoins, la cure, jusqu'ici, n'avait subi aucune interruption. Cette fois, pourtant, il avait consenti... En août, Geneviève pourrait partir un mois. A son retour, elle reverrait quelque temps encore Lamblain qui la libérerait, le traitement achevé, à la fin de l'année. A cette idée, elle se sentait soulagée bien qu'en vérité elle imaginât assez mal ce que deviendrait sa vie, sans ce soutien, sans cette protection. Aucun homme, à présent, ne lui semblerait plus jamais digne d'amour. Hantée par ce modèle incomparable, si fort, si compréhensif, si rassurant, quelle médiocrité représenteraient les autres ! Mais Lamblain était marié.

Ainsi, il existait une femme aimée par un homme de cette qualité. Quel bonheur devait être le sien ! Des jours entiers de confiance, de calme... Geneviève jalouse ? Pourquoi pas, devant tant de mauvaise chance et d'injustice ?

Evidemment, il lui restait Serge et, dans la mesure où elle avait renoncé à atteindre une certaine forme d'absolu, il était un amant parfait. Il savait, entre sa femme inquiète et Geneviève impérieuse à ses heures, garder une liberté que rien n'entamait jamais. Un rire frais, assuré et contagieux, l'aidait à réduire maintes difficultés. Geneviève souriait à l'image de Serge avec une indulgence toute neuve. Mais que serait-ce l'année suivante lorsqu'elle se retrouverait seule dans la jungle, au milieu des hommes, livrée à leurs attaques et sans une protection qui la libérait et la soutenait tout à la fois, depuis tant de mois ?

Pour l'heure que devenait Serge ? Cela seul importait ; pourquoi toujours agiter le passé, faire le point et se soucier d'un avenir incertain ?

Geneviève, à son tour, fixait des yeux l'horizon. Elle ne voyait plus le voilier qui, sans doute, allait accoster. Là, juste derrière l'hôtel. Certainement, il contournait l'île pour atteindre le port. A cette coque surmontée d'une voile rouge, elle imaginait une voile noire, présage de malheur. Le soleil déclinait, prêt à disparaître. Elle commençait à avoir froid — et soif aussi. Elle aima cette escalade qui la ramenait vers l'hôtel à travers les rochers encombrés d'un léger maquis. Déjà, elle entendait la voix de Serge. Avec qui discutait-il ainsi ? Elle le trouva devant la caisse, agité, élevant le ton. Il organisait l'installation des occupants du voilier. Le patron n'osait dire mot devant l'autorité que déployait ce client un peu envahissant mais qui payait bien. Geneviève sentit la colère monter en elle. Mais enfin de quoi se mêlait Serge ? Se prenait-il pour l'hôtelier ? Il se retourna

quand elle posa sa main sur son épaule d'un geste qui lui était familier.
— Oui, que veux-tu ?
L'expression montrait une légère impatience.
— Mais rien, mon chéri, je pensais que nous pourrions peut-être monter.
Sa voix était apparemment douce, de cette douceur que Serge connaissait et qui ne présageait pas le calme.
— Eh bien ! va ! je te rejoins dans un moment. Tu vois que je suis occupé...
— Non, je ne voyais pas...
Geneviève s'éloigna et monta l'escalier lentement, trop lentement sans doute, tandis que les deux femmes avançaient. L'une était brune, grande, mince, très belle, les cheveux courts et bouclés : un jeune éphèbe. C'était juste la femme que Geneviève eût désiré ne pas rencontrer ici. Et puis il y avait l'autre, la blonde aux cheveux longs, celle qui jouait un moment plus tôt les figures de proue. Elle était plus âgée que la première, ses formes harmonieuses marquaient le pantalon comme le maillot.
Geneviève allait refermer la porte de sa chambre quand elle entendit prononcer d'une voix un peu éraillée : « Oui, deux ou trois nuits... » Ces mots déchirèrent Geneviève. Pourquoi compte-t-elle en nuits ? Moi j'aurais dit deux ou trois jours...
En un instant, une fois encore, tout avait cha-

viré. Finies les vacances ! Le soleil ne brillait plus. Un lac soulevé brusquement par l'orage... Les nuages s'amoncelaient... Bientôt ils éclateraient en une pluie torrentielle.

Comme elle se sentait soudain lasse... Elle allait devoir encore se défendre, prendre garde. Cette attention qui, à Paris, la contraignait deux ou trois heures par jour, deviendrait ici une tension qui se maintiendrait douze heures, quatorze heures. L'enfer tout simplement. Elle avait tenté de se dérober. En vain !

Serge remontait joyeux.

— Des gens tout à fait charmants. Nous dînons ensemble, naturellement (pourquoi naturellement ?). La fille blonde est avec son mari, l'autre, la brune, avec son frère. (Il ne manquait plus que cela ! Même pas mariée ! Et l'inceste est si rare de nos jours ! Peu d'espoir de ce côté-là.) Ce frère, je le connais très bien, enfin je ne l'avais jamais rencontré, mais lui me connaît et je sais qui il est. Tu te souviens, il était avec cette petite Riford. Tu sais Riford... à Deauville ?

Geneviève ne se souvenait de rien. Riford, un nom ridicule ! Et, de plus, elle n'était jamais allée à Deauville. Oui, aussi surprenant que cela pût paraître ! Serge devait le savoir, ils en avaient souvent plaisanté ensemble.

Serge, maintenant, enlaçait Geneviève.

— Chérie, tu n'as pas l'air content... Fatiguée ? Naturellement, comme d'habitude, trop de soleil.

Il oubliait qu'elle avait dormi jusqu'à cinq heures ! Dans sa chambre ! A quoi pensait-il ?... « Comme si ce bateau n'aurait pas pu faire naufrage ! Cela arrivait parfois... » Geneviève n'avait pas eu cette chance, voilà tout !

— La brune, alors, elle n'est pas mariée ?
— Je n'en sais rien. Ici, elle est avec son frère. Moi, ces gens-là, je ne les connais pas. C'est le frère qui m'a reconnu. J'avais pensé que cela t'amuserait et changerait un peu que nous dînions tous ensemble.

Arrivé le matin même... Il parlait déjà de changement...

— Mais oui, bien sûr...
— Tu es un ange !

Geneviève était un ange, en effet. Et elle en crevait même d'être un ange...

Elle avait espéré dîner dans sa chambre, voyant déjà, disposés sur un plateau, un gros homard (on en pêchait ici et ils figuraient chaque jour au menu) et un seau à champagne. Ce n'est pas que Geneviève aimât le champagne, mais, près d'un lit, le seau argenté, la carapace rouge de la bête évoquaient pour elle un monde de liberté, de plaisir, de luxe, d'où les soucis étaient exclus. A présent un tout autre repas lui était imposé.

Elle n'avait pas pris de robe dans ses bagages... seulement des pantalons et deux déshabillés tout neufs, qui symbolisaient à ses yeux ce qu'elle attendait de ces journées d'intimité. Allons... n'y plus penser. Elle allait devoir se maquiller, choisir son plus joli pantalon.

Serge, devinant sans doute son souci, précisa aussitôt :

— Evidemment, on ne se change pas...

Oui... sans doute ce que ces filles prétendaient. Ensuite, elles arriveraient empanachées... Surtout cette brune bouclée que Geneviève ne pouvait s'empêcher de trouver fort belle en dépit de la répulsion ressentie dès son approche. Ces quatre-là évoquaient la partouze à cent lieues.

On se retrouva au bar. Geneviève se sentait laide, tant elle était maussade. Les jeunes femmes, insouciantes et coquettes, lui parurent de la dernière vulgarité. L'une d'elles, la blonde, se prétendait directrice d'un institut de beauté. Pourquoi pas ? Quant à la brune, elle fit allusion à un mari médecin. Geneviève sourit alors avec condescendance ; évidemment, cette femme se vantait. Elle sortait d'un tout autre milieu, il suffisait de voir son frère, un petit maquereau sans aucun doute et qui trouvait le moyen, même ici, d'être trop bien habillé. Il cherchait sans cesse à mettre sa sœur en valeur, avec des airs complaisants de propriétaire : bonne nageuse, skieuse émérite, etc. Geneviève entendait à peine ces propos décousus. Comme si elle se fût trouvée derrière une vitre, elle voyait seulement des lèvres remuer. Elle était dans un autre monde, le sien. De ces inconnus, il fallait surtout ne rien savoir. Elle ne prononçait pas une parole ; personne ne semblait, au reste, s'en soucier, ni même le remarquer. Chasse, golf, voile, à croire qu'on faisait là-bas l'inventaire de tous les sujets imbéciles. Serge non plus n'écoutait pas le silence de Geneviève, il discourait comme si son avenir eût dépendu du jugement qu'allait porter sur lui ces deux péronnelles. Mais n'en allait-il pas ainsi, toujours...

Après le bar, il fallut bien passer à table. La conversation devint plus morne encore, le dîner s'étirait interminablement. Ces filles commandaient, à tort et à travers, des nourritures recherchées. L'une voulait des herbes, l'autre du poivre gris. En grains... Serge, à chacun des caprices, se précipitait aussitôt à la cuisine.

Geneviève ne pouvant supporter plus longtemps ce qu'elle ressentait comme un long martyre prétexta une migraine. Au moins, ne plus être témoin...

— Naturellement, ma chérie, c'est toujours la même chose, trop de soleil...

Pour elle aussi, Serge s'empressait, lui murmurant à l'oreille :

— Je te rejoins, dès que possible.

Possible, ce l'était à l'instant. Que devait-il à ces inconnus ?

Geneviève, une fois dans sa chambre, abandonna toute contrainte. Un désespoir furieux l'envahit. Sur une île déserte, ou presque... Serge trouvait encore des filles. Il les faisait sortir des flots, il les ferait demain sortir des dalles.

A quelle heure, maintenant, allait-il remonter ?

Heureusement, ces femmes ne voyageaient pas seules. Et cette histoire de frère, plutôt rassurante... S'il était l'amant de la femme mariée, les deux autres devaient se consoler ensemble... Autrement, pourquoi seraient-ils partis ainsi tous les quatre ? Comment Serge allait-il s'insérer ?... Ne pas oublier qu'avec lui tout devenait toujours possible. Néanmoins, pas de boîtes de nuit dans cette île, pas d'autre hôtel. Somme toute, le risque semblait limité. Une fois couchée, Geneviève prit un livre. Après avoir hésité devant une étude sur le Tintoret, qu'elle désirait lire depuis longtemps, elle crut plus sage de lui préférer un roman policier. Le Tintoret méritait une attention qu'elle ne se sentait pas capable de lui apporter ce soir. Par chance, le roman choisi était habile et il occupa Geneviève entièrement dès la première page. Elle dut cependant faire un effort pour ne pas regarder l'heure au bout d'un moment. Ensuite, elle oublia son tourment. Toujours elle se livrait totalement aux plaisirs comme aux angoisses de l'instant.

Deux cents pages... Vint l'instant où il fallut bien tourner la dernière... Deux heures s'étaient écoulées. Naturellement, Geneviève était seule... Elle convint que le plus sage était de prendre un somnifère...

Vers six heures, elle fut réveillée par ce qui

lui parut une pluie diluvienne. En fait, Serge s'ébrouait sous la douche.

— Tu rentres maintenant ?

— Chérie, tu es folle... Je suis monté un moment après toi. J'étais tout heureux de te voir dormir si paisiblement... Non, maintenant je prends une douche, car j'avais chaud sous ces couvertures et je ne voulais pas te déranger, mais je crois que je vais aller faire un tour en mer.

— A cette heure-ci ?

— Justement, cette heure-ci est la plus belle. On est en vacances...

Geneviève aurait voulu dire, elle aussi, que « justement » on était en vacances ! Parler de la conception différente qu'elle pouvait avoir de ces mêmes journées... Mais jusqu'où cela les eût-ils menés ?...

Découragée, elle se retourna. Serge sifflotait en passant son maillot.

Qu'il parte... Qu'il en finisse... Qu'elle puisse se faire du mal, toute seule, tout son soûl, à son gré. Et dire qu'il lui était arrivé parfois de faire souffrir un être ! Alors, elle ne comprenait pas. Celui-là était mort à présent... mais Serge, lui, demeurait bien vivant. Pour son malheur à elle.

Les yeux collés par les larmes, Geneviève finit par se rendormir. Sans doute ce somnifère...

A dix heures enfin, lucide, elle descendit. L'hôtel semblait abandonné. Pas une voix. Même la patronne avait déserté la caisse. Geneviève trouva le patron dans la cuisine. Oui, tous ces messieurs-dames étaient partis... sur le grand bateau. Et puis aussi, sur un autre, une sorte de canot pneumatique qu'on avait déplié. Des drôles de trucs tout ça... Ce n'est pas lui qui s'y risquerait ! Que non...

Geneviève sentit que la rage allait l'emporter. Ah ! s'ils ne se trouvaient pas sur cette île damnée, elle prendrait immédiatement l'avion, le train, elle ne dédaignerait pas même l'auto-stop ! Mais ici, encerclée ! Il fallait être Serge pour demeurer libre dans une situation pareille. Geneviève, elle, se voyait prisonnière de cet homme comme des événements. Asservie par des conditions géographiques qu'elle jugeait inhumaines, elle tournait, telle la noria de son enfance, butant sans cesse et frôlant partout le précipice. Ensuite, on critiquerait la violence de sa nature ! Elle avait souhaité pourtant s'isoler du monde en choisissant à dessein cette retraite absurde ! Une île... Se retrouver deux. Loin des autres. Le temps à soi, sans compter, une paix lumineuse, le bonheur. Par un curieux renversement, à présent, la liberté devenait emprisonnement, impossibilité de rejoindre le port d'attache. Eloignée du monde... elle ne le sentait que trop ! Quel démon l'avait poussée à oublier qu'on doit toujours se réserver une issue possible ? Elle aurait dû savoir... Mais l'expérience, son expérience, se transformait aussitôt en un passé mort et sans résonance.

Une île... Il existait des quantités d'îles, des archipels entiers... Il avait fallu qu'elle choisît celle-ci.

Elle était responsable, elle ne le savait que trop, mais on ne saurait penser à tout !

Voilà où elle en était à présent. Toute l'initiative retombait sur elle. Il ne faut jamais forcer le destin. Chacun à sa place ! Pour les uns, les larmes ; pour les autres, la joie. En vérité, tout cela n'est-il pas inscrit d'avance ?

Comment s'écoula cette journée de solitude ? Geneviève ne le sut jamais. Elle ne prit aucun repas. Pour le reste...

Serge la rejoignit dans sa chambre comme le soleil disparaissait. Elle ne dit rien. Elle avait épuisé ses facultés de discussion à dialoguer avec elle-même depuis douze heures. Elle ne dit rien, car elle n'avait plus rien à dire.

Serge essaya un instant de plaisanter, mais il se tut lui aussi, la première phrase amorcée. Un peu plus tard, il tenta :

— Ne t'inquiète pas... ils repartent demain. Tout cela est idiot. Tu ne m'en veux pas ?... Je sais, je n'ai pas été gentil...

Elle demeurait muette.

Pas gentil !... C'est tout ce qu'il trouvait à dire ! Pas gentil ! Pour une blessure mortelle... Des excuses comme pour un retard. Une journée pareille ne s'oublie pas, elle vous marque définitivement... Pas gentil !

Geneviève posa une seule question :
— Laquelle des deux ?
— La brune. Evidemment...

Elle le savait. Elle l'avait toujours su, mais une fois elle aurait pu se tromper. Pour la blonde, sûrement, elle eût moins souffert. Sans doute parce que ce n'était pas celle-là qui, justement, aurait séduit son amant.

— Allons, viens boire quelque chose. Non ?... Tu veux qu'on dîne ici tous les deux ? Dans la chambre...

Ce qu'elle avait tellement désiré... A présent cela devenait dérisoire.

Elle s'endormit quand même...

Lorsqu'elle se réveilla, le bateau levait l'ancre... Elle entendait encore la femme disant : « Deux ou trois nuits. » Deux nuits avaient suffi.

Geneviève eut droit à une confession totale, qui n'omettait aucun détail. Elle ne demandait rien. Rien, cependant, ne lui fut épargné. La fille disponible, le frère parti au bon moment. Ne rien tenter ?... Presque une goujaterie. Il s'agissait d'une femme cultivée, fine, distinguée... « Mais si, je t'assure, il ne faut pas juger si vite... Un corps intelligent, gracieux... et tout cela a si peu d'importance ! » Aucun rapport avec les sentiments, avec Geneviève. Une peau lisse à l'odeur particulière, mais une fille frigide en somme, qui aimait surtout exciter les hommes... Des mains adroites, efficaces...

— Tu penses, elle était déjà nue avant de commencer ! Avec ce soleil ! Alors... la suite est si peu de chose.

Serge reprenait, à la fois inquiet et vaguement amusé :

— Et je ne t'ai pas encore dit son nom...

Pas de doute, il préparait un effet. Elle haussa les épaules.

— Une princesse, probablement...

Il prit un temps avant d'articuler :

— Elisabeth Lamblain.

Geneviève avait parfaitement entendu, en dépit du silence qui suivit. Une voix froide qui n'était pas la sienne répéta un peu plus tard :

— Elisabeth Lamblain... La femme de Lamblain...

— Oui... je n'y peux rien ; moi aussi, j'ai été abasourdi. Lorsqu'elle m'a dit son nom, je lui ai posé la question. Elle a paru surprise que je connaisse son mari.. Mais rassure-toi... habilement éludé... Tu me connais...

Serge était là, discourant, à peine troublé, ne mesurant pas le drame. Geneviève restait muette. Elle découvrait le gouffre qui désormais la séparait du médecin. Comme à l'ordinaire, elle paierait. N'en était-il pas toujours ainsi ? C'était là son rôle ! Pour un caprice, Serge avait détruit la seule chance de Geneviève. Etre sauvée, guérir, il n'y fallait plus penser ! Quant à l'autre... La femme de Lamblain se conduire comme une fille ! En arriver là ! Serge contre Lamblain ! A pleurer ! Si Geneviève... mais bien sûr, elle n'était pas en cause... Pourtant, comme elle aurait su l'aimer, le comprendre, l'admirer, le servir.

Lui, le meilleur des maris assurément... Coureur ? Allons donc... Indigne de lui ! Un homme de cette qualité. Des préoccupations d'un autre ordre. Au reste, s'il s'intéressait aux femmes ne l'aurait-elle pas déjà compris ?

Geneviève ne savait rien de la vie privée de son médecin. Cela faisait partie du système. Aucune intimité... Jamais. On lui avait bien dit qu'il était marié... à une très jolie femme. Sûrement, il l'aimait. Serge, inconscient comme à l'ordinaire, souriant, affable, saccageait... pour le plaisir d'un instant, car, cette Elisabeth il l'avait déjà oubliée. Pour Geneviève aussi, Elisabeth serait devenue une pauvre chose, sans pouvoir, sans danger, et l'affaire eût été classée, comme tant d'autres, si cette Elisabeth n'avait été qu'une quelconque Elisabeth. Mais, dans moins d'une semaine, Geneviève allait se trouver dans une pièce austère, presque vide. Des livres, une table, un divan. Et Lamblain attendrait — disponible, silencieux, bienveillant. Elle devrait alors livrer ses préoccupations les plus intimes, ses pensées secrètes, ce qui la frapperait, les images qui tout à coup surgiraient. Aucune pudeur, aucun contrôle n'interviendraient, nulle honte devant des images saugrenues, intempestives, des sentiments bas ou des désirs de meurtre. A présent, comment serait-ce possible ? Existait dorénavant quelque chose qu'elle devrait taire à tout prix. Cette censure, qu'elle s'imposerait, rendrait inutile, impossible même, le discours. Car, bien entendu — et cela Geneviève l'avait décidé d'emblée, sans réflexion, sans marchandage —, il n'était pas question de raconter l'aventure... Et sans dire le nom... ? C'eût été presque une tricherie plus grande que de taire totalement l'incident : c'était dans l'identité même de la femme que résidait, pour Geneviève, le vrai drame.

Christian Lamblain était aussi un homme... avec ses attaches, sans doute ses faiblesses. Du moins elle le supposait car elle n'y avait jamais pensé jusqu'alors... mais peut-être, en effet... Et Geneviève ne se sentait pas le droit, pour son confort personnel, de briser le bonheur de cet homme qui ne lui voulait que du bien. Au cours du traitement, souvent, elle l'avait haï. Elle eût aimé certains jours le faire souffrir ! Mais, depuis qu'elle détenait ce pouvoir, elle ne pensait qu'à se sacrifier, qu'à protéger celui que, en d'autres temps, elle eût souhaité parfois blesser mortellement. Quel soulagement pourtant cela eût représenté de lui dire sa peine, son tourment... Mais de cette aventure, dont il était comme elle la victime, elle se sentait coupable. Une curieuse responsabilité pesait sur elle. Sa propre blessure devenait, dans son esprit, par une incompréhensible métamorphose, une blessure qu'elle lui aurait infligée.

Cependant, pour la première fois, ils partageaient quelque chose : une même trahison... Leurs partenaires s'étaient rejoints au-dessus d'eux... Mais lui ne le savait pas. Cela les rapprochait néanmoins. Lui aussi pouvait donc être berné, abandonné.

Ce pouvoir imprévu, entre ses mains à elle — et qui dépendait de sa seule décision — modifiait tous leurs rapports : il eût suffi qu'elle parlât pour qu'à son tour il souffrît... Cela, elle ne le voulait pas. Mais un homme si fort, si bon, eût-il souffert ? Il devait tout comprendre, être indulgent. Elle l'imaginait mal se livrant à quelque violence... Et pourtant... Son amour devait être d'une qualité exceptionnelle. Geneviève repoussait la vision de Lamblain associé à des rapports charnels. En même temps s'insinuait l'idée que, peut-être, cette aventure de Serge et de cette fille lui permettrait de trouver son chemin... Un chemin la conduisant vers Lamblain... Oh ! pas comme malade !...

Non. Jamais une telle bassesse.

Geneviève aimait à jouer ce personnage puissant et magnanime qui laisse l'autre s'ébrouer dans un bonheur factice. Cet autre qui, hier encore, était un protecteur, un père. Il eût suffi aujourd'hui d'un mot de Geneviève... Elle l'imaginait soudain, frêle, vulnérable.

Ainsi, tous les appuis lui manquaient à la fois ; elle allait devoir arrêter le traitement. Et cela, au moment même où il eût été si nécessaire de le poursuivre, voire de le renforcer. Cette crise, Serge l'avait provoquée, privant en même temps Geneviève de toute possibilité de guérison. Un coup de maître, en quelque sorte.

Prendre une décision. Tout d'abord télégraphier à Paris. Faire décommander le prochain rendez-vous chez Lamblain. Et aussi les suivants. On dirait ne pas savoir quand Geneviève serait de retour. Ensuite, on aviserait. Elle, cependant, savait qu'elle allait rentrer. Et très vite. Elle se retrouverait alors seule, désemparée, ne pouvant se maîtriser. Comme autrefois... Avant d'avoir entrepris cette cure qui semblait sur le point d'aboutir, de la libérer. A six mois près, elle eût été sauvée. Pour l'heure, parler de guérison... Le pire moment pour interrompre. Jamais elle ne se remettrait. C'en était fini. Pour toujours ! Serge, une fois encore — inconsciemment, comme à l'ordinaire — frappait juste. Tous les fantasmes, superficiellement escamotés, allaient surgir à nouveau. Déjà, ils la guettaient, prêts à la vaincre. Impossible de lutter. Elle était dans cette période où tout incident rend sensible le fondamental désaccord où l'on se trouve avec soi-même. Et puis, comment oublier les confidences, le récit odieux ? Et, de ces images qui s'imposaient, Geneviève ne parvenait pas à se détacher. Elle se voyait marquée d'une façon indélébile par ces mots qui la hantaient. Ce n'était pas la première fois, pourtant, que Serge la gratifiait de tels détails. Mais, aujourd'hui, il s'agissait de toute autre chose. Si ces corps mêlés étaient ceux de Serge et d'Elisabeth, à côté, elle voyait, comme une ombre en surimpression, flou et précis tout à la fois, le corps de Christian Lamblain. Cet homme qui, jusqu'alors, n'avait été pour elle qu'un visage, devenait un être de chair, autre chose que celui contre lequel on se bat... Et puis, son corps à elle intervenait. Quand ? Où ? Elle ne savait pas. Comment oublier ce que Serge lui avait dit d'Elisabeth, de sa peau lisse et trop odorante, de cette passivité vigilante qui attendait en vain des caresses imprévues, amenant l'impossible orgasme ? Bien sûr, avec Serge, cette fille avait vibré... un peu plus qu'à l'ordinaire, mais contrairement à ce que l'on aurait pu croire, elle n'avait pas tenté de le persuader qu'une magistrale révélation... après des années d'attente... Non. Franchise ou manière perverse de le piquer au jeu ? Peut-être espérait-elle l'exciter davantage par cette difficulté à émouvoir un corps cependant impatient. Auprès de Geneviève, Serge s'était attendri un instant : « Toi qui aimes vraiment l'amour, tu ne peux pas comprendre... Pour toi, tout est toujours facile, le plaisir te prend et tu t'y livres tout entière. (Non, mais qu'est-ce qu'il en sait ?) Ah ! tu ne peux imaginer l'état de ces femmes jamais satisfaites et que les hommes quittent alors qu'elles sont prêtes à crier de désir. »

Geneviève revivait ses pires jours de souffrance... Noël... Nadia...

Une jalousie un moment apaisée renaissait, virulente, insupportable. L'emprise de Serge se révélait soudain. Ainsi, lui aussi pouvait la faire souffrir — contre toute attente.

Comment Geneviève allait-elle maintenant effacer ces propos et leurs cohortes de maléfices ? Car, parmi les hommes qui avaient touché Elisabeth, la laissant froide et toujours insatisfaite, Christian Lamblain n'était-il pas le plus visé ? Christian Lamblain au regard humain et tendre, à l'esprit subtil et attentif. Lui aussi, trompé ! Comme les autres ! Et peut-être, en vérité, comblait-il Elisabeth...

Cette femme... une nymphomane ! Soudain, Geneviève imaginait des nuits folles. Elle n'aimait pas se poser des questions de cet ordre à propos de Lamblain. Non, elle n'aimait pas cela du tout... Jusqu'ici, seulement un visage pour elle ? Pourquoi avoir cru cela tout à l'heure ? Tant de mauvaise foi de sa part la surprenait... Evidemment, elle s'était vue parfois dans ses bras... Mais, était-ce si évident ?... Elle savait qu'elle aurait aimé ses caresses... Là n'était pas la question... Et même cela compliquait tout... Serge avait fait jouir Elisabeth — ou presque... et Geneviève ne pouvait supporter l'image de cette double trahison. Faire que ce qui a eu lieu soit effacé... Seul Lamblain avait parfois ce pouvoir. Tout lui dire ? Quelle basse vengeance ! Elle avait outragé Lamblain par l'entremise de Serge. Comment se pardonner une telle faute ? Coupable, elle l'était, et responsable dans la mesure où Serge était son amant. Accepté ou choisi, quelle importance ? A présent, elle allait, vis-à-vis de Lamblain, devoir feindre l'ingratitude, revendiquer une liberté absurde pour ne pas retourner chez lui. Il ne serait pas dupe. Pourtant, elle devait prendre sur elle le poids de la faute. Pour l'épargner lui.

Sans secours, abandonnée de Lamblain, de Serge, — car elle ne pourrait lui pardonner —, elle ne surmonterait plus les difficultés. Elle ne le souhaitait pas. Geneviève se voyait allant à la dérive. Une épave, voilà ce qu'elle allait devenir. Pour un caprice de l'autre. Un caprice d'un soir !

Geneviève victime, tout rentrait dans l'ordre — dans cet ordre qu'elle avait tenté de combattre.

D'autres médecins, d'autres psychanalystes ? Mais il aurait fallu tout recommencer et cette fois le courage lui manquait pour un nouveau départ. Oh ! non, jamais elle ne revivrait ces trois années astreignantes. C'en était bien fini d'elle et du monde des vivants.

Serge, assis au pied du lit sur lequel Geneviève était étendue, poursuivait :

— Allons, chérie, ne sois pas fâchée, je t'ai déjà dit que je regrettais... Evidemment j'ai eu tort, mais puisque je te demande pardon... Une journée de vacances gâchée... bien sûr, c'est triste, mais pas si grave ! Nous nous aimons, n'est-ce pas là l'essentiel ? Tiens, sais-tu ce à quoi j'ai pensé ?...

Il s'arrêta un moment, visiblement satisfait de son idée et tout heureux du plaisir qu'allait ressentir Geneviève.

— Eh bien, je vais télégraphier à Paris et nous resterons ici, non pas un jour de plus, mais deux ! Tant pis pour les affaires ! Ma Geneviève d'abord ! Tu es contente ? Allons, souris maintenant ! Tu vois, tout s'arrange !

CHAPITRE VI

Pour elle, la vie s'organisait à nouveau. Une vie sans Lamblain... Geneviève essayait de donner le change à ceux qu'elle voyait chaque jour, mais le soir venait et, inexorablement, l'activité de la journée s'éteignait. Geneviève désemparée se retrouvait seule. Serge s'éloignait, prétextant qu'il détestait le drame et pensant à part lui, du moins Geneviève l'imaginait, qu'Isabelle, complaisante, reprenait bien de l'attrait. Si une maîtresse devenait plus encombrante qu'une épouse...
Geneviève tentait parfois de se reprendre pour garder cet homme frivole. Tenait-elle encore à lui ? L'habitude jouait. Et puis Serge, c'était une présence, la possibilité d'oublier un moment une vérité insupportable à regarder, à comprendre, à accepter. Ensemble, ils retrouvaient une solitude à deux qui leur pesait. Ils se fuyaient tout en

continuant à tenir l'un à l'autre. Tout cela était lourd, sombre et d'une infinie tristesse.

Geneviève vivait au jour le jour ; il ne lui restait rien à attendre d'un avenir que Lamblain ne pouvait plus déblayer pour elle.

Elle venait de sonner et elle s'impatientait. La secrétaire, une nouvelle venue jeune et séduisante, devait bien passer deux heures à sa toilette avant d'arriver le matin au bureau — toujours en retard — sans toutefois que ce retard soit assez considérable pour justifier une sanction. « Tiens, encore une qui doit savoir jusqu'où elle peut aller trop loin ! Sans doute, échange-t-elle à présent quelques confidences avec la secrétaire du patron. Toujours à traîner dans un bureau qui n'est pas le sien si je ne la surcharge pas de travail ! » Geneviève sonna une nouvelle fois. Raidie, sans indulgence, elle ne supportait plus de perdre un instant. Toute attente lui devenait intolérable. Plusieurs fois, déjà, elle avait quitté des boutiques où l'on ne s'était pas soucié de ses désirs sur-le-champ.

Elle prenait conscience de l'aigreur qui l'envahissait, mais il ne fallait pas de temps morts dans cette fuite perpétuelle qu'elle s'imposait depuis son retour. Oublier ! Oublier l'île maléfique, l'aventure, l'océan, la tempête. Oublier Lamblain puisqu'elle ne pouvait plus le revoir sans le blesser. Se souvenir seulement que Serge ne comprenait rien, qu'Elisabeth pour lui n'était rien de plus qu'Elisabeth... une Elisabeth quelconque, sans état civil, sans liens, une île elle aussi dans le monde des hommes.

« — Mais, ma chérie, d'ordinaire, tu ne fais pas tant d'histoires. C'est entendu, j'ai eu tort, j'ai gâché une journée de vacances ! Nous en aurons bien d'autres pour compenser celle-là. Cette fille, je ne l'ai jamais revue... Alors qu'importe ! »

Voilà ce qu'il disait les jours où il la voyait trop malheureuse et où il ne partait pas... parce qu'il avait pitié.

En effet, d'ordinaire, Geneviève ne « faisait pas tant d'histoires ». C'était bien vrai. Comment lui expliquer ? Pourquoi lui expliquer ? Après tout, il n'avait été que le jouet inconscient d'événements qui le dépassaient. Ce n'était pas lui qu'elle regrettait de perdre mais un autre. Avant l'aventure, lorsqu'elle parlait de Lamblain, ce qui lui arrivait rarement, mais parfois tout de même — les soirs où elle se sentait libre, où elle rêvait de communion, d'anéantissement dans l'autre — Serge souriait. Il ne croyait guère à ces choses. Il connaissait les maladies du corps, pas celles de l'âme. Et déjà les femmes étaient prisonnières d'un corps si vulnérable ! Il acceptait le ventre, pas la tête. A se demander si lui-même existait hors de son apparence. Il refusait les tourments comme certains la poussière, essuyant sa vie avec souvent un certain agacement. Réfléchissait-il parfois ? Toujours dans le bruit, il n'admettait pas le silence où l'on se retrouve enfin. « Cette Geneviève... Charmante et une peu folle », avait-il pensé le premier soir. « Après tout, avec les femmes, inutile de chercher à comprendre. Mais qu'elles ne viennent pas se prendre au sérieux, tout à coup ! »

Et cette secrétaire qui ne répondait pas !

Geneviève, machinalement, regarda son poignet. Plus de sept heures ! Rien de surprenant à ce que son appel fût demeuré sans réponse. Où avait-elle donc la tête aujourd'hui ?

Aujourd'hui, demain... Rentrer à présent. Pourquoi ? Qu'attendre de cette vie absurde ? Pourquoi avoir refusé de sortir avec des amis ce soir ? Mais pourquoi eût-elle accepté ? Rien n'avait de sens. Elle qui avait cru à la force du couple, seule vérité pour lutter contre le désespoir et accepter la mort — toujours injuste.

Le téléphone sonnait.

Geneviève, qui allait refermer la porte, revint sur ses pas. Elle hésita un instant avant de décrocher. A cette heure-ci, ce ne pouvait être qu'une tuile. Mais la curiosité l'emportait toujours.

— Ah, c'est toi ?... Pourquoi je suis encore au bureau ?... Vraiment, je n'en sais rien... Enfin si, je travaille. Mais non, je n'en fais pas trop ! Ce soir ? Oui, si tu veux... Dans une demi-heure... D'accord. Bien sûr chez moi... Non, monte... Pour le cas où je ne serais pas tout à fait prête... Mais non, je ne te ferai pas attendre... Je me dépêche... Si... Je veux me changer. A tout de suite.

Et voilà ! Serge avait téléphoné. Elle était injuste, il téléphonait souvent. Mais il ne fallait pas s'y attendre. Il la voyait beaucoup plus si elle y comptait moins. Somme toute, il n'était pas libre et il faisait l'impossible... enfin presque. Et puis encore une soirée de gagnée... Evidemment, s'il l'avait prévenue... Elle revivait sa journée, une journée sans jalons heureux. Oui s'il l'avait prévenue, ne fût-ce que ce matin, elle eût quitté le bureau plus tôt. A présent, déjà, elle serait fraîche, reposée et bien des heures d'angoisse lui eussent été épargnées... Depuis le matin, elle aurait été plus heureuse. Les soirées... le travail cesse, on se sent disponible et personne ne vous attend... c'est cela le plus dur. Souvent, on lui avait conseillé de prendre un chien, elle n'avait jamais pu s'y résoudre. Sûrement, mariée, avec des enfants qui l'auraient accaparée, elle eût aimé avoir un chien — en plus. Mais aujourd'hui, c'eût été à défaut d'autres choses... Cela, non. Jamais.

Maintenant, elle devait se dépêcher. Finies les rêveries. Dix minutes pour rentrer. Dix minutes pour un bain — indispensable. Dix minutes pour la coiffure et le maquillage. Deux minutes pour la robe... Elle savait qu'après ce traitement, un peu d'alcool et le rire réconfortant de Serge, tout irait mieux, beaucoup mieux... jusqu'à minuit ! Quatre heures prises sur le néant, pouvait-on espérer mieux ? S'étourdir. Cela était devenu son lot, sa vocation depuis que Lamblain avait disparu de sa vie. Lamblain qui, peu à peu, l'amenait à plus de sagesse, de lucidité... Ne plus y penser. Elle était seule dorénavant.

Serge sonnait. Fort opportunément en vérité. Il fermerait cette robe dont le boutonnage était impossible. Une robe pour fille riche dont la femme de chambre accourt au premier appel... ou pour femme mariée.

Déjà, Serge s'exclamait. Geneviève était ravissante ! La robe, nouvelle, très décolletée, comme il aimait !

Il gardait pour les seins fermes de Geneviève une fierté de propriétaire. Au goût de l'exhibition, elle eût préféré une jalousie d'amant. Il l'embrassait dans le cou.

— Dépêche-toi, on a rendez-vous avec les Dumas au bar de la rue...

Et voilà ! Geneviève était incorrigible ! Contre tout espoir, elle avait espéré... Quoi ? Et puis après?... Même eût-elle obtenu cette entente impossible... Pour un soir qu'importait ? Dîner avec ceux que Serge nommait les Dumas... Autant la solitude, un bon livre et son lit !

— Quoi, tu n'es pas contente ? Liliane t'adore, elle est en admiration devant toi. Lui, n'en parlons pas... je devrais être jaloux.

Oui ! Il devrait !

Dès que Serge entreprenait le siège d'une quelconque Liliane, cette Liliane appréciait toujours Geneviève — ou tout au moins Serge le prétendait. Il espérait ainsi l'amadouer. Il manquait par trop d'imagination ! Les Dumas étaient parmi les amis de Serge ceux réservés à Geneviève. Elle devait aussi accepter les correspondants étrangers et certaines relations d'affaires. Aux autres, il montrait Isabelle.

Les Dumas ?... En réalité il s'agissait d'Henri Dumas et de sa maîtresse. Quant à Mme Dumas — car elle existait — c'était une fort jolie femme, intelligente et active. L'Institut Pasteur où elle travaillait, ses enfants et une solide fortune personnelle lui permettaient de sourire devant ce mari vagabond qu'elle jugeait médiocre. Le jour venu, si elle le désirait, elle divorcerait. Pour l'instant, ce mode de vie lui convenait et l'existence des enfants n'était pas perturbée. Geneviève savait qu'Alix Dumas profitait volontiers des sorties de son mari pour de son côté... Geneviève l'ayant laissé entendre un jour à Serge, celui-ci s'était montré fort mécontent, n'admettant pas qu'un de ses amis pût être victime d'une situation aussi banale. Comme beaucoup d'hommes, dont on dit qu'ils aiment les femmes, Serge en vérité les méprisait d'une sorte de mépris qui abolit la liberté de l'autre.

— Mais non, avait-il répliqué, ce sont des ragots

et je m'étonne que tu t'en fasses l'écho. Alix est une mère modèle.

Pour lui, toutes les épouses étaient vertueuses et tous les maris volages... On pouvait remarquer alors que l'esprit mathématique lui faisait défaut, car il existait assez peu de femmes libres.

Geneviève détestait particulièrement ces sorties à quatre avec un couple illégitime. Ce n'était pas qu'elle fût snob, d'esprit bourgeois ou attachée à des principes surannés, mais elle ne supportait pas la complicité qui s'établissait aussitôt. Deux hommes mariés et leurs maîtresses... Un certain ton l'amenait à jouer un rôle indigne d'elle, un rôle qui n'était le sien qu'aux yeux des autres et niait sa personnalité réelle.

Serge, perplexe, regardait Geneviève tandis qu'elle lissait ses cheveux.

— Ne t'inquiète pas, je suis contente ! Tu me sers un whisky ?

— Nous sommes en retard. On le prendra là-bas.

— Où ?

— Je te l'ai dit, nous avons rendez-vous au bar R. Ensuite, nous verrons où nous dînerons... Qu'en penses-tu ? Dans l'île Saint-Louis ? Je sais que tu aimes ce restaurant. Mais il faudrait consulter nos amis, nous téléphonerons du bar. A moins que quelque chose ne te fasse vraiment plaisir. Tu décides et j'appelle d'ici.

— Non, c'est plus gentil de leur demander.

— Je crois aussi.

— Tu n'as pas l'air gai ?... Je pensais pourtant...

— Mais si, je suis ravie.

— Heureusement... Tu es merveilleuse.

— Une autre comme moi — et si rapide —, tu ne trouverais pas.

— Je ne cherche pas non plus...

— Tu as raison !

Serge la prit dans ses bras.

— Je t'adore...

— Viens, maintenant... ensuite tu diras que je suis toujours en retard.

Pas de doute, elle gâchait tout. Qui l'empêchait d'être heureuse ce soir ? D'autres, sûrement, eussent profité du moment présent, de la bonne humeur de Serge et du plaisir visible qu'il prenait à cette sortie du soir. Mais pour elle, comment oublier que minuit était un terme proche ? Qu'adviendrait-il à minuit ? Serge serait seul à en décider. Descendrait-il de voiture pour ouvrir la porte de droite — et cela sans même arrêter le moteur — en souhaitant à Geneviève une bonne nuit, ou bien après avoir rangé la voiture la suivrait-il ?... sans la consulter bien sûr. Lui seul en déciderait... Selon son humeur et le programme plus ou moins chargé de sa journée du lendemain, car il savait être sage à ses heures et soucieux de préserver un bon équilibre physique. Quel que puisse être le comportement qu'il adopterait, Geneviève devrait, non seulement l'accepter, mais en paraître satisfaite. Il était normal qu'il l'accompagnât. Tout aussi normal qu'il la quittât immédiatement. Il ne s'agissait pas d'une séparation puisque tous les matins, à neuf heures précises, Serge téléphonait... Rien de tout cela n'était dramatique. Il existait néanmoins les soirs où Geneviève, pour ne pas rentrer seule, eût accepté de traîner une partie de la nuit dans les bars, ce qui lui faisait généralement horreur ; il existait aussi les soirs où elle eût préféré ne pas sortir du tout — afin que la question fût résolue d'emblée ; et les soirs où elle eût volontiers choisi de quitter Serge à minuit tant l'idée qu'il partirait une heure plus tard lui était douloureuse. Il existait tant de soirs... Avant les vacances dans l'île, tout lui semblait plus simple, elle prenait les événements comme ils venaient, du moins le croyait-elle à présent ! Lamblain, il est vrai, était dans la coulisse pour l'aider à supporter...

Il conduisait rapidement, avec souplesse. Quelle grâce, quelle élégance ! Geneviève ne pouvait éviter d'en être touchée comme d'une caresse. Elle admirait ces longues phalanges, immobiles sur le volant que Serge maîtrisait en le frôlant à peine. On eût dit qu'il apaisait par la douceur un animal ombrageux. Et ce poignet si fin ! Rien en lui ne marquait jamais l'effort. « La grâce même, se dit-elle une fois encore. C'est sans doute pour l'admirer que je me trouve placée ici en cet instant. » Le cuir sentait bon et, en contemplant le tableau de bord, en bois précieux, elle s'efforçait de fixer des pensées qu'il ne fallait pas laisser vagabonder. Dans quelques heures, elle serait chez elle. Seule.

— Serge, tu es une poule de luxe.
— Je l'espère bien !

La main de Serge, à présent, se posait sur celle de Geneviève.

— Tu n'es pas une prolétaire non plus... quoique tu en dises.
— Je ne le dis pas.
— Peut-être, mais tu voudrais bien le laisser entendre.
— Je travaille beaucoup. Et quand même pour gagner ma vie !
— Et moi, que crois-tu donc que je fasse tout au long des journées ? Mais tout va bien. On est heureux, non ?
— Bien sûr...

Geneviève soupira. Evidemment, elle aurait dû être heureuse. Elle était dans son tort. Une emmerdeuse, tout simplement, voilà ce qu'elle était ! Pas d'autre expression possible... Surmonter une angoisse qui grandissait, passer une bonne soirée... Elle enlaça les épaules de Serge. Il marqua un léger frémissement et sourit. Une certaine forme de complicité passait encore entre eux. Si Geneviève avait pu se contenter seulement de vivre le moment présent, d'aimer leur accord charnel... Mais cela ne lui suffisait pas.

Curieusement, cette dernière infidélité de Serge avait rendu Geneviève plus exigeante. Jalouse ?... Peut-être... Pourquoi se le dissimuler. Méfiante aussi. Jusqu'alors, elle fermait les yeux sans même un effort vrai. Indifférente ? Sans doute. Mais cette fois, bien involontairement, elle avait été témoin de la chose, la vivant minute par minute, pour elle, pour un autre. Ainsi était-elle retombée dans le cercle infernal, comme si, de ce jour-là seulement, elle était devenue la proie d'une nouvelle passion dont, heureusement, jusqu'alors, elle avait sur se tenir écartée.

Les Dumas attendaient.

Liliane, vêtue avec recherche, sembla surprise par la tenue plus sobre de Geneviève. Dans son for intérieur elle admirait et jalousait cette femme plus âgée, car elle savait qu'elle-même n'acquerrait pas, d'ici quelque temps encore, un goût assez sûr, ni une aisance suffisante pour sortir des sentiers battus de la dernière mode. Cependant rien ne lui manquait, croyait-elle, pour marquer une situation bien assurée. Alix Dumas était sage en feignant d'ignorer cette Liliane sans poids.

Les boissons servies, Geneviève parla de l'île

Saint-Louis qui ne sembla pas plaire. Dumas suggéra que le restaurant contigu était excellent. Après tout, pourquoi compliquer, la cuisine était parfaite ici ; « et la clientèle, élégante », souligna Liliane.

Très vite, Serge s'ennuya, la conversation languissait. Geneviève eut pitié devant l'air penaud de son amant et les regards furtifs qu'il jetait tour à tour sur la pendule et sur sa montre comme pour en vérifier l'exactitude. Elle essaya d'animer des propos qui retombaient lourds, sans réplique. Les Dumas avaient dû se disputer...

Geneviève, soudain, décida de briller. Pas d'autre attitude possible. Bousculer ces gens... ou pleurer. Et vraiment, elle ne pouvait pas fondre en larmes devant ces bougies roses. Elle se lança dans une description pittoresque du journal, des femmes du monde dont ces pages représentaient le bréviaire, du courrier qu'elle recevait. Elle parlait comme un commandant relatant une bataille. Elle citait des noms qui éblouissaient Liliane. Serge, ahuri et enchanté, regardait ce déploiement de charme dont il ne comprenait pas la cause, mais, insensiblement, il se laissait prendre au jeu. Entre Geneviève et lui un duel s'engagea devant les Dumas silencieux et visiblement dépassés par ces hôtes inattendus. On servit le café.

Liliane parla d'une boîte de nuit à la mode : on danserait... Là, elle espérait reprendre l'avantage :

Serge, pour une fois, consulta Geneviève.

— Non, vraiment, je me lève tôt demain.

— Geneviève a raison, ce ne serait pas sérieux. Moi aussi je me lève tôt...

Et il lui adressa un regard complice.

Dès qu'ils se retrouvèrent seuls, Serge s'exclama :

— Tu as été merveilleuse ! Divine, tout simplement ! J'étais abasourdi. Pourtant je te connais ! Quelle forme ! Et tu osais prétendre que tu étais fatiguée...

La voiture démarrait.

L'anxiété de Geneviève remontait en surface. « Ce soir, il m'admire, pour de mauvaises raisons. Il montera avec moi. Je le sais déjà, j'aimerais mieux qu'il me laisse là, au coin de cette rue, je rentrerais à pied, toute seule. Je le déteste. Toujours séduire, flatter, conquérir. Ne jamais être aimée pour soi, pour ce que l'on est vraiment. La vanité de l'autre, Dieu que c'est fatigant ! Quelqu'un avec lequel on serait naturel, libre. Pouvoir être soi et être aimée quand même. »

On arrivait.

— Bonsoir, mon chéri, à demain.

Geneviève forçait un peu le ton. Lui donnerait-elle le change ?

— Tu es folle, je ne vais pas te laisser rentrer seule. Ma pauvre chérie...

Et les autres soirs ? Y pensait-il ?

— D'abord, tu ne saurais pas défaire ta robe et je ne veux pas que tu dormes tout habillée. Tu vois comme tu dépends de moi !

— Tu te lèves tôt demain... Moi aussi...

— Je ne suis pas Dumas, laisse ces sornettes... Et puis, tu connais, toi, une meilleure façon de se reposer ?

Oui, toujours l'éternelle comédie. Les mêmes vieux trucs qui prennent encore. Elle se sentait soudain réellement lasse... Lui dire qu'il s'en aille, qu'elle le méprisait et que, ce soir, elle préférait le repos, la solitude. Non ! elle n'en avait pas le courage. Et puis, s'il cédait à sa prière, elle savait qu'elle lui en voudrait...

Impatient, Serge la caressait déjà. Dans l'ascenseur, il commençait à défaire le fourreau bruissant et Geneviève sentait que le plaisir était tout proche... Demain ? Bah ! Un autre jour...

Pour la première fois depuis le début de leur liaison, Serge prit son petit déjeuner chez Geneviève. Il but seulement une tasse de thé en soulignant, qu'aujourd'hui, il sacrifiait même le rite des œufs au bacon.

Il passa ensuite à son domicile, pour mettre quelque désordre dans son lit... afin de ne pas faire de peine à Isabelle. Il voulait oublier que celle-ci ne dormait pas très tard le matin, comme il aurait voulu le croire à l'instant, et qu'elle savait sans doute déjà que son mari n'était pas rentré.

Elisabeth, bronzée, heureuse. lavée de tous les soucis des derniers mois retrouva Christian avec une simplicité qui lui sembla très douce.

L'escale dans l'île n'avait été, pour elle, qu'une escale ensoleillée, une occasion de ski nautique réussi par une mer calme. Serge ? Ah ! Oui... bien sûr. Un charmant garçon, un peu fou. Elle s'était laissé entraîner... Bah !... Elle ne le reverrait pas. Somme toute, excellent bilan de vacances.

Avec son frère, Elisabeth avait renoué des relations affectueuses. Si seulement il condescendait à travailler ! Parfois elle s'inquiétait. De quoi vivait-il ? Il lui soutirait de temps à autre quelque argent, mais de petites sommes, insignifiantes. Entre frère et sœur rien là de bien grave, c'était ainsi depuis l'enfance. Un jour il était allé jusqu'à la battre pour obtenir d'elle une clef confiée à Elisabeth par leur mère. Longtemps, elle avait résisté... puis cédé. De l'argent avait disparu. Il est vrai qu'Alain, à présent, n'était plus ce garçon brillant et turbulent qui l'enchantait autrefois, mais déjà un homme de trente ans bien qu'il en parût à peine vingt-cinq.

Depuis leur retour, il téléphonait souvent, cherchant à poursuivre, à Paris, un rapprochement familial entrepris à bord du voilier. Il aurait voulu être présenté à Remi dont elle avait eu l'imprudence de lui parler, un soir, sur le pont, en contemplant les étoiles. Heureusement, elle s'était reprise lorsque, d'un ton insidieux, il avait voulu en savoir davantage sur ce Remi. Par exemple son nom... Aussitôt elle s'était mise sur ses gardes. Sans bien comprendre pourquoi, elle s'était méfiée. Une peur curieuse. Comme il insistait, elle avait inventé une particule, une adresse. Par respect pour son mari croyait-elle... Remi... un ami de Christian... ne pas mêler Alain... car très vite, sans doute, il eût décelé le mystère... le mystère de Remi... Ce Remi qui s'inscrivait à présent en filigrane dans l'existence d'Elisabeth. Elle le rencontrait rarement et c'eût été trop de dire qu'elle pensait à lui. Non, elle savait seulement qu'un homme auquel Christian accordait quelque attention répondait à ce prénom.

Elisabeth venait de recevoir une lettre pressante : Alain voulait la voir aujourd'hui même, il donnait un numéro de téléphone où il attendait son appel. Curieuse, elle demanda les renseignements, énonça les chiffres. Il s'agissait d'un hôtel, rue Ordener.
Elle chercha sur le plan.

Après quelque hésitation — elle pouvait aussi bien déchirer la lettre —, elle téléphona à son frère. Elle arrivait immédiatement, car elle était prise à la Faculté deux heures plus tard. Tout Paris à traverser deux fois !

L'hôtel, modeste, semblait toutefois honnête. Le patron regarda Elisabeth d'un air surpris. Certainement, elle ne correspondait pas au genre de cliente qu'il était habitué à recevoir.

— Au cinquième au fond du couloir, numéro cinquante-sept.

— Voulez-vous le prévenir...

— Le prévenir ! Montez plutôt... Je ne vais pas m'appuyer, moi, cinq étages. Avec ma jambe ! Où vous croyez-vous ma petite dame ? Ce n'est pas le Ritz ici.

Non, sans doute, mais c'était toute la jeunesse d'Elisabeth qui se déroulait tandis qu'elle montait cet escalier. Tapis élimé jusqu'au premier, ensuite les marches souillées, les murs crasseux aux empreintes lourdes. Elle retrouvait, non sans un certain plaisir trouble, des souvenirs volontairement oubliés. Cet escalier, c'était toute une époque... dont elle n'était sans doute pas si coupée qu'elle se plaisait à le croire.

Ainsi, Alain habitait là. Leur mère aussi aurait pu habiter là. Il demeurait fidèle, lui, à un passé qu'elle reniait.

L'AUTRE PERSONNE

Elle frappait.
— Oui...
Il se levait du lit en désordre où, sans doute, il était allongé jusqu'à son arrivée.

Des journaux traînaient, des cendriers pleins... Pas d'objet personnel. Vivait-il ici ?
— Bonjour...

Elisabeth déplaça le fauteuil avant de s'y installer.

— Comme tu es bonne d'être venue si vite. La famille, il n'y a que cela de vrai ! Je savais que je pouvais compter sur toi.

— Compter sur moi, oui sans doute... bien sûr...

Puis, soudain méfiante :

— Cela dépend de ce que tu entends par-là... Pour quoi ?

— J'ai tellement d'ennuis, si tu savais.

— Ce ne doit pas être bien grave.

— Elisabeth, tu as oublié, toi, tu as réussi... un beau mariage...

Changeant soudain de ton et s'asseyant à son tour :

— On a fait un sacré voyage, non, tous les deux ? Tu étais contente ?

— Oui, bien sûr... quel rapport ?...

— Quel rapport... quel rapport... tu en as de bonnes toi ! Je ne suis pas un nabab, moi ! Pas un grand médecin comme ton mari... pour te payer des vacances !

— Alain, tu sais que tous les frais, je les ai pris

à mon compte — pas les frais pour moi seule, mais pour nous deux. Aussi, je ne vois pas...

— Oui... mais j'ai perdu du temps.

— Perdu du temps ! Mais que fais-tu donc de ce temps ? J'aimerais justement le savoir, j'y pensais ces jours-ci.

— Si tu crois que c'est facile ! Je me débrouille, moi... Comme je peux. Tu ne te rends pas compte, tu es sortie des ennuis et tu oublies la famille. C'est vilain cela !

— Enfin, Alain, explique-toi. Ce n'est pas pour me tenir ce discours sur la famille, ni me donner des leçons de morale que tu m'appelles d'urgence.

— Je t'ai dit que j'ai perdu du temps... et puis j'ai perdu... tout court. Voilà, maintenant tu sais.

— Perdu quoi ?

— Eh bien ! De l'argent ! Pas ma virginité bien sûr ! Non, tu es trop drôle !

— Et alors ?

— Et alors, petite sœur, il faut que tu m'aides...

— Alain, cesse de faire le pitre et sois sérieux un instant. Tu sais que je prépare l'agrégation de droit, crois-tu par hasard que ce soit très rémunérateur ?

— Ton mari...

— Mon mari me donne ce qu'il me faut, mais comment lui expliquer soudain...

— Prive-toi un peu !

— C'est facile à dire !

— Il y a plusieurs solutions, j'y ai pensé...

— D'abord combien te faut-il ?
— Dix mille francs.
— Anciens ?

Alain se leva et s'approcha d'Elisabeth...

— Tu te fous de moi ? C'est vrai, toutes les bonnes femmes comptent encore en anciens francs. Non, ma belle, je m'explique : dix mille francs nouveaux, soit un million, si tu préfères.

— Mais c'est que, justement, je ne préfère pas... Où les prendrais-je ? Tout simplement impossible.

— Je t'ai dit que j'avais trouvé plusieurs solutions : vends quelque chose, emprunte et puis... belle fille comme tu es, ce ne doit pas être difficile... Je t'ai vue cet été. Tu sais que tu es drôlement bien bâtie.

Alain marchait de long en large dans la chambre exiguë.

— Et alors ?

— Elisabeth, ne sois pas idiote, et je voudrais tellement ne pas t'ennuyer... Tu trouvais nos amis sympathiques... Si, pourtant, tu en as préféré un autre pour te distraire, qu'y puis-je ?... Remarque, il n'était pas mal... C'est sans arrière-pensée que je vous ai laissés seuls à bord. Je comptais nager un bon moment... mais j'ai trouvé l'eau trop froide, je suis remonté et ce que j'ai vu m'a semblé bien joli... et pas pour me choquer, non ! ni pour me déplaire.

Elisabeth frissonna.

— Où veux-tu en venir ?

— Elisabeth, il me faut cet argent.
— Je ne l'ai pas.
— Madame Hélène...

Elisabeth, muette, se leva, marcha vers la porte.

— Oh, je n'ai pas voulu te fâcher... Moi ce que j'en disais... parce que... avec ton mari... tu ne dois pas rigoler tous les jours... En tout cas, ma petite, cet argent il me le faut... je te l'ai dit. Sans cela...

— Sans cela ?...

Elisabeth gardait la main sur la poignée de la porte.

— Tu ne t'es pas embêtée pendant la croisière... et moi je ne voudrais pas non plus t'embêter... C'est une fatalité pour moi d'en arriver là.

— Je ne comprends pas...

— Allez, tu comprends très bien. On est quand même du même sang toi et moi.

— Je me le demande...

— N'insulte pas notre mère !

— Alain, cela suffit. Je ne peux rien pour toi. C'est tout. Laisse-moi partir.

— Doucement, ma mignonne, calme-toi.

Alain prit sa sœur par les épaules et la fit s'asseoir.

— Tu m'aurais demandé... Cinquante mille francs...

— N'essaies pas de m'acheter... Je veux et il me faut un million.

— Non ! Un point c'est tout. Je ne peux pas.

— Ce type rencontré dans l'île, tu l'as revu ?

— Non...

— Tant pis... Tu te souviens de Mme Hélène, l'amie de notre mère...

Elisabeth frémit.

— Alain, tu me dégoûtes !

— Bon, bon, moi ce que je pensais, c'était plutôt pour t'éviter des ennuis. Si tu ne veux pas... n'en parlons plus, je vais voir ce que je peux faire avec Christian. Sans doute, sera-t-il, lui, plus compréhensif...

— Ce qui veut dire ?

— Ce qui veut dire — et crois-moi, petite sœur, je suis bien désolée d'agir ainsi — que j'ai des photos de toi, oh ! prises par hasard, je t'assure. L'escale dans l'île, justement... Ce beau garçon... Ton mari, lui, me les achètera volontiers ces photos.

— Tu es ignoble ! Il ne te recevra même pas !

— Et la poste ?

— Je prendrai le courrier avant lui.

— Pas celui adressé à l'hôpital ! Tu vois, je m'attendais à ton manque de générosité, j'ai pensé à tout. Au fond, tu n'es qu'une sale petite bourgeoise... attachée à son fric, mais qui veut bien rigoler gratis... à l'occasion.

Alain souriait.

— Et voilà... Coincée mon enfant ! Il va falloir maintenant te montrer plus souple.

Elisabeth se leva.

— Je te donne vingt-quatre heures pour réfléchir, et des délais après un premier acompte si tu montres de la bonne volonté... Une femme se débrouille toujours...

— Peut-être celles que tu connais et que tu appelles des femmes... Pas moi.

Hormis Christian elle était seule au monde et elle le découvrait soudain. Jamais pensé jusqu'alors à cette solitude. Perdre Christian... Tout allait si bien depuis ce retour de vacances. Demander pareille somme et sans explication, il n'y fallait même pas songer. Parler d'un ennui ?... Faire appel à sa générosité pour un tiers ?... Il accepterait certainement s'il ne savait pas Alain dans la coulisse, mais, dans les conditions actuelles, il devinerait immédiatement et refuserait. Emprunter ?... A qui ?... C'était bien cela : hormis Christian, elle était seule au monde ! Ses relations personnelles ?... Des étudiants pas riches... Et comment rembourser ensuite ?... Vendre ?... Quoi ?... Elle n'aimait pas les bijoux et n'en possédait aucun... seulement sa bague de fiançailles dont elle ne se séparerait pas et qui, au demeurant, était sans grande valeur. Christian, lorsqu'il avait choisi l'anneau, était pauvre. Souvent, depuis, il avait parlé de lui offrir une autre bague. Elle avait toujours refusé. Elle tenait à celle-là ; la remplacer lui eût paru un sacrilège. Les tableaux

— leur seule richesse — ne pouvaient quitter les murs... comme cela... volatilisés. Des bibelots anciens, elle en possédait... Mais une telle somme ! Tous vendus, elle n'obtiendrait pas la moitié de l'argent nécessaire.

Elle était traquée, prise au piège, enfermée dans un cachot sans issue. Il lui arrivait ce qu'elle méritait. Une mauvaise femme... On ne sort pas de sa condition sans de lourds sacrifices... Jouer sur tous les tableaux... Voilà le résultat !

Supplier Alain ?... Jamais... et, au demeurant, il serait intraitable, elle le savait.

Christian, une fois encore, allait être son seul recours. Comment ? Elle l'ignorait. Mais elle ne pouvait pas le perdre... pas comme cela... pour une histoire stupide... Ce serait trop injuste... sans mesure. Impossible ! Tout avouer ?... Il souffrirait... et cela, elle ne le voulait pas. Lui dire le chantage ? C'était dire la faute... à moins que... Lui demander de ne pas insister pour en connaître la nature... C'était évidemment beaucoup attendre de lui... Charger Alain... Comment ? Parler d'une lettre que Christian recevrait à l'hôpital et qu'il ne devrait pas ouvrir ?... Inconcevable avec un autre... mais avec lui... En tout cas... la seule chance à courir. Comme issue, ce trou d'aiguille. Une lueur perçait, rien de plus, rien d'autre.

Toute une nuit de cauchemar, retournant les hypothèses, pour en arriver là... à demander l'impossible. Elle n'oserait même pas formuler un tel désir — sans explications...

Le téléphone sonnait.

— Allô, Elisabeth, c'est ton petit frère.

— Oui, je sais...

— Qu'as-tu décidé ?

— Va au diable !

— Tu ne me crois pas, mais j'enverrai les photos... grand format... Sacré coup pour Christian !

— Fais ce qu'il te plaît !

Elle raccrocha.

Cet appel ne lui apprenait rien. Jamais elle n'avait douté qu'Alain ne mît sa menace à exécution. Rien à espérer de ce côté-là. Le monde était ainsi : le bien, le mal... Justement, Christian rentrait de l'hôpital pour un déjeuner hâtif avant d'accueillir son premier malade qui l'attendait déjà.

Le soir, ils devaient sortir ensemble. Un dîner accepté depuis longtemps.

— Christian, je ne me sens pas bien, j'aimerais rester à la maison ce soir.

Il savait Elisabeth dure au mal. Déjà, il s'inquiétait, questionnait.

— En effet, j'ai l'impression que tu n'as pas bien dormi cette nuit. Il faut te décommander, du reste ce sera assommant.

— Christian, j'aimerais aussi...

Sa voix se fit plus basse avant de reprendre :

— Que tu passes la soirée avec moi... J'ai à te parler...

— Entendu, ma chérie, si tu le désires...

Il semblait surpris. Cette tendresse, cette humilité, si peu dans la manière d'Elisabeth.

Les amis furent prévenus.

Sacrifier le secondaire à l'essentiel. Elisabeth imaginait le mode de pensée de Christian, retrouvait ses expressions, son échelle de valeur.

— Tu peux me parler maintenant... qu'arrive-t-il ? Je suis inquiet.

— Non, ton malade est déjà là.

— Oui, mais le suivant ne vient pas : j'ai tout mon temps si tu veux.

— Non. J'aurais le sentiment de prendre des instants qui ne m'appartiennent pas. Ce soir, tu seras tout à moi. Je vais me reposer à présent.

— Tu ne vas pas à la Faculté j'espère ?

— Je ne sors pas.

Elisabeth resta chez elle en essayant de ne pas réfléchir à ce qu'elle dirait le soir. Mieux valait se lancer au hasard, ne pas préparer son discours, car aucune explication ne pourrait l'amener à justifier sa demande... Convaincre, apitoyer Christian, demeurait sa seule chance. Qu'il lui remette l'enveloppe, sans questionner et qu'ils la brûlent ensemble. S'il acceptait, elle n'aurait pas trop de sa vie entière pour se consacrer à lui et l'aimer enfin comme il le méritait.

Christian venait de rentrer.
— Vraiment tu n'es pas malade ?
— Mais non.
— Cependant tu semblais...
— Ce n'est pas de ma santé qu'il s'agit.
Elle devina soudain sa pensée. Tout ce cérémonial, si peu dans sa manière, sûrement pour lui annoncer qu'elle était enceinte ! Il le souhaitait tellement ! C'était elle qui refusait l'enfant ! Elle rougit... Quelle honte ! Dorénavant, elle accepterait un enfant. Déjà, elle le souhaitait. Au reste, tout ce qu'il voudrait ! Elle ne penserait plus qu'à le rendre heureux.
— Tu crois, que seuls les troubles de santé...
— Non, mais en ce qui te concerne, je ne vois pas... Tu n'as pas assassiné une rentière au moins ?
Elisabeth laissa s'écouler un long temps.
— Christian, j'ai quelque chose à te demander — quelque chose de grave et de surprenant. Pour me l'accorder, il faudrait que tu aies en moi une confiance absolue. Je sais que je ne l'ai pas toujours méritée. Je regrette le mal que je t'ai causé. Ce que je puis te promettre c'est qu'à l'avenir tu pourras m'accorder cette confiance à laquelle je fais appel aujourd'hui. Cela dit, tu n'as aucune raison d'accéder à ma demande.
— Pourquoi tous ces préambules ? Tu sais bien que je ferais tout pour toi. Tout ce qui est en mon pouvoir.
Il sourit.

— Et qui ne soit pas contraire à l'honnêteté !

— Christian, ce que je vais te demander est difficile, si difficile même que je ne parviens pas à m'exprimer calmement. Excuse-moi.

— Enfin, Elisabeth, explique-toi.

— Eh bien ! voici, remarque tu n'as aucune raison d'accepter...

— En voilà assez...

— Christian, tu vas recevoir à l'hôpital une lettre, sans doute une grande enveloppe un peu lourde. J'aimerais — enfin c'est l'objet même de ma démarche — que tu ne l'ouvres pas, que tu la rapportes ici, telle quelle, et que nous la brûlions ensemble — sans en parler ensuite — sans en parler jamais... Plus tard, peut-être, dans très longtemps, je te dirai...

Christian regardait Elisabeth. Il semblait ému.

— Et tu as pu douter ?... Je ne comprends pas ton inquiétude... Me connais-tu donc si mal ?... Tu me demandes de ne pas ouvrir une lettre, je ne l'ouvrirai pas, c'est évident.

Elisabeth éclatait en sanglots.

— Ecoute, je vais te dire...

— Chut... ne me dis rien... Allons dîner maintenant.

La lettre n'arriva que deux jours plus tard. Alain avait espéré, escompté l'impatience...

Rentrant de l'hôpital, Christian jeta l'enveloppe jaune et gonflée sur la table de l'entrée.

— Tiens, voici l'enveloppe, fais-en ce que tu voudras, mais nous n'allons pas brûler ensemble ce machin. J'ai horreur de ce cérémonial.

Il prenait un ton bourru.

— Il faudrait tout de même cesser un jour d'être une enfant.

— Alain...

— Bien sûr, Alain ! Je ne veux plus entendre parler de ce petit saligaud. Et les vacances en sa compagnie... finies, tu m'entends. J'ai été trop faible. Là-dessus, tu me trouveras intraitable dorénavant.

Elisabeth avançait timidement vers Christian...

— Assez d'émotions pour aujourd'hui. Allons, viens m'embrasser. On dirait que tu as peur de moi. Je veux une épouse qui soit adulte. Les jeux sont terminés. D'accord ?

— D'accord...

L'attitude d'Elisabeth bouleversait Christian. « Sans doute quelque mauvais coup d'Alain... » Mais il ne désirait pas savoir. En vérité, il ne devait pas se dominer pour surmonter une curiosité qu'il ne ressentait pas. Les faits l'intéressaient peu. Il était là pour protéger Elisabeth, pour lui apporter la quiétude et non pour la tourmenter.

Un tel comportement chez un être si jaloux de son indépendance prouvait un total désarroi. A lui de l'apaiser. Désormais, il serait plus attentif. Sans doute, cette fille violente et fière ne dominait-elle pas toujours ses craintes, ses faiblesses. Une fois encore, il ferait confiance à Elisabeth, à la vie. Il semblait qu'une entente nouvelle pouvait naître à la faveur de ce choc.

Il ne méritait pas la reconnaissance qu'elle lui témoignait. Il en était même un peu choqué. Mais comment lui expliquer ?... Aimer n'est-ce pas vouloir du bien à l'autre ? Sans condition. Sans limite. Trop d'êtres confondent l'amour avec l'esprit de domination, la lutte acharnée, le désir d'anéantir le partenaire. C'est ceux-là qui viennent gémir tout au long des jours, dans son cabinet, ces hommes avides, ces femmes rapaces, tous repliés sur eux-mêmes, et premières victimes de leur égocentrisme.

Les rendez-vous de Christian se succédaient ces jours-ci sans que lui soit ménagé, comme il arrivait parfois, un moment de repos dans l'après-midi. Au milieu de ce brouhaha, une malade entre autres l'inquiétait — et celle-là justement par son absence... Geneviève Harbant n'avait pas reparu après la semaine de vacances prévue, parenthèse qu'il s'était laissé arracher bien à tort, il le savait à présent. Les séances, selon le rythme habituel devaient reprendre dès le lendemain du retour, ils en étaient convenus ainsi. Néanmoins, une secrétaire les avait décommandées. Et depuis... le silence.

Après bien des hésitations, Lamblain s'était décidé — bousculant toutes les règles car son instinct l'y poussait — à écrire à Mme Harbant. « Elle devait connaître suffisamment à présent cette technique médicale pour savoir que l'on ne pouvait couper ainsi un traitement... Un dernier entretien au moins serait indispensable pour une mise au point, afin qu'elle prît conscience de ses responsabilités. » A cette lettre, il ne fut donné aucune réponse. Sûrement un événement grave était intervenu... Une maladie... Christian allait-il téléphoner ?... Il ne pouvait abandonner Mme Harbant ainsi, sans savoir... après toutes ces années.

Geneviève relisait une lettre pour la troisième fois. Elle ne parvenait pas à trouver un sens à ces mots qui s'alignaient bien frappés — une machine américaine, sûrement un dernier modèle — elle voyait des signes, rien d'autre.

Le téléphone sonna.

— Madame, c'est le docteur Lamblain...

Geneviève se raidit. Lui, toujours si froid, strict, enfreignant les règles et la relançant ainsi... car la veille déjà, il avait téléphoné.

Autant lui parler maintenant et en finir...

A cet homme, auquel elle eût voulut dire : « Je viens, je vais tout vous dire... ne m'abandonnez pas », elle devait répondre d'un ton dégagé, impersonnel.

— En effet, je suis rentrée... Oui, depuis quelques jours déjà, mais je ne peux pas reprendre le traitement pour l'instant. Un travail urgent. Impossible de distraire un moment. Je me sens bien vous savez, très bien même ! Je vous téléphonerai un peu plus tard. Oui... Je vous promets.

— Il ne saurait en être question. Interrompre... C'est absurde, criminel ! De la destruction, tout simplement. Trois ans et demi d'efforts perdus ! Votre temps, le mien... Madame, vous n'avez pas le droit d'agir ainsi. Et puis... cela vous ressemble si peu. Venez, au moins une fois... pour m'expliquer.

Oh ! comme Geneviève eût aimé faiblir, se laisser aller, mais elle demeura inébranlable, résistant calmement aux instances de Lamblain. La conversation terminée, elle sentit une déchirure en elle. Tout était consommé. Elle savait qu'elle n'entendrait plus jamais cette voix autoritaire et douce.

Geneviève vivait, mais comme à l'extérieur d'elle-même. C'était instinctivement qu'elle avait décidé de ne plus revoir Lamblain. En vérité, ce sacrifice s'imposait-il ? Prise de doute, espérant soudain voir sa décision condamnée par un tiers, elle consulta un médecin ami. Elle relata minutieusement dix ans de vie, sans rien omettre des faits. Le praticien, homme d'âge et de grande conscience, décida que cette attitude, si pénible fût-elle, devait être maintenue. « La seule honnête », conclut-il.

Geneviève cessa d'avoir des nouvelles de Lamblain. Cela lui parût normal et terrible.

Il lui restait le travail et, lorsqu'elle était de bonne humeur, enfin... pas trop abattue, Serge, toujours étourdi, satisfait et dispos.

Les vacances, périodes noires des amants, étaient proches. Cet été ils ne partiraient pas ensemble. Serge savait se plier parfois et de bonne grâce, aux obligations familiales trop évidentes — obligations qui lui permettaient ensuite de se sentir libre. Quant à Geneviève, elle avait décidé de quitter Paris seulement en septembre. Elle irait à la montagne. Elle détestait ces paysages qui l'écrasaient et l'oppressaient, mais sa disposition d'esprit l'inclinait justement à choisir ce qui la rebutait le plus. Comme si elle espérait tirer de la contrainte qu'elle s'imposait un bienfait que ne lui auraient pas apporté des plaisirs plus conformes à ses goûts.

De son côté, Serge cherchait à distraire Geneviève d'une séparation qu'il trouvait normale, salutaire même, mais dont il savait qu'elle souffrirait.

L'AUTRE PERSONNE

Puisqu'ils allaient se quitter pour plusieurs semaines, il multipliait les rencontres. Pour Geneviève, une fois encore, les échéances gâchaient son plaisir de l'instant. Elle devenait maussade.

Un dimanche matin, néanmoins, Serge la décida à accepter une longue marche. Comment résister à une lumière si douce, à une voix si affectueuse ?... Elle se laissa convaincre mais elle refusa tout but précis. Errer dans les rues, les avenues de quartiers inconnus lui apportait une forme de dépaysement. Explorer de vieux passages entr'aperçus en voiture... voilà ce qu'elle souhaitait ce matin-là et surtout éviter cet habituel coin snob du marché aux puces ou ces allées interminables du Bois.

Depuis près d'une heure déjà, ils marchaient d'un bon pas et Geneviève, peu à peu, s'était laissé gagner par la gaieté de Serge. Il la plaisantait sur le fait qu'elle eût choisi de rester au mois d'août à Paris — le paradis des femmes seules. « Les hommes sont en quête, profitent d'une liberté occasionnelle et vivent dans un esprit tout différent de celui qu'ils reprendront en octobre. Le conjoint absent, c'est l'ère des bistrots, des boîtes de conserves, des concierges de remplacement et de la poussière. Des aventures aussi... » Geneviève rétorqua qu'un tel concours de circonstances n'était pas nécessaire pour trouver un homme — qu'au demeurant elle ne cherchait pas. Les propos allaient s'envenimer, Serge sut les faire dévier habilement en se plaignant : « Geneviève allongeait comme à plaisir une séparation inévitable, préférant quitter Paris au moment où lui-même reviendrait. »

— Crois-moi, c'est mieux ainsi.
— Peut-être. Au moins, je t'attendrai, si c'est cela que tu souhaites.

Et il lui pressa tendrement le bras.

Depuis un moment, au bout de l'avenue toute droite, Geneviève apercevait une femme. De floue au départ, la silhouette s'éclairait peu à peu. Des souvenirs surgissaient avec des plans qui s'ordonnaient. Et soudain, ce fut le choc... Geneviève serra plus fort le bras de Serge qui tourna vers elle un regard heureux et paisible. Puis il regarda devant lui. La femme les croisa... sourit. Geneviève interrogea :

— Tu l'as vue ?
— Qui ma chérie ?
— Cette femme...
— Oui... jolie fille.
— Tu l'as reconnue ?
— Moi... non... pourquoi ?

Il paraissait surpris.

— Elisabeth...
— Quelle Elisabeth ?... Ah ! oui, la petite Lamblain... Tiens, je ne l'avais pas reconnue... Il est vrai qu'en tenue de ville... Quelle mémoire tu as !

Et il reprit la conversation interrompue...

Sincère, oui, il l'était... sans aucun doute. Et

c'était même cela le plus terrible ! Cette indifférence, cette inconscience. La vie de Geneviève brisée pour une femme, par une femme que Serge ne reconnaissait même pas quelques semaines plus tard ! Cela aurait dû atténuer, minimiser l'aventure. Bien au contraire, les faits demeuraient et c'était l'absurdité qui se gonflait — jusqu'à l'énorme. Tant de souffrances perdues. Tout ce vacarme pour rien ! Geneviève eut honte. Après tout, c'était elle la coupable. Coupable d'être faible, de perdre, de montrer des exigences sans la force nécessaire pour les imposer. Coupable de souffrir, d'être victime.

Donner... recevoir... Avait-elle même jamais aimé ? Fut-elle jamais aimée ? Des moments de plaisir... Des instants de bonheur, mêlés de soleil. C'était tout ce qui lui restait à présent pour survivre au milieu de souvenirs gris.

CHAPITRE VII

Remi sortait de chez son médecin. Crise cardiaque ? Dépression nerveuse ? Toutes ces maladies d'hommes d'affaires n'étaient pas pour lui. Même cela, on le lui refusait.

Le praticien, homme borné, le trouvait en bonne santé, mais Remi savait, lui, que c'était faux. Il ne croyait pas au diagnostic de ceux qui se prétendent compétents.

Depuis quelque temps déjà, un assez long temps en vérité, il ne circulait plus dans la ville, mais dans un nuage épais et cotonneux, distinguant à peine le jour de la nuit. Les passants étaient des ombres sans visage, qui toujours le bousculaient.

Au bureau même, il ne se sentait revivre et ne réagissait que si les choses allaient mal, vraiment mal. Les choses, c'est-à-dire les affaires, puisque son existence ne comportait plus d'autre centre d'intérêt. Seul l'argent lui permettait encore de

se ressaisir parfois, et même de vibrer. La crainte d'une affaire manquée lui permettait de recouvrer des forces oubliées, des indignations, des véhémences.
Christian, Mme Hélène, Isabelle — autant d'ombres aussi qui se confondaient à celles de la rue, ombres dont il ne savait rien, dont il ne voulait plus rien savoir.

Parfois, au cours de la nuit, il s'éveillait ; une sorte de bien-être l'envahissait. Il se sentait rajeuni, tel qu'il était autrefois, prêt à entreprendre, à lutter, à vaincre. Mais tous dormaient à cette heure. Avec qui dialoguer ? Personne pour le comprendre, personne à qui donner des ordres. Et, au matin, il ne restait plus rien de ces velléités, plus rien qu'une immense lassitude.

A sa table, il se trouvait devant des tâches à accomplir, il les accomplissait comme un automate. Bonne éducation, horreur du désordre... A la veille de sa mort, il remplirait encore des talons de chèques, vérifierait ses comptes. Au reste, n'était-il pas à la veille de sa mort ?

Des femmes le regardaient parfois dans les rues. Ne voyaient-elles pas à qui elles avaient affaire ? Tout cela, ne le lisait-on pas inscrit sur son visage ? Sans doute les vêtements bien coupés laissaient-ils planer quelque illusion, mais bientôt ce seraient de vieux vêtements puisqu'il ne s'en commanderait plus d'autres. Aller chez le tailleur, quelle dérision ! Depuis longtemps déjà, il était seul, depuis toujours, mais vis-à-vis de lui-même, il tenait autrefois à garder bonne figure. A présent, de cet effort, rien ne subsistait. Rien. Le vide. Il existe des êtres qui vivent pour les autres, ou pour une idée, ou pour un idéal — du moins le pensent-ils —, mais lui ne vivait pour rien ni pour personne. Rien. Ce mot revenait sans cesse. Le symbole même de sa vie. Un désert à franchir péniblement, pas à pas — jusqu'à la mort.

Les autres se jettent dans le tourbillon pour s'étourdir. Lui est lucide. En vérité, chacun est logé à la même enseigne. Enseigne... Quelle enseigne ? La vieille dame et sa faux ?... Pourquoi s'agiter ?

Et le médecin — une nullité éminente — le trouvait en bonne santé ! Bien sûr, il ne maigrissait pas. Il engraissait même. Un peu trop... Cela le déprimait. La nourriture — encore une joie possible, reconversion d'autres désirs — à éviter aussi. Un bon repas... cinq cents grammes le lendemain, un kilo parfois. Cette manie de contrôle ! Le poids... Autrefois, on n'y prêtait guère attention, on se pesait une fois l'an, chez le pharmacien, dans le métro. A présent, chaque jour, tout nu... un nouveau rite pour se priver d'un agrément sain.

Si au moins il s'était laissé aller à un moment quelconque aux débordements d'une vie tumultueuse, à des bonheurs, il pourrait se dire aujourd'hui que tout se paie, qu'un jour arrive l'échéance.

Mais non, toujours il avait vécu petitement, au-dessous de ses moyens et pourtant, aujourd'hui, on lui présentait une note exorbitante. Dupé ! Toute sa vie ! Il payait, comme les autres, sans avoir rien dépensé. Une économie absurde. Lui dupé ? C'était à crever de rire ! Son existence, parlons-en... Un mariage raté, deux filles indifférentes et rapaces. Un ami ?... L'expression le faisait sourire... un ami volage oui, et Lamblain. Remi cherchait à analyser... quoi au juste ? Quelle était la nature de ce mal ? Qu'est-ce qui n'allait pas ? Cette lassitude, ce nuage cotonneux, cette vie sans repères heureux.

« Je me lève tôt... toujours le même soin de mon corps. Un corps, sans emploi à présent. Qui sentira si je suis plus ou moins bien rasé ? Qui se soucie de ces muscles encore efficaces, de cette peau de velours, de cette douceur ? Pourquoi s'obstiner ? Pourquoi continuer ? La journée qui s'annonce est toujours terne, sans une joie à l'horizon, pas même un pauvre plaisir... Le soleil est absent — ou bien, présent, il me nargue. Au moins, la pluie, c'est une forme d'accord. D'accord avec mon âme.

« Je lis des lettres, je dicte les réponses. Chacun me parle comme s'il ne s'apercevait de rien... même ma secrétaire. Sans doute, depuis quinze ans, me regarde-t-elle comme un objet. Pour elle je ne suis pas un être humain, seulement une machine et quelqu'un à combattre. A quoi peut-elle rêver ? A diminuer les heures de présence. Aucune curiosité... Que j'aie un cœur, qui s'en soucie ? Les autres, comment vivent-ils ? Sous quelle narcose ?

« L'argent, tu ne l'emporteras pas non plus. Bien sûr ! Mais, là réside le jeu, le seul jeu, le vrai plaisir, celui qui empêche de sombrer tout à fait. L'argent reste, jusqu'au bout, un ami qui ne trahit point si on lui apporte des soins constants, une attention suffisante.

« Que certains le méprisent ? Allons donc ! Ceux qui ne le connaissent pas... ou par ouï-dire. Les autres y sont attachés comme moi ! Quoi de plus rassurant qu'une solide fortune ? L'argent, une faiblesse ? Sans doute, mais l'amour qu'on lui porte s'accentue, s'affirme régulièrement. Pas en suivant la progression des chiffres. Oh, non ! Beaucoup plus vite !

« Même pour ceux qui ont une famille, une femme, des enfants, d'autres femmes peut-être, l'argent demeure le grand souci, le vrai recours. Sinon qu'est-ce qu'on est ? Un pauvre type, tout simplement !

« Et moi, même aujourd'hui, dans mon état, tout délabré que je sois, je ne suis pas un pauvre type. Pas encore... Malade, oui, mais pas vraiment un pauvre type... L'argent apporte la considération... la puissance... la seule puissance.

« Un ami volage... et Lamblain !

« Eh oui ! on avait beau tricher, différer, jouer

à cache-cache, il fallait bien en arriver à celui qui, pour un caprice, avait détruit un échafaudage fragile, mais si habilement construit qu'il aurait pu durer jusqu'à la fin. Et pourquoi cette véhémence ? Pourquoi cet acharnement ?

« Se méfier de la bonté... Remi s'en était toujours gardé ; de la pratiquer, bien sûr... mais on devrait s'éloigner aussi de ceux qui en font profession. L'égoïsme ?... moins nocif, moins dangereux, même pour les autres, surtout pour les autres ! Lamblain croit sans doute à ce qu'il nomme le Destin. Messager du destin... joli rôle à tenir !

« Remi... Elisabeth... Curieux couple. Comment vivent-ils ensemble ces deux-là ? Certainement des difficultés entre eux que le bon docteur refuse d'accepter. Christian peut-il contenter une femme de cette sorte ? Elle doit avoir des exigences, sur tous les plans et sans doute aussi de l'expérience. »

Remi songea qu'il eût aimé, petite lueur dans ce tunnel, voir Elisabeth tête à tête et l'interroger. Oh ! habilement. L'amener à parler d'elle-même. Créer un trouble, peut-être un doute. Mais pour la rencontrer seule, il eût fallu faire preuve d'imagination, effort dont il se sentait incapable.

Tout en réfléchissant ainsi, Remi atteignait cet immeuble noirâtre dont depuis trente années il franchissait chaque jour le seuil. Les affaires s'étaient développées, mais il n'avait pas voulu pour autant changer de cadre. Il essaya de calculer combien de fois il avait franchi ce porche. Des zéros s'alignaient jusqu'au vertige... Le quartier, calme autrefois, résidentiel en quelque sorte, devenait bruyant. Comme une maladie qui gagne du terrain chaque jour, les boutiques, lentement, envahissaient la place ; les familles bourgeoises s'éloignaient : les machines à écrire, à photocopier, à calculer remplaçaient peu à peu les pianos à queue.

Remi, lui aussi, laisserait la place à d'autres, à des hommes plus jeunes, plus dynamiques, plus ambitieux. Un jour... oui... bientôt, cela se produirait.

Christian ne reconnaissait plus Elisabeth. Depuis l'incident de la lettre, il cherchait à comprendre cette inconnue, soumise, prévenante, attentive. Il sentait entre cette étrangère et lui comme un rideau, un rideau transparent, souple et infranchissable, qui se pliait, lui aussi, à chacun de ses mouvements. Parfois Christian était tenté d'arrêter Elisabeth dans sa course silencieuse et de lui dire : « Cesse donc de jouer, c'est fini. » Mais non. Il ne la bousculerait pas. Si elle ne voulait pas se confier à lui, l'y inciter serait inutile, voire néfaste. Ne rien suggérer, attendre, prendre patience. Respecter toujours la liberté de l'autre.

A présent, Elisabeth sortait rarement et jamais

sans préciser, devant Christian surpris, les heures des cours auxquels elle assisterait. Le reste du jour, elle travaillait à sa table et semblait redouter le téléphone.

Pour se délasser, elle se livrait à d'interminables rangements — ceux dont on parlait depuis des années. Les armoires étaient remuées, une odeur d'encaustique se propageait jusqu'au bureau de Christian. Elisabeth jetait des papiers, mais seulement après un contrôle attentif. Elle parlait peintre, tapissier, ébéniste.

— Tu te fatigues, ma chérie, que cherches-tu à transformer ? La maison est parfaite.

— Non, j'ai tout laissé aller, c'est inconcevable. Comment l'as-tu toléré ?

— Quelle expression !

— Celle qui convient ! Eh, oui ! tu aurais dû me rappeler à l'ordre. C'est aux femmes à veiller à ces sortes de choses.

La nuit aussi, Elisabeth devenait dans les bras de Christian une personne différente. Il cherchait en vain à retrouver son animal rétif, difficile à maîtriser. Il rencontrait la même soumission que dans la journée ! Une complaisance absurde ! Le médecin savait qu'Elisabeth quêtait une punition, mais le mari la lui refusait, attendant la fin de cet intermède lénifiant comme d'autres la fin d'un orage. Avec la même certitude, avec la même confiance.

Sur un seul point, cependant, Elisabeth opposait

quelque résistance. Christian ayant parlé à diverses reprises d'inviter Estève, elle s'était calmement obstinée sans se départir d'une attitude passive.

— Bien sûr, si tu le désires... mais que devons-nous à cet inconnu ? Enfin, comme tu voudras.

— Tu le trouvais agréable. Il semblait même t'intéresser.

— Oui, autrefois...

On eût dit qu'elle parlait de temps très anciens et aussi de quelqu'un d'autre. Puis, elle se trouvait soudain très en verve en changeant de sujet.

Christian n'insistait pas. Il n'allait pas la contrarier alors que, pour tout le reste, elle prévenait ses moindres désirs. Mais pourquoi cette réticence à l'égard de Remi ? Et, cependant, Lamblain ne pouvait abandonner cet homme. C'eût été une mauvaise action après ce qui s'était passé. Déjà discutable, cette intervention, si elle n'était pas suivie d'une longue cure, devenait criminelle tout simplement. On ne doit pas s'engager, si l'on n'est pas certain — oui, tout à fait certain — d'aller jusqu'au bout. Comment expliquer cela à Elisabeth ? Sûrement, elle aurait compris, approuvé, mais il s'agissait là d'un secret qui n'était pas seulement le sien... Plus tard, peut-être... beaucoup plus tard... Si Remi s'humanisait, il lui demanderait son accord, mais pour l'heure et quelles que soient les difficultés, il devait s'inquiéter de son nouvel ami, lui téléphoner tout au moins et le rencontrer. Quand ? Lamblain feuilletait son agenda comme pour y trouver une réponse, mais les objets vous donnent-ils jamais de réponses... Que pouvait-il attendre de ces feuilles rayées qui représentaient autant de mois, de jours, d'heures. Celles griffonnées, surchargées, dont les lignes se chevauchaient, c'était le passé. L'avenir, bien ordonné, faisait encore bonne figure. Christian, tout en se moquant de son défaut d'imagination, s'obstinait à espérer que ces pages-là ne deviendraient pas, comme les précédentes, le compte rendu d'une vie absurde. Pour en revenir à Remi, évidemment, Lamblain pouvait lui donner un rendez-vous dans la journée, mais jusqu'alors ils se rencontraient le soir, amicalement, avec ou sans Elisabeth. Une fois aussi un dimanche. Mais, à présent, Elisabeth ne sortait plus jamais après sept heures. Si Christian convoquait Remi et le recevait dans son cabinet, le sens de la rencontre serait tout différent, plus officiel. Ce mode n'aurait pas convenu à la singularité de leurs relations.

Il se décida cependant à appeler sans trop savoir ce qu'il proposerait.

— Vous êtes bien silencieux, Remi.

— Je vais mal, très mal...

La voix était cassée.

— Et vous ne m'avez pas prévenu !

— A quoi bon...

— Je suis médecin aussi...

— Peut-être...

— Allons, je vous donne un rendez-vous.

Somme toute, les choses s'arrangeaient plutôt bien.

— Serai-je même capable de m'y rendre ?... Qui sait ce que me réserve l'avenir...

— Vous êtes bien à votre bureau.

— L'habitude... la force de l'habitude. Comme les vieux chevaux... sous le harnais.

Christian regardait l'agenda ouvert devant lui. Demain... après-demain... pas une heure de libre... Ah ! si, l'heure de Mme Harbant puisqu'elle s'obstinait...

— Après-demain, cinq heures.

— Bon, enfin peut-être...

— Je vous attends.

Christian eut envie d'ajouter : « Je n'ai pas de temps à perdre », mais il se contenta de quelques paroles d'encouragement.

Christian était un homme ponctuel. Par tempérament, et au surplus sa profession l'exigeait, l'exactitude étant le complément indispensable à la discrétion qui s'imposait.

Des malades se rencontrent sans émoi dans le salon d'un chirurgien, d'un cardiologue ou de tel autre spécialiste ; pas chez un psychanalyste. Il s'agit là d'un traitement confidentiel, non encore tout à fait dégagé de son halo de maléfice. Pour les non-initiés, la folie rôde par-là. Rares sont ceux qui osent avouer qu'ils entreprennent ou suivent cette sorte de cure.

Chez Lamblain, un système précis de sonnerie permettait d'éviter les rencontres, non seulement des malades entre eux, mais encore de ceux-ci avec Elisabeth qui devait ignorer — au moins théoriquement — les noms des patients que son mari traitait. Restaient les hasards de l'escalier, du quai devant l'immeuble... Elisabeth affectait alors de profondes préoccupations ou une providentielle myopie.

Contre Remi, Elisabeth se heurta en fermant la portière de sa voiture. Avec lui, comment feindre ?

— Quelle joie !...
— Vous montez voir Christian ?

Elle était sincèrement surprise.

— Vous ne le saviez pas ?
— Je ne sais rien de ce qui se passe chez moi avant huit heures du soir. Et je ne dois pas le savoir !
— Il reste fort heureusement l'imprévu.
— Je suis désolée...
— Moi pas.

Remi regardait sa montre.

— Encore dix minutes avant mon rendez-vous... plus l'attente, je suppose...
— Vous n'attendrez pas.

Il prit familièrement le bras d'Elisabeth.

— En tout cas, nous avons dix minutes. C'est

beaucoup dix minutes bien employées. On peut changer sa destinée en moins de temps ! Venez, marchons un peu, il fait beau.

— Vous avez bonne mine !
— Ah, non ! Pas vous !
— Pourquoi ? C'est méchant ce que j'ai dit ?
— Non, mais justement je vais mal, très mal... C'est pour cela que je viens voir votre mari.
— Excusez-moi... Je ne voulais pas être indiscrète. Vous êtes très élégant. Ça je peux le dire ?
— Non plus... car c'est faux.
— Bien, je me tais. Je n'ai pas de chance aujourd'hui.
— Moi, si !
— Vous voyez bien...
— Laissez-moi finir : j'ai de la chance de vous avoir rencontrée. Cela me fait du bien... oui, vraiment du bien. On devrait se voir plus souvent.
— Vous ne téléphonez pas.
— Parce que je vais mal...
— Raison de plus... C'est cela l'amitié.
— Pas la force.
— On n'en sortira jamais !

Et ils éclatèrent de rire. L'un et l'autre pour la première fois depuis longtemps.

— Il doit être l'heure...
— Je le crains...
— Dommage... Peut-être pourrai-je vous voir après... en quittant le cabinet ?...

— Christian n'aime pas beaucoup ces interférences.

— Je descendrai et je remonterai !

— Ne soyez pas stupide.

— Je lui en parlerai... Il m'autorisera sans doute.

— Comme vous voudrez... Je serai là... Montez à présent, je vous laisse. Moi, j'ai oublié un paquet dans ma voiture.

Remi sourit, sceptique.

— Non, croyez-moi, c'est mieux ainsi.

Lamblain entra avant huit heures dans le bureau d'Elisabeth, une pièce minuscule toute encombrée de livres et d'objets ; il parut surpris de voir Estève.

— Christian, j'ai dit à Remi de rester avec nous ce soir...

— Quelle bonne idée !

— Oui, j'ai pensé...

— Tu as pensé fort bien. Nous dînons ici ?

— Je voulais vous emmener...

— Pas du tout, il se contentera de ce qu'on lui servira.

Elisabeth avait repris de son autorité et de son enjouement.

— D'autant plus que je dois vous quitter à neuf heures. L'as-tu oublié ? C'est jeudi, et tu sais...

— Oui, c'est vrai, je n'y pensais plus.
— Dans ce cas, je vous laisse...
— Au contraire, vous tiendrez compagnie à Elisabeth. Une fois par semaine je l'abandonne le soir pour un séminaire. Aujourd'hui, je n'aurai pas de remords. Tout juste des regrets. Au reste, je ne tarderai pas, je vous retrouverai certainement à mon retour.

Durant le repas, Christian et Elisabeth se montrèrent d'humeur gaie. Mais Remi ne parvenait pas à déceler l'origine du malaise qui, peu à peu, le gagnait. Il sentait entre ces deux êtres une sorte d'affectation, un rien d'artifice dans leur comportement. Il n'aurait pu en décrire une manifestation précise. Un excès de prévenance peut-être, une courtoisie insolite. Un manque de liberté... Oui, sans doute, c'était cela... Ils n'étaient pas libres l'un envers l'autre.

Après le départ de Christian, Remi s'aperçut qu'il avait vu juste. Elisabeth changeait de ton, comme si elle secouait, pour s'en dégager, un vêtement encombrant. Remi cependant n'était guère loquace. L'art de la conversation lui restait fort étranger. Il ne comprenait pas que l'on pût parler si l'on n'avait rien à dire. Il connaissait peu Elisabeth ; c'était leur premier tête-à-tête, hormis les dix minutes de marche de l'après-midi, mais là, l'imprévu avait rendu les choses plus faciles. Un courant de sympathie, néanmoins, s'établissait à nouveau, bien que la jeune femme ait perdu cette forme de spontanéité si séduisante pour Remi lors de leurs précédentes rencontres.

Elisabeth portait aujourd'hui une robe très simple, droite et sans ceinture, taillée dans un gros lainage blanc. Plusieurs bracelets tintaient à chaque mouvement du bras gauche.

Remi fixait son regard sur ces anneaux d'or brut à peine polis et découpés grossièrement.

— Vous aimez mes bracelets ? En vérité, j'ai peu de goût pour les bijoux, mais il s'agit là d'objets curieux, plus à poser qu'à porter ; ils me plaisent ; j'aime ce contact rude.

— Ils vous vont bien, en effet.

— Aucun dessin, aucune finition. De l'or, tout simplement, traité par des peuplades lointaines. L'or est vraiment un dieu universel. Je me demande parfois pourquoi je n'aimerais pas des bracelets identiques découpés dans un métal différent.

— Parce que, justement, ils seraient différents.

— Croyez-vous ?

— Evidemment. Qu'est-ce que la réalité en dehors de l'idée que l'on en a ? Qui en doute ?

— Vous avez sans doute raison. On m'a rapporté des Etats-Unis un collier fort original et de bon goût. Chacun l'admire, les rares fois que je le porte. On le croit précieux ; il ne l'est pas ; je le déteste comme un mensonge, un vilain mensonge sans excuse.

— Parce que, selon vous, il existe des mensonges excusables ?

— Oui.

— Je ne le crois pas. Pour en revenir à votre collier, sans doute donnez-vous là une explication exacte, mais exacte en partie seulement ; ce n'est qu'une des faces de la question.

— Pourquoi ?

— L'or, aujourd'hui encore, garde une puissance magique, une valeur de symbole, quel que soit le degré de civilisation auquel on atteint. Il est rare, indestructible... donc plus fort que l'homme. Un rêve, somme toute. Et pour vous aussi !

— Peut-être avez-vous raison, pourtant je ne suis pas attachée à la valeur des choses.

— A la valeur, si, sans aucun doute, car la fortune est la forme la plus sûre de la puissance.

— Non, il s'agit d'un mythe.

— Elisabeth, nous ne serons jamais du même avis, du moins sur ce sujet. M'accorderez-vous de répondre à ceci : l'or ne comporte-t-il pas en lui une puissance érotique ?

— Nous y voilà ! Il fallait bien que le sexe soit mêlé... jeta d'un air las Elisabeth. On y revient toujours. Et plus on en parle, moins il importe. L'incitation perpétuelle de la rue... pour secouer une génération de névrosés.

— De névrosés ! Comme vous y allez !

— Oh ! tous les intellectuels le sont plus ou

moins. Ils se jouent la comédie. Et pour l'homme d'affaires, l'argent seul compte.

Elisabeth reprenait, s'animait ; le sujet lui tenait à cœur.

— Vous croyez vraiment que des titres déposés chez un banquier, des feuilles de papier que vous ne verrez même jamais, dont vous ne savez ni la couleur ni le dessin...

— ...Font que je représente quelqu'un qui serait tout différent si ces feuilles de papier, comme vous dites, n'existaient pas ? Certainement oui, même si je ne touche jamais aux revenus qu'ils me rapportent... ou ne me rapportent pas.

Remi, lui aussi, s'animait.

— Si ces titres montent ou baissent, mon personnage se modifie. Songez, Elisabeth, que des hommes se sont suicidés parce que ces chiffons de papier ne valaient plus rien. Et, cependant, métier, situation, leur permettaient de vivre sans rien changer à leurs habitudes.

— Ce sont des fous ! Imaginez qu'ils aient perdu ces titres et ne l'aient pas appris, ils eussent alors vécu sans soucis. Seuls les riches sont avares et cette avarice les empêche d'être heureux. C'est bien ainsi ; la vie est juste.

— Vous le croyez vraiment ?

Le ton cette fois était désabusé.

Elisabeth reprit :

— Moi, je m'intéresse seulement à l'argent mis à ma disposition... et encore, assez peu. Il ne

mérite aucun des sacrifices que l'on consent pour l'acquérir ou le conserver.
— L'acquérir est plus facile que le conserver.
— Tant pis ? Tant mieux ? Je ne sais pas...
— Vous, les femmes, en tout cas, vous n'êtes pas si détachées... Dépenser est votre plaisir. Dépenser l'argent que nous vous donnons.
— Ou que nous gagnons.
— Celui-là, vous le ménagez davantage.

Elisabeth haussa les épaules. Elle s'indignait, Remi enchaînait :

— L'argent, pour nous, c'est la puissance...
— Encore !
— Qu'y puis-je ? Je vous dirai seulement que seul l'argent apporte la vraie puissance. Regardez autour de vous : la presse, la radio, la publicité...
— Provisoirement peut-être, mais vous êtes un homme du passé, Remi. Ces modes finiront bientôt...
— On en reparlera... Pas nous, sans doute... Mais laissons cela. Elisabeth, parlez-moi plutôt de vous.
— De moi ?... A quoi bon ? ce n'est pas intéressant.
— Vous paraissez triste, ou... pour mieux dire : résignée...
— Quelle idée... Non... Mais vous, qui êtes-vous en vérité ? Je me le demande parfois.
— Peut-être, vous le dirai-je un jour ?
— Un secret ?

— D'une certaine façon... mais chacun n'a-t-il pas le sien ?

— Quel étrange ami Christian a ramené de sa retraite ! Savez-vous qu'il semble tenir beaucoup à vous.

— Je l'espère bien !

— Son affection a du prix. Je lui connais peu d'amis et encore moins de relations.

— Et moi, croyez-vous que je me disperse ? Seul... toujours seul.

Remi laissa passer un temps avant de reprendre.

— Vous semblez très unis tous les deux ?

— Evidemment...

— Pourquoi évidemment ?... C'est rare un couple...

— Sans doute...

— Vous vous êtes mariée très jeune et c'est une réussite... Quelle chance est la vôtre !

— Christian est très bon... Sûrement, je ne mérite pas un tel compagnon...

Elisabeth restait perdue dans un rêve que Remi n'osait troubler. Il sentait qu'il s'aventurait sur un sol mouvant.

— Oui, je suis méchante.. et curieuse. A votre tour Remi... Racontez un peu. Pour me distraire.

— Ce ne serait pas distrayant du tout !

— Mais cette clinique où vous avez rencontré mon mari...

— Etait une clinique banale où je me reposais par hasard... Je dépensais trop en Suisse...

— N'êtes-vous pas riche ?
— Pas tellement... Et au demeurant serait-ce une raison ? Croyez-moi, c'est une question sur laquelle les femmes et les hommes...
— Il existe des femmes avares et des hommes prodigues.
— Qui parle ici d'avarice ou de prodigalité ?
— Assez sur ce sujet... Dites-moi comment, dans cette clinique, vous êtes entrés en contact tous les deux ? Je ne suppose pas qu'il s'agissait d'une vie en commun généralisée, je ne vous vois ni l'un ni l'autre dans un monde communautaire... Pour des raisons différentes, au reste...
— Je vous raconterai cela un autre jour.
Elisabeth se levait, allumait une cigarette.
— Bientôt, je l'espère.
Le ton était redevenu mondain. Estève se leva à son tour et prit congé.
Après le départ de Remi, Elisabeth sut qu'elle venait de frôler un obstacle... Dangereux ?... Surprenant ?... Elle n'aurait pu le préciser, mais elle savait qu'un événement important avait été ce soir évité de justesse. Bonheur ?... Malheur ?...
Elle savait aussi qu'elle reverrait Remi. Il parlerait. Elle l'y contraindrait.
Lorsque Christian revint, Elisabeth semblait très absorbée, un gros volume entre les mains...
— Je suis désolé, chérie, j'ai été retenu plus longtemps qu'il n'était prévu... Déjà couchée à ce que je vois ! Remi est parti de bonne heure ?

— Il y a déjà un moment...
— Comment l'as-tu trouvé ?...
— Ennuyeux, lorsque tu n'es pas là.

Elisabeth n'osait lever les yeux, continuant apparemment à lire... Elle se sentit rougir... Pourquoi ce mensonge ? Rien à cacher cependant ; sans doute une réponse plus conforme à la vérité eût satisfait Christian... Alors pourquoi ?... Pourquoi ne pas avouer qu'elle était intriguée par cet homme et qu'elle le trouvait séduisant, lui et le personnage mystérieux qu'il incarnait.

Remi venait de quitter Elisabeth. Une sorte de détente heureuse l'envahissait — un sentiment de réconfort aussi — et il froissait avec une certaine désinvolture l'ordonnance rédigée par Lamblain. On verrait le lendemain si le mieux, ressenti ce soir, persistait.

Un peu de chaleur humaine... était-ce cela seulement qui lui manquait ?... A lui, comme aux autres ?... Non, évidemment, puisqu'il en connaissait la vanité, le miroitement trompeur. Il ne serait pas dupe une nouvelle fois. Sans doute, s'agissait-il aujourd'hui d'autre chose.

Elisabeth l'intriguait, piquait sa curiosité... N'était-il pas allé jusqu'à la questionner ? Christian semblait satisfait de les laisser seuls. Et Elisabeth ?... Une feinte, cet oubli de la sortie du soir hebdomadaire ? Christian, certainement, souhaitait que naisse une amitié... Avec Remi, il pensait ne rien risquer... Ce crétin, avec sa bonté, son courage, son sens de l'honneur, du mérite... Une véritable image d'Epinal, un répertoire des valeurs périmées. Remi, néanmoins, devrait y regarder plus avant. Si ce mari-là était berné, lui aussi. Dupé... Comme Remi... Comme tous les autres. Quelle victoire ! A jouer les bons Samaritains... on n'en est pas moins victime. Sans doute, le sort de Christian n'était-il pas si différent de celui des hommes qui n'étaient... que des hommes... pas des anges.

Un prochain matin Remi téléphonerait à Elisabeth. Cette fois, il serait plus habile et elle plus loquace.

Elisabeth continuait à jouer son rôle et Christian à tenir le sien, celui d'un homme placide, d'un mari compréhensif qui connaît les nerfs féminins et ne s'étonne de rien.

Alain restait sur son échec. Il lui devenait difficile de trouver quoi que ce fût pour venir troubler l'existence de sa sœur. Le venin jeté, il disparaissait. Peut-être ne réapparaîtrait-il plus ? Elisabeth l'espérait... non sans une certaine nostalgie. Un salaud évidemment... mais la chance ne lui avait guère souri... Dans d'autres conditions... Pourtant Christian lui-même refusait de s'intéresser à une si hasardeuse rédemption.

Curieuse soirée avec Remi... Autrefois, sans aucun doute, Elisabeth eût tenté de le séduire, au moins pour vérifier son propre pouvoir ; à présent, elle avait renoncé, et définitivement, à ces sortes de jeux. Un instant, elle pensa que c'était triste... Mais on ne remet pas sa vie en question chaque matin. Christian, naturellement, ne voyait rien... Sa confiance l'aveuglait comme un phare puissant arrête la vision. C'était bien cela, trop lucide, trop perspicace, trop intelligent, trop bon... Aveugle. Un homme parfait, ne devient-il pas, à la longue, exaspérant ?

Remi venait de téléphoner. Il avait feint d'être surpris par l'absence de Christian. Il savait cependant que, chaque matin, très tôt, celui-ci partait pour l'hôpital.

Après d'assez longs préambules, Elisabeth et lui étaient convenus d'un rendez-vous pour le lendemain matin à onze heures. D'ici là, comme à l'ordinaire depuis quelque temps, mille obligations retiendraient l'attention d'Elisabeth. Elle s'y donnait corps et âme avec une sorte de désespoir furieux. Parfois, un éclair de lucidité la traversait et elle se demandait comment elle satisferait jamais ce désir de réparation qui l'habitait.

Un impossible rachat... Cependant, elle avait réfléchi, lu des livres, mais elle ne comprenait pas pourquoi Christian refusait obstinément d'entrer dans son jeu. Lui accorder une punition qui l'eût délivrée, était-ce si difficile ? Il s'agissait là de moments fugitifs et à peine conscients, haltes imperceptibles dans une agitation besogneuse. Elisabeth tapait à la machine, classait des fiches, recopiait des cahiers entiers de notes, téléphonait à des fournisseurs. Tous les meubles étaient vérifiés, revernis, les rideaux nettoyés. Elle se préparait comme pour un absurde examen auquel elle ne serait jamais candidate. Une activité qu'elle ne pouvait maîtriser l'occupait tout entière et, inlassablement, elle perfectionnait.

Ce jour-là, à la fin de l'après-midi, Elisabeth abandonna ses tâches après avoir jeté un coup d'œil sur son miroir. Elle s'était à peine reconnue. Aussitôt, elle sortit et se rendit chez le coiffeur. Pour le rendez-vous avec Remi ? Certes, non ! Seulement pour ne pas donner tout à l'heure à Christian un spectacle navrant.

Dans un instant Remi allait sonner. Qu'attendait Elisabeth de cette rencontre ? Rien. Néanmoins, elle s'y préparait avec soin. N'apportait-elle pas à présent une attention constante à chacun de ses gestes, à chaque petit événement qui marquait l'existence, en vérité assez terne, qu'elle avait choisie.

Déjà, Remi entrait, élégant et souriant.

— Prête pour une longue marche ?

— Volontiers. Vous allez mieux ?

— Parlons d'autre chose, voulez-vous...

— Décidément, je ne dis jamais ce qui convient...

— Allez, venez.

Et Remi entraîna Elisabeth. Ils descendirent silencieusement l'escalier raide.

Devant la porte, ils oublièrent la voiture et traversèrent le pont d'un même pas rapide.

— Elisabeth, vous possédez un pouvoir qui me surprend : moi, qui me fais une règle de ne jamais interroger personne et qui, au demeurant, n'en ressens pas le désir — avec vous, il en va tout autrement. Mille questions me viennent...

— Que voulez-vous savoir ?

— Tout... Oui, pourquoi le nier ? Je suis curieux de vous. Tenez, parlez-moi donc de votre enfance.

— Je n'ai pas eu d'enfance.

— Tout le monde...

— Sauf moi... J'étais vieille à six ans. Plus vieille et plus sage qu'à présent.

Elisabeth se tut un moment.

— Ma jeunesse a commencé lorsque j'ai rencontré Christian.

— Quelle chance est la sienne ! Comme j'aurais aimé, moi aussi, donner sa jeunesse à une femme...

— Vous êtes marié ?
— Je l'ai été, hélas !
— C'est vrai, Christian m'a dit cela. Pardonnez-moi.
— Vous pardonner quoi ? Il ne s'agit pas là d'une histoire douloureuse... sordide, seulement. Personne, jamais, ne m'a aimé.
— Etre aimé... c'est facile, c'est aimer qui importe.
— Toute ma vie j'ai été dupé : par ma femme, par mes filles, par mon père même, je l'ai appris récemment.
— Et votre mère ?
— Je ne l'ai pas vraiment connue, mais...
— Hélas ! moi, j'ai connu la mienne...
Remi se tut un instant.
— Christian ne vous a rien dit de notre rencontre ?
— Si... Enfin, que vous aviez sympathisé, et j'en ai été surprise, comme je vous l'ai déjà dit ; surprise surtout des marques d'amitié qu'il vous témoigne et que vous n'appréciez pas comme il convient, me semble-t-il.
— Bien sûr que si !
— Il faut connaître Christian vraiment, pour l'aimer. Sa bonté...
— Je sais... je sais...
— Non, vous ne savez pas !
— Je connais aussi sa maladresse !

— Parfois on ne comprend pas...
— Elisabeth, je ne voulais pas vous parler, mais il faut tout de même que vous sachiez...

Lorsque Lamblain rentra chez lui pour le déjeuner, il trouva la table dressée avec un seul couvert. La domestique était chargée de lui dire que Madame était rentrée un moment plus tôt se plaignant d'une forte migraine et qu'elle était couchée à présent.

Christian poussa doucement la porte. Les rideaux étaient tirés et Elisabeth semblait dormir. Il écouta un instant son souffle égal avant de se retirer avec précaution.

Certainement, Elisabeth lui cachait quelque chose. Il était temps peut-être qu'il s'en préoccupât.

Elisabeth s'habillait rageusement.
« Je déteste cette bonté dérisoire. Je ne veux plus vivre avec ce saint-bernard. Et l'autre qui craint d'être dupe, dupe de sentiments qu'il est bien incapable de ressentir. Un égoïste tout simplement. Intelligent ? Peut-être... Sans aucune sensibilité... Une morte seule l'occupe... Un arriéré sur le plan affectif. Alors l'intelligence sans rien d'au-

tre... une machine ! Cet homme... un infirme. Ah ! ils sont bien frères... le bon et le méchant... Caïn et Abel, ce n'est pas très nouveau. Ils se valent et je les déteste... autant l'un que l'autre. »

Enfin prête !

Elisabeth prit les clefs de sa voiture et descendit l'escalier comme si un rendez-vous urgent l'appelait.

— Elisabeth !...
— Eh, oui, c'est moi ! Vous me reconnaissez encore ?
— Plus belle que jamais, ma poulette, mais quel bon vent t'amène ? Pas d'ennuis, j'espère...

Mme Hélène ne vieillissait pas. Elisabeth ne l'avait pas rencontrée depuis quinze ans et elle retrouvait, en l'embrassant, le même visage ferme et aussi ce parfum vieillot qu'elle n'avait jamais pu oublier totalement. « Un mélange à moi », disait toujours Mme Hélène lorsque autrefois Elisabeth s'émerveillait. Mme Hélène lui donnait aussi à cette époque des pastilles à la violette qu'Elisabeth n'avait jamais pu retrouver : « Une adresse à moi. » L'enfant croyait alors que cet « A moi » était une sorte de magasin gigantesque où l'on trouvait de tout : des bonbons comme des parfums et mille autres choses mystérieuses. Magasin qui appartenait à cette jolie dame si douce et si distinguée dont sa mère parlait toujours avec respect.

Les seules journées heureuses de son enfance, après avoir été séparée de sa nourrice, Elisabeth les avait passées « chez Mme Hélène ». Plus tard, elle avait compris le sens des activités auxquelles se livrait cette dame agréable et gaie, et pourquoi sa mère restait là-bas de longs après-midi tandis que la petite fille jouait sur le tapis de ce salon où passaient tant d'amis... généralement des vieux messieurs et des jeunes femmes si jolies. Tout le monde était très gentil avec Elisabeth. On s'exclamait sur sa beauté, sur sa sagesse, sur sa précocité et elle se sentait fière d'être ainsi appréciée. Elle eût aimé vivre là. Toujours. Une fois, il lui advint même de dormir « chez Mme Hélène », mais les autres jours sa mère la ramenait à la maison, une maison tellement moins luxueuse, où les coups pleuvaient. Vint le moment où elle s'abstint de retourner « chez Mme Hélène », non pas que ses sentiments, vis-à-vis de la vieille dame, eussent changé, mais une sorte de honte, peut-être...

Que venait-elle chercher aujourd'hui chez Mme Hélène ? Elle eût été bien en peine de répondre et elle préférait n'y pas songer. Son instinct l'avait poussé là comme vers un refuge. Une épaule où pleurer ? Retrouver quelqu'un qui la connaissait vraiment, un être auquel elle n'eût rien à cacher ? Se venger de Christian, de sa générosité obsédante ? Surtout être indigne — oui, cela aussi. Et peut-être suivre la trace de sa mère, connaître des hommes anonymes...

— Elisabeth, tu es folle ! Si tu as besoin d'argent, j'aime mieux te le donner moi-même.

— Ce n'est pas cela, madame Hélène.

— Allons, calme-toi et dis-moi tout.

— Parlez-moi de ma mère.

— Que veux-tu que je te dise que tu ne saches déjà... Une pauvre femme irresponsable et qui n'a pas eu de chance. Il suffit d'un rien parfois pour que tout devienne tellement différent. Certaines s'évadent, d'autres pas... C'est tout.

— Dites, dites encore...

Elles parlèrent longtemps. Peu à peu Elisabeth se calmait. S'apprêtant à partir, elle embrassait Mme Hélène dans le hall lorsqu'un coup de sonnette retentit.

Mme Hélène poussa Elisabeth dans un petit salon.

— Reste là un instant...

Mais elle ne referma pas la porte assez vite pour qu'Elisabeth n'eût le temps d'apercevoir Remi qu'une femme de chambre introduisait, avec un mot aimable, dans le salon voisin. Visiblement comme un familier.

Mme Hélène revenait.

— Vous connaissez ce monsieur ?

— Elisabeth, tu es indiscrète.

— Vous n'avez pas fermé la porte...

— En tout cas, je ne veux pas te revoir ici. C'est compris. Et oublie, je te prie, qui tu as cru apercevoir.

Elisabeth s'éloignait, pensive. Ainsi d'autres questions, d'autres mystères surgissaient. Il lui semblait que son pied, malencontreusement posé, venait de faire lever un essaim autour d'elle. Tous ces insectes, impossible de les maîtriser.

Surtout, ne plus tenter un geste, rentrer en soi, rester immobile ou bien quelque catastrophe irrémédiable se produirait. Oui, elle devait demeurer impassible, retenir jusqu'à son souffle.

Quelques jours passèrent. Elisabeth se déplaçait silencieusement autour de Christian. Elle aurait voulu lui parler, mais elle s'était imposé un temps de réflexion. Une semaine exactement, après quoi elle déciderait de la nécessité ou de la vanité d'une telle conversation. Le septième jour tombait un mardi. La soirée serait réservée à ce qu'aurait choisi Elisabeth.

Le mardi à midi, Christian, en rentrant de l'hôpital, grelottait, en proie à une fièvre violente. Il avoua alors à Elisabeth que, depuis quelques jours déjà, il se sentait fatigué, atteint par instants de nausées et de vertiges. Evidemment, se reprocha-t-elle aussitôt, elle n'avait rien vu, toujours en proie à ses soucis dérisoires. Et un champ nouveau s'offrit à son activité inlassable.

Des confrères se succédèrent au chevet de Lamblain. Des spécialistes éminents. Chaque jour, le diagnostic était différent. On pensait à des maladies rares, à des infections coloniales. Enfin, on sut qu'il s'agissait d'une fièvre typhoïde. (Au début, des médicaments avaient masqué la maladie, faussé les analyses.) De nos jours ce n'est plus là un mal mortel. Il suffit d'être bien soigné. C'est compter sans les complications possibles. Dans les milieux médicaux on voit souvent de ces malchances. Un médecin n'est pas un malade comme les autres, on craint de le tourmenter par les traitements appropriés s'ils sont pénibles, on ne croit pas toujours à une vraie nécessité, on se pose mille questions avant d'agir... au mieux.

Lamblain ne participait pas, il restait serein, passif. Consentant. Il se prêtait, sceptique, à toutes les investigations, se plaignant seulement parfois d'être las. Sa volonté de vivre semblait l'avoir quitté. C'était cela le plus surprenant. Il y eut une rémission, on le crut sauvé, puis la fièvre remonta. On s'interrogeait, on l'interrogea, sur son enfance, sur sa jeunesse.

— Il n'avait jamais été malade. Une alerte, seulement lorsque, externe, il était resté six mois dans un service de tuberculeux, mais cela n'avait aucun rapport...

— Non, aucun rapport, en effet...

Il délira, parla d'une plage merveilleuse et de la mer verte. Toujours de la mer. Ensuite, il y eut cette clef, qu'il avait perdue et qu'on devait chercher. Impossible de ne pas la retrouver. Il s'impatientait. Enfin, il s'installa dans le silence. Chaque jour il s'affaiblissait davantage. On n'obtenait pas du traitement les résultats escomptés. La fièvre se maintenait : quarante degrés et des dixièmes. Elisabeth regardait avec rancune le mercure indocile. Elle se prenait à croire qu'il mentait. Détraqué, oui, sans doute... Un autre, peut-être, serait plus complaisant. Elle s'obstinait. Hélas !

Christian, lui, ne se souciait de rien, ne posait aucune question. Il regardait Elisabeth, mais comme s'il voyait au-delà de tous ceux qui l'entouraient. On parla de prendre une infirmière... pour la soulager. Elle ! La soulager ! Quelle dérision ! lorsque la vie de Christian était en jeu ! Non, elle seule pouvait et saurait le sauver.

Deux semaines durant la jeune femme vécut pratiquement sans sommeil. Les médecins s'alarmaient de ses nerfs tendus qui seuls la soutenaient.

« Christian alité, docile, résigné, c'est inconcevable ! Qui a pu permettre ? Si je ne le quitte pas, pas une seule seconde, si mon regard demeure accroché à lui, sûrement il ne mourra pas. Il ne pourra pas briser un tel lien ! »

Et pourtant, un soir, ce fut fini. Il avait suffi de vingt journées et de vingt nuits. Elisabeth ne comprit pas immédiatement. Elle priait. Non pas Dieu. Elle priait devant ses souvenirs en la force desquels elle croyait. Tant de clarté, de lumière, ne pouvait sombrer dans le néant... Elle revoyait une plage dorée ; ses cheveux, longs alors, flottaient dans le vent, ses pieds nus foulaient le sable chaud. La bibliothèque de la Faculté, c'était avant. Dans le couloir, Christian lui avait offert sa première cigarette ; quelques jours plus tard, il lui glissait dans la main un briquet. Il y eut aussi le restaurant chinois : pour elle, il s'agissait ce jour-là d'une initiation. Ils allèrent aussi au théâtre, au cinéma et surtout ils se promenaient. Tout s'était déroulé sans heurts, mais d'une façon qui semblait inéluctable... Ces corps unis, cette merveilleuse entente, le miracle de la vie commune, comme si rien ne devait jamais interrompre une suite de jours heureux. Et puis la cassure ! Par sa faute à elle, évidemment. Mais cette partie de leur vie s'estompait. Seuls des souvenirs de bonheur l'entouraient.

Elisabeth n'avait jamais vraiment pensé à la mort. Un soir, sans doute, on les emporterait tous les deux, au même instant, enlacés pour l'éternité. Et, à présent... Soudain un terrible silence l'enveloppait. Les images se confondaient. Un grand vide. Le plus effrayant était cette immobilité de l'autre, ce visage serein, cette jeunesse en un moment retrouvée. Le temps à l'envers. Et si vite. Ainsi, c'était cela ! Christian gisait à ses pieds et elle était seule. La première veuve sur la terre !

« Il est parti... je n'ai pas su le retenir. S'il avait compris combien je l'aimais, il aurait lutté davantage et, à nous deux, nous aurions gagné le combat. Sans doute n'ai-je pas su lui exprimer mon amour puisqu'il ne l'a pas ressenti assez fortement pour rester auprès de moi. Quelle serait donc cette réalité non vécue par l'autre ?... Simplement une illusion. Les questions non résolues s'entassent avec les mensonges et les demi-vérités. Et nous avions encore tant à nous dire. Enfin, nous atteignions l'accord parfait... Trop tard. »

EPILOGUE

Dans le vide. C'était bien cela, elle flottait dans le vide. Elle avait entendu parler de ce qui advient lorsqu'on atteint les limites où cesse la pesanteur. Les objets s'éloignent de vous ; il s'agit d'un monde imprévisible, échappant à toutes les lois qui régissent notre monde à nous. Une ceinture est alors nécessaire pour demeurer assis sur un fauteuil. Oui, c'était exactement ce qui lui arrivait. Plus rien ne la retenait. Tout s'entrechoquait.

Elle était seule. Seule, solitaire, solitude, cette famille de mots devenait la sienne. Sa seule famille. Dorénavant, elle n'en connaîtrait plus d'autre. Une nouvelle Elisabeth venait de naître, toute différente, et sur une planète qu'elle ne reconnaissait pas. Aucune attache, aucune amarre. Pourquoi faire telle chose plutôt que telle autre ? Rien ne commandait rien. Pourquoi se nourrir, se coucher, attendre le sommeil ? Demain ? Il n'existait pas de « demain ». Seulement un immense « à quoi bon ? »... Un concours à passer ?... Dérisoire. Tout devenait dérisoire... Elle était amputée de la meilleure part d'elle-même, de son cerveau, de ses membres. Amputée de ses désirs, de sa volonté, que lui restait-il ?... La liberté... Ah ! parlons-en ! Pour être libre, il faut être deux, s'opposer, combattre, choisir. La liberté, ce néant ?... La prison plutôt !

L'enterrement... Présente, sans y croire, sans comprendre ; ce ne pouvait être elle, là, debout, figée, insensible, ou bien ce n'était pas Christian dans cette boîte si solidement close. Un malentendu résidait quelque part. Bientôt, sans doute, on le découvrirait, tout s'éclairerait, on oublierait le cauchemar.

Et ces fleurs qui étaient arrivées puis reparties ? Toutes ces cartes ! Des petits tas sur chaque meuble. Les rassembler ? Pourquoi ? Pour remercier ? Remercier qui ? De quoi ? Oh ! qu'on la laisse tranquille !

Elle entendait des sonneries, des conversations étouffées dans les pièces voisines ; dans le couloir, tout un remue-ménage. Personne, néanmoins, ne se risquait à enfreindre la consigne. Pas de souci sur ce point, elle était bien seule ; même la vieille Marie-Louise ne quittait plus la cuisine. Alain avait osé parler de s'installer là. Devant le mutisme d'Elisabeth, lui aussi s'en était allé. Sur la pointe des pieds. Pour une fois il perdait de son assurance.

Assise dans un fauteuil, Elisabeth regardait fixement un journal déplié, posé sur ses genoux. D'autres feuilles jonchaient le sol, avec des cartes et des enveloppes... Encore des cartes !

Epeler des phrases incompréhensibles, toujours les mêmes, qui se terminent par « Condoléances émues ». Emues, elle savait, mais condoléances... elle ne connaissait pas le mot.

A présent, on l'ennuyait. Des comprimés. Pourquoi des comprimés ? Pour dormir ? Au reste, pourquoi ne pas dormir ? Elle prendrait ces comprimés, elle le promettait. Si fatigant de discuter... Plutôt se soumettre. Et obtenir la paix !

Elle regarde ses mains immobiles, toutes blanches, posées sur ce fond noir. Elle porte une robe noire et fermée, d'étoffe rugueuse. Pourquoi ? Christian accepte le noir seulement pour les robes du soir, bruissantes et décolletées. Autrement, elle doit être vêtue de clair, il le lui dit toujours : jamais de noir dans la journée ! Elle le sait bien pourtant ! A propos, d'où vient cette robe qui sûrement ne lui appartient pas ? Elle flotte dans ce sac trop grand pour elle... Tout cela a si peu d'importance... Pourquoi s'attacher à des détails ?

Cette grosse montre à son poignet ? C'est la montre de Christian ! Un chronomètre. En or. Elle se souvient de l'horloger qui la lui a vendue, car, bien sûr, c'est elle qui a offert à Christian cet instrument précieux. Elle revoit la scène, l'étonnement, la joie, la fête. Mais pourquoi aujourd'hui à son bras ce chronomètre ? Pour dormir ! Mesurer le temps, pourquoi ? Le temps n'existe plus pour elle ! Les heures, c'est déjà long. S'il fallait s'occuper encore des minutes, des secondes. Qu'a-t-elle à s'inquiéter ? Tout cela ne la concerne plus. Elle est hors du temps. Les autres, ces fantômes qui s'agitent autour d'elle, devraient bien le savoir.

Elle est couchée maintenant. Des verres d'eau, des cachets, toujours des cachets... Qu'on lui en donne des tubes entiers et qu'on ne la harcèle plus. Elle fera tout ce qu'ils voudront mais qu'ils partent ! C'est tout ce qu'elle désire. Etre seule, immobile, se reposer. Si elle se repose vraiment, elle finira bien par secouer toutes ces chaînes et retrouver Christian.

Séparation... Qui parle de séparation ?... Une telle injustice est impossible ! Des limites à la souffrance ?... Oui, certainement. On ne coupe pas un être vivant en deux. Une moitié d'homme... une moitié de femme... Dans quel sens ? A mourir de rire... Mourir... Pourquoi mourir ? Quel est ce mot ? Encore un mot qu'elle ne connaît pas... dont le sens lui échappe. Y a-t-il ainsi des mots vides, creux ? Des onomatopées... Elle épelle O.N.O... et s'endort enfin.

De ce septième étage, Geneviève dominait la ville.

Au premier plan, des immeubles gris et vétustes, une coupole, un mur de brique. Plus loin, deux tours gothiques coupaient l'horizon. Plus loin encore, sur un toit plat où poussaient quelques herbes perdues, un gros tuyau brun, tordu, figurait un animal des temps préhistoriques. D'autres toits, d'ardoise ceux-là, réparés à l'aide de quelques tuiles rouges formant une reprise grotesque, choquaient son goût de l'ordre, de la méthode, du travail honnête.

Aux confins de la ville, des gratte-ciel de verre et de métal lançaient leurs silhouettes provocantes qui changeaient de couleur suivant les heures du jour. Le soir, ils s'éclairaient tels de monumentales lanternes dont l'armature disparaissait ; seule la lumière subsistait comme suspendue dans l'air. Décevants sous le soleil, ils devenaient dans la nuit d'une irréalité plaisante.

Existaient aussi les enseignes qu'elle déchiffrait à l'envers. Au début, elles représentaient de vrais rébus, à présent c'était une tricherie seulement de feindre l'effort, car toutes les lettres, dans les deux sens, lui étaient devenues familières. Elle savait aussi, pour celles qui, tour à tour, s'allumaient et s'éteignaient dans le soir, le temps qu'elles mettaient à réapparaître. Trente secondes, vingt secondes, jamais d'erreur dans la mécanique. Si elle se penchait à son balcon, la rue à ses pieds déroulait son flot ininterrompu. Des mouches, des cancrelats, parfois un insecte coloré, c'était cela les humains. Un panneau coupait le fond d'une impasse : « Clinique du Vêtement ». Comme si les vêtements étaient assimilables aux hommes ! On voyait vraiment de tout à notre époque ! Elle raisonnait à présent comme sa concierge : « de nos jours, etc. » Et pourquoi pas, après tout ? Quelles étaient ces superstitions bizarres ?... Sur les classes, l'intelligence, le jugement ou la naïveté.

Depuis trois jours, Geneviève regardait ce paysage de pierre, cherchant à fixer son attention, à imaginer les milliers d'existences qu'il abritait — la fortune des uns, l'infortune des autres. La veille, un souverain passait. Des drapeaux surgirent, bigarrés, joyeux. Et puis tout retomba dans la grisaille suintante des grandes villes. Etre là, seule, dans une capitale étrangère, quelle dérision !

C'est le jour de son départ pour la montagne que tout en un instant avait basculé. Geneviève rentrait chez elle et s'apprêtait, après quelques achats, à boucler ses derniers bagages. Que de temps elle avait mis à choisir ce pull-over ! Du temps gagné sur le malheur, pensait-elle à présent. Elle avait parfois de ces presciences pour retarder la catastrophe ou du moins sa connaissance. Que n'eût-elle acheté deux, trois, dix vêtements !

Comme chaque soir, elle avait pris les journaux

au même kiosque, échangeant quelques propos avec le vieil homme qu'elle nommait « le journaliste ». Un ami de longue date, celui-là. Encore dans l'ascenseur, elle avait déposé ses paquets et, d'un geste machinal, déplié l'une des feuilles.

La cabine arrêtée un instant plus tard, elle n'eut pas l'idée d'ouvrir la porte, elle était comme paralysée. Un locataire appuya sur le bouton de rappel et vit redescendre ce spectre. Elle se ressaisit, esquissa un sourire, remonta avec lui et gagna son appartement.

Assise sur un tabouret, une fois encore elle relisait le texte se demandant si elle était le jouet d'une illusion... d'un cauchemar. Un entrefilet annonçait, en retraçant sa carrière brillante, la mort du docteur Lamblain « bien connu de nos lecteurs par sa chronique hebdomadaire, toujours très appréciée ». La rédaction du journal présentait ses condoléances émues à Mme Lamblain. Geneviève était restée là, assise sur son tabouret, les paquets épars autour d'elle, se refusant à admettre l'événement. L'heure du train était passée. Au demeurant, elle ne pouvait plus partir pour ce village sinistre où sûrement les nuages s'amoncelaient... ni rester à Paris devant des valises, décidait-elle un peu plus tard. Elle était donc partie pour une autre ville. Elle espérait qu'il y ferait moins noir qu'à la campagne et qu'elle serait tout de même ailleurs.

Cela durait depuis trois jours ! Elle dormait,

buvait, mangeait, selon un rythme à elle qui n'avait rien à voir avec celui des autres clients. C'est un des bienfaits des grands hôtels : on ne s'y étonne de rien. Pour surprendre, il faut vraiment faire bonne mesure : une ivresse criarde, un suicide... Ce n'était pas son cas, elle prenait juste ce qu'il fallait de somnifère, de café, de whisky. Juste ce qu'il fallait pour subsister, en attendant de prendre une décision. Prendre une décision ? En fonction de quoi ? De qui ? Serge ? Allons donc ! N'allait-elle pas jusqu'à le mépriser parfois ? Elle savait bien pourtant que les êtres ne correspondent jamais aux archétypes difficilement égalables que nous créons. Seuls notre imagination, notre refus d'accepter la vie telle qu'elle est engendrent notre déception.

Au début de sa liaison avec Serge, Geneviève évitait de penser à la vie qu'il menait loin d'elle. Elle préférait supposer qu'il n'existait plus, afin de ne pas alimenter une imagination si vite torturante et impossible à refréner. Ne rien savoir sur des obligations anodines qui en englobaient d'autres, souvent nocives à ses yeux. Absent, Serge s'abolissait. Peu à peu, pourtant, elle s'était attachée à lui, plus qu'elle ne l'eut souhaité. Des exigences étaient nées... Ainsi tournait-elle en rond dans ses souvenirs. Mais cela ne l'aidait en rien.

Le soir du quatrième jour, au bar de l'hôtel où Geneviève descendait pour la première fois, n'osant plus faire monter d'alcool dans sa chambre, un homme la regarda longuement. Elle vit dans ces yeux bleus plus de pitié que de désir : inconsciemment, elle sourit. Il se leva et vint s'asseoir près d'elle. Il semblait doux, timide, et il portait deux alliances, ce qui la rassura. Un bon veuf, sans doute. Cela lui plut, car elle n'avait jamais compris que les sentiments ne fussent pas éternels.

Ils parlèrent. Chacun de son chagrin. Christian devenait dans le récit de Geneviève un amant merveilleux ; il disparaissait au moment où il était sur le point de l'épouser ; elle avait mis longtemps, il est vrai, à se décider, s'entendait-elle préciser. L'homme approuvait, compatissant ; elle poursuivait son récit, inventait des détails dont elle ne comprenait pas l'origine.

Elle aurait pu parler ainsi toute la nuit. En remontant dans sa chambre, deux heures plus tard, elle s'interrogeait sur le sens de cette transposition étrange. Le lendemain matin, elle reprenait le premier train pour Paris.

Il revenait des obsèques.
Tout ce chagrin, toute cette douleur étalés, ces larmes auxquelles il se refusait à mêler les siennes lui donnaient la nausée. On pouvait être certain à présent que Christian était aimé. Bien sûr, il le

méritait. Mais pourquoi cette notion intervient-elle toujours ? L'amour, l'amitié que l'on suscite ne doivent pas être une question de mérite. Il suffit d'être aimé pour ce que l'on est. Christian était aimé pour ce qu'il était. Qu'il en fût digne ou non devenait une idée accessoire.

Si Remi était mort, qui serait venu à son enterrement ? Ses filles, par correction et en pensant déjà à la visite au notaire ; quelques clients aussi, des relations d'affaires et sa secrétaire. Ce serait elle, sans doute, la plus émue. Un homme avec lequel on vit huit heures par jour depuis tant d'années, il est naturel de le regretter ! Toutefois, elle s'inquiéterait sans doute très vite, s'interrogeant avec anxiété : comment serait le nouveau patron ? Pour elle, une existence différente commencerait... Des habitudes à contracter pour se plier aux manies d'un inconnu. Ce serait là sa vraie préoccupation. Parfois, elle aurait une pensée pour l'absent, voire un regret si le successeur se montrait plus exigeant.

Mais, pour l'heure, Remi était là et n'était-il pas préférable d'être encore un vivant mal aimé qu'un mort regretté ?

Remi ne voulait pas poursuivre un raisonnement qui l'eût entraîné à se poser des questions, à réfléchir sur un sujet si éprouvant... auquel il ne pouvait donner de réponse. Le sens de la vie ? Il détestait les explications fondamentales, bonnes pour les intellectuels désœuvrés. Intellectuel... lui aussi, évidemment ! Il suffisait de jeter un regard sur sa bibliothèque, sur ses éditions rares, pour en être convaincu. Et ses longues soirées consacrées à la lecture ! Il n'en demeurait pas moins un homme efficace, redoutant le vague à l'âme qui survient immanquablement après ces sortes de divagations.

Bon, ses obsèques à lui ne ressembleraient pas à celles de Christian. Et alors ? Quelle importance ? Il ne pouvait rien attendre des autres, ne l'avait-il pas toujours su, accepté ? C'est bien normal si l'on conserve certaines exigences, certaines formes de rigueur et de refus. N'empêche qu'il n'avait jamais assisté à une cérémonie pareille... Un tel manque de retenue ! Elisabeth semblait absente, anesthésiée et comme au-delà de la douleur. Il irait lui rendre visite dans un jour ou deux. Elle était au courant à présent de leur sorte de liens familiaux. Somme toute, il était le beau-frère de cette dame en deuil.

Il se répétait le texte de l'entrefilet qui l'avait laissé vaincu, « la mort du docteur Lamblain, bien connu de nos lecteurs par sa chronique hebdomadaire, toujours très appréciée. La rédaction, etc. » Christian avait déserté ! C'était incroyable ! Abandonner ainsi sa tâche ! Si l'on ne peut poursuivre une entreprise, déjà bien discutable, alors on se tient tranquille, on évite de jouer les apprentis-sorciers. Il est des cas où il faut toujours pouvoir répondre « présent ». Remi reprocherait-il à

Christian de n'être pas immortel ? Non, ce serait entrer dans son jeu et il n'y songeait pas. Toutefois, le devoir bien compris... commandait de disparaître seulement après les autres, tel un loyal serviteur, le travail achevé.

Elisabeth... Il en revenait toujours à elle. Tout n'allait pas si bien entre Christian et son épouse. La discrétion de la jeune femme, lors de leur dernier entretien, l'impliquait. Et puis, n'avait-il pas cru l'entrevoir chez Mme Hélène ? L'entrevoir ? Non... mais c'était bien sa voix qu'il avait entendue, il pourrait le jurer. Invraisemblable ?... Et pourtant... Il l'avait entendue, c'était une certitude. Il était trop tard pour éclaircir ce mystère... Ou trop tôt. Il avait interrogé Mme Hélène :

— Oh ! une vieille amie à moi !
— Une si vieille dame ?
— Enfin de mon âge...

Mensonge... la voix était celle d'une femme jeune. Sur ce point, aucune erreur possible. Et si Mme Hélène se voyait obligée de mentir aussi maladroitement... Allons ! Peut-être en saurait-il davantage un jour ! Et puis, Elisabeth, ce n'était pas si important. C'était plutôt son sort à lui qui devait le préoccuper.

Ce n'était pas possible ! Tant de méchanceté, de cruauté ! Non, il ne pouvait l'admettre. Et pourtant...

Jacques croyait en Dieu autrefois, puis, infidèle un temps à cet amour de jeunesse, il venait d'être repris par lui. Une sorte de conversion nouvelle, subite, peu auparavant. Mais aujourd'hui, ces lignes qui le visaient comme un coup tiré à bout portant remettaient tout en question : « La mort du docteur Lamblain, bien connu de nos lecteurs par sa chronique hebdomadaire, toujours très appréciée (tiens ! jamais lue). La rédaction présente ses condoléances émues à Mme Lamblain. »

Jacques Bernis aussi, évidemment, présentait ses condoléances émues. Et après ? Ainsi, trois lignes suffisaient ! Et c'en était fini ! Terminé, pour Christian et pour certains de ceux qui l'entouraient. Croire en Dieu après cela...

Pauvre Elisabeth ! Que lui dire ? Que lui apporteraient des condoléances ? Celles de Jacques, comme les autres... Christian... Elisabeth... Il ne les voyait que rarement. Autant dire jamais. Néanmoins, le couple comptait pour lui et conservait dans sa vie une place privilégiée. Un repère et une sorte de recours suprême quand tout allait vraiment trop mal. Destins parallèles mais jamais imbriqués. Parfois l'une des routes s'incurvait de manière imprévue pour croiser l'autre — oh ! juste un instant. On croit aussitôt... Mais non... c'en est fini ; déjà les chemins divergent. On espère, avec celui-ci une amitié, avec celle-là davantage peut-être. Très vite, on doit se résigner. Exclu, toujours exclu. Il s'agit d'un sort. D'un sort que l'on doit accepter avec sérénité. C'est là le plus difficile. Maîtriser une révolte latente... Une forme d'entraînement auquel s'exercer ; cela vaut une autre gymnastique. Se vaincre soi-même... excellent. Vingt-cinq ans de vie en marge... l'habitude était prise.

Peu de temps auparavant, Christian venait de repousser Jacques une nouvelle fois. Cependant quel effort cela avait représenté d'aller consulter ce médecin autrefois ami. Psychanalyste... sans doute, mais il n'avait pas compris... ou feint de ne pas comprendre, ce qui est pire. Jacques avait hésité trois mois avant de téléphoner pour demander un rendez-vous. Pour être éconduit... comme un quémandeur. Et puis, soudain, cette secrétaire qui téléphonait, le convoquant deux jours plus tard... parce qu'un autre se décommandait. Il avait accepté tout cela... pour rien. Econduit une seconde fois, là-bas, tel un fâcheux. Tant de difficultés pour tenter de s'expliquer, de décrire ce que l'on n'a jamais décrit. Et entendre Christian indifférent conclure : « Lorsque tu te seras décidé, je t'adresserai à un confrère... Mais non, ne proteste pas, tu n'es pas décidé... Ce n'est pas si aisé que tu sembles l'imaginer. Il s'agit d'un acte d'importance. Il est nécessaire de réfléchir avant, pour ne pas devoir interrompre le traitement sur un coup de tête, ce qui est pire que tout... Crois-moi... Que je te prenne en charge ? C'est impossible, voyons, nous nous connaissons trop. »

Se connaître trop ! Bernis et Lamblain ! Une dérision ! Pourtant, une fois encore, il s'était résigné. Le moyen de faire autrement ? Et, justement, il avait pris son temps, pesant le pour et le contre. A présent, il était décidé et voici que l'autre l'abandonnait ! Jacques serait retourné le voir, il aurait trouvé les mots convaincants. Mais non... Trop tard... Le sort s'acharnait sur lui ! Comme toujours !

Autrefois, Christian certainement l'enviait. Comment eût-il pu en être autrement ? Bernis revoyait ce garçon pauvre, mal vêtu, propre à l'excès et toujours penché sur ses livres, des livres de classe, bien entendu, car il n'en lisait point d'autres. Lui-même, au contraire, était un jeune homme cultivé. Il achetait tant de volumes ! Les lire ? Une autre affaire ! Néanmoins, les posséder indiquait déjà un choix, un goût déterminé. Il devait s'avouer que généralement il s'en tenait là.

Et puis, ce premier cabriolet rouge... Il se voyait encore invitant Chritian qui, sûrement, n'était jamais monté dans une telle voiture, mais il ne semblait guère s'en apercevoir. Si loin de ces sortes de préoccupations... Il n'avait vu dans cette invitation qu'un moyen de rentrer chez lui plus rapidement.

— Veux-tu faire un tour ?
— Oh ! non... Si cela te dérange de me reconduire, je peux prendre le métro...

C'était bien là les mots que Christian avait prononcés et Jacques ressentait encore la blessure.

Une autre fois, Jacques avait cherché à éblouir son ami, l'invitant pour une semaine dans le château — pas très authentique — que ses parents venaient juste d'acquérir. Valet, chauffeur, Christian paraissait à l'aise dans ce luxe. Aucune hésitation, aucune gaucherie ne permettaient de déceler en lui le manque d'habitude ; un comportement presque désinvolte. Jacques avait dû renoncer à étonner ce condisciple bourru. Et puis ils s'étaient perdus de vue. Néanmoins, Bernis suivait de loin la carrière de Lamblain ; peu à peu, le mépris initial du lycéen riche avait laissé place à l'admiration... et, bien plus tard, à une envie qui s'était à son tour transformée en ce désir d'être protégé... pour en arriver à cet appel au secours.

Juste à ce moment, Christian disparaissait, l'abandonnait ; qu'allait-il devenir ? Impossible de terminer sa vie dans ce désert. Ni hommes ni femmes, rien. Consentir l'effort de tout raconter, ce que l'on ne s'avoue même pas à soi-même... Pour rien. Une telle prise de conscience rendait ensuite l'existence difficile après l'habile camouflage auquel on est si bien habitué. Vis-à-vis de lui-même, Bernis connaissait toutes les rouperies pour vivre sans trop de dommage, et même parfois bien confortablement. Chaque point douloureux était repéré, habilement circonscrit. Mais à présent tout était remis en question. Il savait bien cependant que personne n'est irremplaçable et après tout Christian ne s'était pas montré à son égard si fraternel... N'empêche... Jacques n'était pas préparé à cette nouvelle épreuve. Pas prêt davantage à végéter dans de telles conditions.

Quel égoïsme ! Il était répugnant, tout simplement ! Que représentait son tourment à lui auprès du chagrin d'Elisabeth ? Il n'aimait pas penser à celle qui symbolisait pour lui un échec important. Pourtant, comme il admirait autrefois cette fille mystérieuse et sauvage. Avant Christian, il avait su l'apprécier. Et alors ? Quel intérêt puisqu'il n'était pas parvenu, lui, à la conquérir. Un jour, lasse sans doute, elle s'était laissée aller jusqu'à le suivre. Seulement peut-être pour lui démontrer que rien n'était possible. Et depuis, les rares fois où il l'avait rencontrée, elle semblait le narguer. Pourquoi ? L'humilié c'était bien Jacques et non cette femme épanouie à laquelle tout réussissait. Lui tenait-elle rigueur de cette domination d'un instant qui avait fait entrer ce corps royal dans un lit d'hôtel de passes ? Lui en voulait-elle de ce qu'il l'eût laissé sortir indemne ? Qui eût pu le savoir ? Depuis tant d'années, il se posait la question car il n'avait jamais oublié la rage, le désespoir qui s'étaient emparés de lui alors, rage et désespoir qui renaissaient dès qu'il pensait à cet après-midi-là.

Il détestait Elisabeth... Il détestait Christian. Il détestait son père, cause de tout le mal. Un père qui croyait comprendre son fils ! Jacques détestait aussi celle qui avait été un moment son épouse. Comme toute cette haine était lourde à porter. Comme il eût souhaité aimer, se dévouer. Mais il eût fallu un autre entourage. Pas de chance !... C'était bien cela... il n'avait jamais eu de chance. Qui oserait le démentir ? Tout conspirait contre lui. Et cela depuis l'enfance. Impossible de le nier. Il connaît bien les phrases de ceux qui réussissent : « La chance se mérite, le bonheur est une décision... » mais il existe tout de même les faits, les attaques toujours répétées dont on est la victime. Bref, son cas à lui ! Si les jeunes garçons l'attirent violemment qu'y peut-il ? Et s'il refuse de succomber, comment le lui reprocher ?

Il sait à présent que seul Christian serait parvenu à mettre fin à ses tourments. Avoir supporté l'humiliation d'une longue confession, et... tout ce chemin une fois parcouru, le guide disparaissait. Comment nier, après cela, l'acharnement du sort ? Il y faudrait de la mauvaise foi.

Revoir Elisabeth ?... Pourquoi ?... Que lui dire ?... Des mots banals. Comme ceux que chacun prononce. Il ne pouvait prétendre à autre chose. Sans doute avait-elle oublié ?... Pour l'heure, certainement elle ne devait guère évoquer ces sortes d'images. Qu'avait représenté pour elle cette journée d'autrefois ? Il tournait en rond. Une victoire sur un partenaire, une fois démontrée son impuissance, ou bien, pour elle aussi, s'agissait-il d'une

L'AUTRE PERSONNE 341

humiliation ? Après tout, plus excitante, plus habile... Elle ne pouvait pas imaginer les causes... Lui, ne saurait jamais. Au demeurant, à quoi bon élucider ? Quelle importance ? Des tortures inutiles qui ne débouchent sur rien.

Dix jours... Dormi dix jours. Si on ne le lui avait pas dit, elle ne l'aurait jamais su. Dix journées écoulées. Bien. Mais il restait les autres, toutes les autres ! Ranger, classer, signer, cela dure un temps. Immédiatement se remettre au travail, c'est là l'essentiel. Juste « avant », on venait de lui proposer un poste d'assistante. Pas encore donné de réponse, elle devait en parler à Christian.

Peu à peu, chaque jour, des faits émergeaient. Eh bien ! ce poste, elle l'accepterait. Des heures occupées, autant de gagné. Le travail... un alibi ! Autrefois, il s'agissait d'une compensation pour accéder à une fausse liberté, fuir les vraies responsabilités. Aujourd'hui comme hier, un alibi commode... Dans un cas, prétendre exister, dans l'autre, oublier, tuer le temps. Oh ! pourvu qu'on lui donne beaucoup de copies à corriger ! De longues soirées devant un bureau surchargé, c'est encore ce qu'elle peut espérer de meilleur ! Tuer le temps... Le suicide, ce serait trop facile. Elle vivra, c'est décidé. Pour devenir enfin elle-même, celle qui, débarrassée de ses scories, eût satisfait Christian, elle retrouvera une ardeur oubliée. Et puis, elle devra s'appliquer à le connaître enfin à travers ses écrits. Il lui faudra dépouiller toutes ses notes, déchiffrer ses travaux. Pour lui rendre hommage et se montrer digne de lui, il n'est pas trop de toute une existence de labeur et de concentration.

Quant à ceux qui désiraient lui rendre visite, elle verrait peu à peu. Tous ces appels, quel manque de discrétion ! Des camarades de lycée, qui se disaient des amies, surgissaient... des mouches sur un cadavre. Il existe chez certains êtres un désir temporaire de dévouement, mêlé de curiosité. Le malheur des autres, c'est enfin quelque chose qui arrive. La vie est parfois si vide. Qui parlait de la distraire ? La distraire... quelle absurdité ! Comme si elle pouvait être distraite, oublier, ne fût-ce qu'un instant ! Non, elle ne recevrait personne. Seulement, les deux médecins qui, au chevet de Christian, avaient montré un tel dévouement. De ces visages inquiets, elle ne gardait nul souvenir, mais elle savait que, durant tous ces jours de sommeil, ils avaient été présents une fois encore. Après Christian, Elisabeth ! Quelle épreuve ! Avec eux, elle pourrait parler du patron, de l'hôpital, du service. Christian en blouse demeurait pour elle un inconnu.

Remi téléphonait souvent. Pour prendre des nouvelles simplement. Peut-être, plus tard, pourrait-elle le recevoir, mais, pour l'heure, elle n'était pas prête, pas assez sûre d'elle-même pour assumer un comportement convenable face à celui qui n'était tout de même qu'un étranger. Quant à Alain, il lui faisait horreur. La croisière, le chantage... ces jours redoutables se confondaient dans son esprit. Pour lui, sûrement, elle ne serait jamais prête. Sans doute, devant cette porte close, ne s'obstinerait-il pas. Il avait écrit une longue lettre jouant des souvenirs et de la tendresse sur un mauvais air. Déchirées à peine parcourues, ces pages l'inquiétaient encore. « Un frère et une sœur pourquoi ne pas vivre ensemble... Un appui dans la vie... » Soudain, il comprenait et devant le malheur devenait responsable... « Oublier le passé... Oh ! il mûrissait... » Non, il pourrissait plutôt.

De Mme Hélène, Elisabeth avait reçu une longue lettre affectueuse, mais qui se terminait en la priant de ne pas répondre, de ne pas venir la voir. La vieille dame « restait bien près d'Elisabeth par la pensée. Davantage serait inutile ». Ainsi la vie continuait, la vie de tout le monde. C'était bien cela le plus surprenant.

Il existait aussi tous ceux qui ignoraient Lamblain, tous ceux qui un moment s'étaient montrés attentifs au chagrin d'Elisabeth, et puis les autres, qu'un geste mondain, quelques lignes par exemple, n'engageait pas, enfin ceux pour lesquels l'enterrement n'avait représenté qu'un rendez-vous à décommander, un dérangement vain. Sûrement, certains, à l'église, regardaient l'heure. Ne pas arriver en retard à un déjeuner mis sur le même plan que la mort, qu'une vie brisée... Une seule mesure pour l'infini et le néant. C'était dans l'ordre.

Elle-même autrefois... Elle se revoyait dans une église, cherchant à défiler à la sacristie le plus vite possible. Comme les autres ! Oui, comme les autres ! Et pourquoi eût-elle été différente ? Sensible, elle s'apitoyait un instant, imaginant la douleur... Un instant, peut-on demander plus ? Que deviendrait-on si l'on assumait les malheurs des autres ? Pas sain... Il faut un certain détachement. C'est ce qu'on dit. Mais il est inutile de recommander l'indifférence, l'égoïsme de chacun suffit.

— Si ému, Elisabeth...
— Oui, Remi, je suis là et j'ai honte d'être là, mais aussi, ce n'est plus tout à fait moi... Une partie de l'ancienne Elisabeth est partie avec lui.
— Que peut-on pour vous ?
— Rien, évidemment ; mieux que personne vous le savez.
— On est toujours seul... oui.
— C'est ce que l'on croit avant. Mais après on comprend qu'avant ce n'était pas vrai.
— Pauvre Elisabeth...
— J'apprends aujourd'hui à le connaître, à le

comprendre. Tout ce qu'on me dit de lui... ses élèves, les infirmières... Non seulement je l'ai perdu depuis qu'il n'est plus, mais auparavant déjà... Je ne savais pas apprécier ma chance, mon bonheur. J'étais avare... de louanges, d'amiration. Je le critiquais. Plus même... Oh, comme je me sens coupable ! Je suis passée les yeux bandés à côté du bonheur. J'étais heureuse, certes, mais pas comme il le fallait. Egoïste, je revendiquais, alors qu'il s'agissait d'un culte à rendre. Je pensais à moi, à ma carrière, quelle dérision !

— Elisabeth, je crois qu'il n'eût pas aimé du tout cette servante que vous inventez. Pourquoi ce ton ? Des regrets... oui ; pas des remords. Lui semblait très heureux, il vous aimait, vous admirait telle que vous étiez ! Souvenez-vous de sa gaieté, de son entrain ! Souvenez-vous de lui, je vous en prie ! C'est le trahir que d'imaginer, aujourd'hui, un héros ou un saint. Gardez sa présence vivante, pas une autre présence.

— Remi, ni vous ni moi ne le connaissions vraiment. Il se mettait à notre portée et nous le croyions à notre mesure.

— Elisabeth ! Christian était un homme — votre mari.

— Oui... et je l'ai perdu... sans même l'avoir connu. C'est maintenant que je l'aime comme il convient.

— Etes-vous si certaine qu'il eût apprécié cet amour-là ?

— Que voulez-vous me démontrer ?

— Rien. Elisabeth... rien. Il faut bien que vous souffriez mais d'une douleur calme. Ne vous accablez pas ! Victime, oui, bourreau de vous-même, non.

— Il me reste heureusement toute une vie à lui consacrer. Il a laissé tant de travaux. Je pense à ces écrivains qui utilisent jusqu'à leur moindre note. De ces avares, pour lesquels tout ce qui vient de leur personne est d'un prix inestimable, on en trouve dans toutes les professions. Lui, au contraire, dispersait, donnait une idée à l'un, écrivait un brouillon pour l'autre. Il semait avec générosité. Alors, voyez-vous, moi, j'essaie de rassembler tout cela.

— Elisabeth, ne vous laissez pas aller à une construction absurde. Il aimait une femme libre.

— Oh ! la liberté...

— Puis-je revenir vous voir ?

— Mais oui.

— Vous dînerez avec moi ?

— Plus tard peut-être...

— Elisabeth, il faut me considérer comme un ami... Davantage même.

— Bien sûr.

Et Remi s'en allait, un peu plus voûté qu'à l'ordinaire. « Méconnaissable cette fille. Après tout, son mari, peut-être l'aimait-elle... Mais non ! »

Il se sentait tout désemparé.

« Ainsi Elisabeth découvre le drame, la solitude, le remords. Elle se veut autre et ce, pour refaire l'histoire — ou plutôt l'inventer. »

De tout cela, Remi ne devait pas se mêler. Cela ne le concernait en rien. Pourquoi se répéter ainsi une telle évidence ? Il n'allait pas comme Christian...

Il y eut d'autres visites, des silences lourds qui s'installaient. Elisabeth parlait de son travail, du temps qu'elle ne voulait jamais garder libre et toujours de Christian, comme d'un juge qui eût présidé à chacune des rencontres.

Remi proposait une sortie, un dîner.

— Plus tard...

Il laissait passer quelques jours et puis il téléphonait à nouveau. Rendez-vous pris, il revenait une fois encore. Jamais il n'était question du tableau ni des liens qui unissaient Remi au disparu. Elisabeth semblait avoir oublié et l'intimité d'un jour et les confidences. Remi comprenait ces démarches d'un esprit torturé, mais il cherchait à détourner Elisabeth de la voie sur laquelle elle s'engageait, inventant un amour qui sûrement n'avait pas existé et que Remi, en tout cas, niait.

Geneviève retrouvait une capitale vide, sans même le recours du travail puisqu'elle était en vacances.

Serge, en voyage d'affaires, devait rentrer une

semaine plus tard. Au demeurant, quel secours Serge lui eût-il apporté ? Il ne comprendrait pas pareil désarroi. Durant quelques jours peut-être, s'il voyait Geneviève triste, redoublerait-il d'attentions et puis la vie — telle qu'il la concevait — reprendrait son cours.

Eh bien ! il n'en serait pas ainsi ! Elle venait de le décider et elle se sentait forte. Ayant perdu l'essentiel, elle entendait parachever l'œuvre du destin et ne pas garder de miettes de bonheur, ni même de petites joies. Christian l'avait abandonnée, elle romprait donc avec Serge ! Cet être futile perdait brusquement toute consistance, Christian n'étant plus là pour l'épauler. Christian qui, par sa solidité, avait permis à l'autre d'exister. Ainsi, elle serait seule, définitivement seule, comme il s'imposait. Geneviève tenait la mort de son médecin pour une trahison. Avoir rompu le contrat qui les liait l'un à l'autre ! Oubliant que, déjà, ils ne se voyaient plus, elle se croyait encore des droits sur cet homme qu'elle payait autrefois pour qu'il l'écoutât — et cher la minute ! Voilà soudain qu'il se refusait à elle. Mais il lui était indispensable ! Sans cet appui, qu'allait-elle devenir ? Abandonnée de tous, livrée aux premiers venus... Aux premiers venus ? Elle était folle de penser à cela. Néanmoins tout pouvait arriver...

Dans ce désert elle vécut quatre jours. Et puis Serge téléphona. Il venait de débarquer à Marseille et annonçait son retour pour le surlendemain. Il l'appelait à tout hasard : ayant téléphoné à l'hôtel de montagne, on lui avait répondu que Geneviève n'était pas arrivée. Tiens, c'est vrai, elle avait même oublié de prévenir pour annuler la réservation.

— Seulement après-demain ?

Il parut surpris.

— Oui...

— Ne puis-je venir te retrouver ?

— A Marseille ?

Il marqua une légère hésitation mais poursuivit aussitôt :

— Quelle bonne idée ! je n'aurais jamais osé te le demander.

— Je serai là ce soir. Ne t'inquiète pas si tu es retenu, j'attendrai tranquillement ton retour. Tu trouveras un mot chez le portier indiquant le numéro de ma chambre.

Jamais, lorsqu'elle croyait l'aimer, elle ne se serait permis une telle fantaisie, laissé aller à une telle audace, mais à présent que tout était perdu... Et puis ne s'agissait-il pas de lui annoncer leur rupture ? C'était Geneviève à présent qui prenait les décisions, menait le jeu, et Serge ne devait pas vivre un jour de plus dans l'erreur, bénéficier d'une seule heure supplémentaire de mensonge.

Fiévreusement, elle préparait son sac de

voyage. Ah ! non, Christian n'avait pas le droit de mourir. Aucun homme ne pouvait se mesurer à lui. Il disparaissait ! On le lui ravissait ! C'était une atteinte à son bien, à sa personne. Lui mort, elle n'existait plus.

Geneviève, en robe de chambre, était étendue sur une chaise longue. Avant onze heures, Serge frappait trois petits coups bien rythmés, signal secret entre eux depuis le premier jour.

— Si tu savais, chérie, comme je les ai bousculés ces malheureux. Ils n'y comprenaient rien. Je crois qu'ils prévoyaient quelque virée de garçons. Mais tu imagines ! Moi, je pensais sans cesse à toi qui étais là, tout près...

— Je t'avais dit de ne pas t'inquiéter... que j'attendrais.

— Mais moi je ne voulais plus attendre.

Visiblement, il ne sentait pas le décalage entre le ton de Geneviève et le sien, ou bien, il ne voulait pas s'en apercevoir, certain par sa seule présence de transformer le cours de pensées hostiles. Tout se passait comme elle l'avait prévu. Il n'entendait rien... Selon son habitude, lorsque les événements ne lui convenaient pas. Sagesse ? Cynisme ? Geneviève n'en déciderait pas à l'instant. Cela dit, elle devait bien reconnaître qu'il était charmant et il devenait très difficile auprès de lui de demeurer triste ou même simplement sérieuse, grave. Serge agissait sur Geneviève comme l'alcool — et que l'alcool changeât son humeur l'avait toujours humiliée. En face de Serge, ce n'était pas exactement de l'humiliation qu'elle ressentait, elle déplorait seulement qu'il l'appréciât pour ce qu'elle n'était pas — ou si peu. C'était une autre à laquelle il était, en vérité, attaché, une sorte de femme idéale : intelligente, indépendante, lucide, et soumise. La vraie Geneviève, il l'ignorait et ne souciait pas qu'il en fût autrement.

— Serge, je viens pour te parler.
— On parlera plus tard... Rien de grave, je pense.
— Si... justement.
— Moi qui suis si heureux de te retrouver. Tu ne vas pas encore tout gâcher.
— Pourquoi encore ?
— Oh ! Geneviève, ça va ! Allons, viens...
Il l'entraînait par les épaules.
— Je te dis non.
Serge semblait excédé. Il s'assit.
— Bon, je t'écoute, parle !
Il jeta ostensiblement un regard sur sa montre. Geneviève se taisait.
— Eh bien ! parle... maintenant que tu m'as fait asseoir. Tu sais, j'ai sommeil. Je ne vais pas passer la nuit là.
— Tu étais plus aimable tout à l'heure.
— Evidemment.. mais tu as l'art de tout gâcher. J'arrive, près de toi, heureux...

— Serge... le docteur Lamblain est mort.

— Ma pauvre chérie, c'était donc cela ! C'est vrai. J'ai appris la nouvelle. Je voulais t'en parler et puis la joie de te retrouver... Oui, quand j'ai lu, j'ai bien pensé que ce serait un coup pour toi. Tu l'aimais bien...

— Oui, je l'aimais bien, comme tu dis.

— Mais en ce qui te concerne, ce n'est pas grave... Ton traitement était terminé ou à peu près. Tu vas bien maintenant... non ? Tu ne penses tout de même pas à reprendre avec un autre ?

— Non, je ne pense pas... en effet.

— C'est mieux, tu as raison. Tu connais mon opinion : toutes ces histoires, je n'y crois pas tellement. C'était bon quand tu étais seule. Maintenant, je suis là. Allons, viens un peu près de moi. Cela fait longtemps que...

— Non, Serge.

— Enfin qu'est-ce qui se passe ?

— Il se passe... cette mort.

— Oui, nous venons d'en parler... Mais quel rapport avec toi et moi ? Nous sommes vivants nous... Au moins il me semble.

Il sourit.

— Toi, oui.

— Et toi ?

— Moi, à peine... Serge, nous ne nous comprenons plus...

Geneviève poursuivit d'une voix mieux timbrée.

— Je crois préférable de nous séparer.

— Quelle est cette lubie ? Ne plus se comprendre... Je t'assure que je te comprends très bien.
— Non, Serge, crois-moi, j'ai bien réfléchi.
— Et c'est pour m'annoncer cette nouvelle que tu as mis cette hâte à venir me retrouver ?
— Oui...
— Je me disais aussi... Donc, cela ne pouvait pas attendre mon retour ?
— Non... je ne voulais pas que tu vives dans l'erreur... je hais le mensonge.
— Oh ! tu sais, pour moi, toutes tes fariboles... Erreurs, mensonges... Cela dépend du point de vue. Tu manques un peu d'esprit philosophique. Je suis désolé de te le faire remarquer. Moi, que tu juges si vain...
— Serge... je ne te juge pas.
— Pour en revenir à nos affaires... je pense qu'une fois ta décision prise — je ne sais encore pour quelle raison, mais je trouverai sans doute —, tu as crains de ne pouvoir t'y tenir si tu ne me l'annonçais pas sur l'heure. C'est bien cela n'est-ce pas ?
— Crois ce que tu veux.
— Alors, ainsi, soudain, tu cesses de m'aimer ? Plus de lumière, aucun courant, on liquide le bonhomme ! Tu es folle, non ? Je veux bien jouer mais pas trop longtemps. Qu'ai-je fait après tout qui me condamne ?
— Mais... rien.
— Alors ?

— Je veux être seule.
— Pour pleurer ton docteur, peut-être ?
— Peut-être...

Serge prit les poignets de Geneviève et les rapprocha violemment.

— Il n'était pas ton amant au moins ?

Elle se contenta de hausser les épaules et il lâcha prise.

— Non, en effet, je ne crois pas.

Soudain, il paraissait las.

— Eh bien ! ce sera comme tu voudras... Moi j'étais heureux avec toi et je croyais en notre avenir... mais si tu en juges autrement...

Il se leva.

— Bonsoir Geneviève, tu peux encore réfléchir...

Il s'éloigna et, sans jeter un regard en arrière, ouvrit puis referma doucement la porte.

Et voilà ! Tout était consommé ! Dorénavant, elle serait seule. Définitivement.

Prendre l'avion du lendemain matin à sept heures, regagner Paris au plus tôt. Elle appela le portier afin qu'on la réveillât à cinq heures et demie.

Mais, sûrement, elle n'allait pas dormir.

Elisabeth s'en tenait à un mode de vie délibérément choisi. Le seul qui lui parût convenable. Elle voulait devenir celle que Christian eût aimée,

rencontres et de dialogues imprévisibles. Sa voiture même était lavée soigneusement. « Surtout ne pas donner une mauvaise impression. Nulle négligence. » Elle craignait un peu qu'on la prît pour une folle bien que ce mot n'eût pas cours dans le service.

Elle interrogeait, oh ! sans appuyer. Et, peu à peu, un homme nouveau sortait de l'ombre, courageux, inventif, autoritaire, exigeant, rude aussi, et parfois fatigué. C'était un caractère qui se révélait, mais naturellement elle n'apprenait aucun fait surprenant. Une vie claire, transparente, dont elle n'ignorait rien. Une jeune stagiaire était tombée amoureuse... En vain ! Gentiment, Christian ne lui avait pas laissé d'espoir. Un seul secret dans cette existence : Remi. Lui-même s'était expliqué sur des relations qui eussent pu sembler étranges à la longue. Autrefois, en effet, Elisabeth posait des questions, tranchait, demandait des comptes. A présent, elle ressentait l'autorité de l'absent, cette autorité toujours méconnue jusqu'alors. Mais peut-on se révolter contre celui qui ne peut plus se défendre ? Et, au demeurant, elle n'y songeait pas. Elisabeth rêvait de docilité, d'extase, en ayant le sentiment de devenir enfin elle-même.

Christian, sans doute, pressentait tout cela, et, s'il ne lui avait apporté aucune aide, c'est qu'elle devait parcourir le chemin seule, en tâtonnant et à grand-peine. Rien ne peut nous venir du dehors, elle le comprenait aujourd'hui. Ce que les infir-

celle qu'il avait devinée sous la gangue, croyait-elle. Elle serait fidèle au mort ; fidèle au vivant, il était trop tard... Elle ne comprenait pas son comportement d'autrefois, ses révoltes, ses mensonges. Il s'agissait là d'un univers absurde où elle avait dû se mouvoir comme une aveugle. A présent, nul besoin d'être rassurée, elle avait tout perdu ; sa vie n'était plus qu'un grand vide, sans incident possible. Elle se retrouvait si peu, si mal, qu'elle aurait pu parler d'elle à la troisième personne — comme d'une étrangère. A quoi eût correspondu un « je » puisqu'elle était une autre depuis la mort de Christian ? Une autre personne !... Non, un objet plutôt, qu'aucune pensée, qu'aucun sen timent n'habitaient.

Seul recours, elle se rendait parfois à l'hôpita errait dans les couloirs, frappait discrètement à l porte de l'ancien bureau de Christian et, si s remplaçant (quelle expression !) était absent, el s'asseyait là, retrouvant l'ombre chérie plus volc tiers qu'au cimetière. Le cimetière, c'était un r mais elle ne pouvait imaginer son mari autrem que vivant, gai, combatif. Dans la terre... Im sible.

« Visiblement les collègues me prennent en puisqu'ils ne me chassent point », mais elle gnait d'abuser, de lasser et elle s'octroyait ment ces visites réconfortantes. Elle s'y prép longuement, prêtant attention à son vêtement, ginant un éventuel comportement en foncti

mières ou les collègues racontaient dessinait une image, mais l'important est de recréer l'autre en soi-même, de le voir du dedans. Là réside la communion, l'amour.

Christian mort devenait le centre de sa nouvelle existence. Chacun des événements qui relevait autrefois de sa seule décision était maintenant vécu en fonction de Christian. Ses goûts présidaient à tous les choix. Elle refusait les plats que Christian n'aimait pas. Porter les cheveux plus ou moins longs quelle importance ? Si, bien sûr... Christian eût préféré... Et elle se perdait en longues réflexions pour retrouver les méandres d'une pensée à jamais perdue.

Christian parlait peu. Ce ne sont pas les mêmes qui parlent et qui écoutent. Lui savait écouter. Autrefois, elle se plaignait : elle, il ne l'écoutait pas. En fait, il l'entendait fort bien, mais elle ne le savait pas.

Elisabeth comprenait à présent les silences de Christian. Elle retrouvait les vraies valeurs, abandonnant les mythes. Des mots tels que liberté, hasard, aventure, adultère, qu'elle parait jusqu'alors d'un romantisme désuet, la laissaient désemparée. La fantaisie se trouvait ailleurs. Elle découvrait des possibilités infinies dans cet amour qui se renouvelait sans cesse par la durée, se développait avec le temps, jouant de la variété dans l'identité. Tant de personnages différents en un seul homme, tant de sentiments contradictoires;

c'était là, comédie subtile, nourrie de secrets, d'abandons, de présence et d'absence. Tantôt on choisit une coupure franche entre la vie diurne et la vie nocturne, tantôt au contraire un savant entrelacs. Deux hommes, deux femmes coexistent... La vie à deux, c'est cela aussi. De l'univers de la nuit, on peut ne jamais parler, feignant de croire qu'il s'agit d'autres personnages que l'on ignore à dessein... pas très fréquentables en vérité. Ou bien on peut s'assurer d'une complicité hasardeuse au sein du travail ou des jeux, complicité qui semble indiquer : « J'ai l'air sage, sérieuse, compétente, mais toi seul sais que je puis aussi être folle, violente ; de ces deux femmes laquelle est la vraie ? Toutes les deux, bien sûr, mais les autres n'en connaissent qu'une. »

Etre tour à tour des amants, des camarades, appuyer la force de l'un sur la faiblesse de l'autre dans un habile système de balance, protéger, être protégée, c'est cela un couple. Un couple ? Une rencontre exceptionnelle qui seule permet une vision en relief. La solitude ne donne de la vie que deux dimensions. Pour aller au-delà de l'amour, le temps ne doit pas être mesuré, la vie, c'est déjà si court... Elisabeth retrouvait la signification profonde du monde où nous vivons. Rien n'est jamais défini, les jeux ne sont jamais faits. Cette certitude était venue avec la souffrance, avec le dégoût de sa vie passée. Elle souhaitait, pour expier, les voies les plus abruptes, méprisant la vanité de ses soucis anciens. Bien qu'elle soit devenue si étrangère à la femme qu'elle était autrefois, elle démontait ses mobiles et le faux mécanisme d'une pensée futile. C'est par le présent que le passé s'éclaire. Seule la discipline est féconde, car elle nous libère ; la contrainte vient de nos passions.

Elisabeth attendit un mois encore, tant l'affaire lui parut incroyable. Plus de doute cependant... Elle s'était décidée enfin à consulter un médecin. Eh ! oui, elle attendait un enfant ! Ressusciter Christian. Le rêve de l'homme réalisé ! Ces thèmes s'entrechoquaient dans son esprit. Ainsi, Christian absent, veillait-il encore sur Elisabeth. Dans la plaine morne de sa vie, il pouvait arriver quelque chose et quelle chose ! Elle, un fils ! (pas une seconde, elle ne pensa : une fille). Désormais Elisabeth et Christian, morts ou vivants, étaient liés à jamais par ce qui allait naître de leur amour. Un fils ! Elle ne pouvait y croire... Elle voyait déjà le jeune homme. Le père, une fois de plus, aurait été frustré d'un bonheur — et de son fait à elle. Trop tard... Elle avait tout compris trop tard. L'amour, la fidélité nécessaire, la maternité. Ce gâchis autour d'elle parce qu'il lui fallait procéder à de fausses expériences !

Mort trop tôt... Mais ne meurt-on pas toujours trop tôt puisqu'on meurt avant l'autre ? Christian avait laissé un peu de sa substance dans le corps d'Elisabeth. Entre le père et le fils une identité apparaissait ; elle les confondait presque dans les images qui surgissaient. Elle dirait à nouveau le même prénom et elle entendrait une réponse. Aussitôt elle s'inquiétait : « Ne serait-ce pas une trahison ? Un autre Christian ! Non, puisque ce serait bien le même sang qui coulerait dans cette réincarnation du mort. Il l'avait voulu ainsi, sinon... » Elle calculait, se souvenait très bien du soir où... et des conditions... et du grand souffle d'amour qui l'avait parcourue. Comme si elle eût deviné à l'instant même, puis oublié. La mémoire a de ces subtilités... Et ce n'est pas par hasard bien sûr.

Le premier informé fut Remi. Au sein de ce culte rendu à l'absence il s'établissait entre Elisabeth et lui d'étranges correspondances. Il était le seul à comprendre le pouvoir du souvenir, la nécessaire création d'une idole, la force tranquille que donnent les soirées passées auprès d'un portrait, les longues méditations. Néanmoins, il affectait de refuser une situation trop semblable à la sienne. Gardait-il vis-à-vis de Christian une rancune ? N'admettait-il pas qu'un autre fût l'objet d'un tel soin ? Voulait-il épargner à Elisabeth les longues marches de ce calvaire ? Il entrait, sans doute, de tout cela dans son souci de préserver son amie.

A la nouvelle, il ne réagit pas avec la joie attendue, mais il parut fort impressionné, choqué même. Et, surtout, il ne comprenait visiblement pas. Il écoutait Elisabeth lui exposer ses projets, frappé par cette vitalité nouvelle. L'acceptation radieuse d'un destin imprévu le surprenait. En vérité, elle allait « refaire » sa vie. Tout simplement ! Pas avec un homme, mais avec un enfant. Ce n'était pas de la joie mais une assurance calme. Christian décidait. Il n'était que d'obéir.

Elisabeth se voyait à nouveau confrontée avec un avenir qu'elle devrait organiser et assumer dans sa totalité. Depuis des semaines elle était seule. A présent, elle serait seule... mais pour quelqu'un. Elle aurait la charge de préserver une vie et d'amener un être à la plénitude. Ce serait tout différent ! Pour la première fois, elle connaîtrait une vraie responsabilité et vivrait pour un autre. Pour la première fois... puisque hélas ! elle n'avait pas compris plus tôt. Elle ne méritait pas cette seconde chance. Une existence nouvelle s'ouvrait devant elle. Christian avait choisi, elle devait donc accepter sans remords.

Nouvelle stupéfiante, en vérité ! Ce qui frappait avant tout Remi, c'était ce pouvoir, laissé au disparu, de changer encore le cours du monde, de surprendre, de réapparaître en quelque sorte, de décider du sort des autres — devenant maître de leur destin et sans qu'ils soient consultés. Décidément, Christian ne finirait pas de l'étonner. Agir, toujours agir ! Même absent, il intervenait encore. Il créait. Il donnait la vie. Ces mystères des corps déroutaient Remi. Il haïssait les mystères. Surtout ceux de la chair. Le sexe lui semblait quelque chose d'un peu scandaleux, toujours lié à l'érotisme, très loin en vérité de la pureté qu'il prêtait à l'enfance. Au demeurant, il n'aimait guère ces petits qui singent les adultes. Les bébés... il cherchait à oublier les modalités de leur venue au monde. Les causes devaient être toutes différentes de ce qu'on en disait... Une immense erreur très certainement dans l'interprétation des faits mal connus et qu'il n'acceptait pas. Une des multiples impostures parmi lesquelles nous survivons. Si mal, il est vrai.

Enfin, il devait bien l'admettre puisqu'on le lui affirmait, un enfant allait naître. Immédiatement, il se sentait responsable. Responsable de quoi ? D'une nuit d'amour d'un autre ? Et de quel autre ! Simplement absurde ! Ses propres difficultés représentaient déjà assez de tourments, sans se soucier maintenant du destin de ceux qui lui étaient étrangers... du destin de celui qui n'existait pas encore. Il n'allait tout de même pas s'encombrer d'une famille ! Il souriait à cette idée, comme devant un défi magistral et une superbe mystification. Et puis il se révoltait devant cet homme qui n'en finissait pas de mourir. Mais quand donc allait-il enfin disparaître ? Cesser ses activités malicieuses ? Sans cesse, il bousculait les pions, s'intégrant parmi les vivants, modifiant leur comportement. Et, maintenant, il propulsait un descendant. C'en était trop vraiment ! Plus que Remi n'en pouvait accepter. Il devait sortir de ce cercle infernal : le tableau, l'amitié, la mort, cette naissance...

Christian avait détruit l'existence calme de Remi. Démystifier la photographie c'était tuer sa raison de vivre. Que lui restait-il à présent ? Développer sa situation ?... Peut-être. Brûler le tableau ? Il serait temps au retour. Car il allait partir et il attendait beaucoup de ce dépaysement.

Et voilà ! Elle allait de nouveau au bureau, recommençait les mêmes gestes. Simplement, elle était sans espoir. Une roue dont le pivot a disparu ! La roue tourne, le pivot reste immobile mais on avance, tout est dans l'ordre. A présent, sans axe, plus rien n'avançait, c'était fini. Elle ne guérirait plus jamais. Cette vie gâchée, sa vie de femme ! Noël, Nadia, Christian mort deux fois, Serge ! Elle voyait de grandes étendues monotones, sans rien à l'horizon. Parfois surgissait l'image d'Elisabeth au détour d'une pensée. Souffrait-elle ? Non, sans doute... Pas comme Geneviève en tout cas. Une femme légère, n'ayant pas compris sa chance. Différente, Geneviève l'eût plainte, mais cette fille ne méritait pas sa compassion. A une autre, elle eût peut-être rendu visite. A Elisabeth, c'eût été folie de seulement y penser. La connaître un peu, lui parler... les êtres ne sont jamais aussi simples qu'il y paraît. Geneviève se posait des questions : Lamblain utilisait bien un livre de rendez-vous. Elisabeth le consultait certainement parfois. Comment, lors de la rencontre dans l'île, n'avait-elle pas fait le rapprochement ? Aucun tressaillement au nom d'Harbant, mais en vérité Serge le prononça-t-il même ce soir-là ? Elle ne se souvenait pas et jusqu'alors elle n'y avait pas songé. Elle revoyait le dîner... gai... sans contrainte — au moins de la part des autres. Certainement, Mme Lamblain n'avait jamais su...

Trois mois passèrent. Geneviève jouait avec l'idée de revoir Elisabeth, mais sans projets réels. L'île, la rencontre sur l'avenue déserte entraînaient des images, prétextes pour laisser libre cours à une imagination destructrice. Le même défilé harcelant de silhouettes reprenait... comme autrefois.

De Serge, aucune nouvelle. Vexé sans doute et certain que Geneviève reviendrait, il attendait. « Cette mort allait, le premier choc passé, la libérer d'une emprise absurde. » Voilà ce qu'il croyait. Pour lui, Elisabeth restait à peine un joli souvenir, sans heurt ni drame.

Volage, Serge, mais bon mari au fond. Bientôt il irait vers d'autres amours, Isabelle vers d'autres attentes. Ayant tout accepté, elle gagnerait : c'est près d'elle qu'il finirait ses jours. Serge, en vérité, préoccupait peu Geneviève... Elisabeth l'intéressait bien davantage.

Enfin, un soir, Geneviève se décida. Si simple de former un numéro. Curiosité ? Défi ?

— Madame Lamblain ?
— Oui, c'est moi.

Une voix douce, grave.

— Ici, Geneviève Harbant... Sans doute suis-je une inconnue pour vous, Madame ?
— En effet, je ne vois pas...
— Une ancienne malade du docteur Lamblain... J'aurais dû vous écrire... Je voulais vous dire ma peine... et que je comprenais et partageais la vôtre, mais je n'ai pas osé vous importuner. Je sais quel homme était votre mari... Je n'oublierai jamais sa bonté attentive, efficace.

Elisabeth semblait touchée ; la conversation se poursuivait. Au bout d'un moment, Elisabeth proposa ce que Geneviève attendait. Rendez-vous fut pris pour trois jours plus tard. Ainsi, une fois encore, elle obtenait ce qu'elle désirait. Pour alimenter son chagrin ? Bah ! on verrait bien ! Quelques heures d'attente, et ensuite ?... Cette visite n'était pas si importante et Geneviève resterait maîtresse du jeu.

Geneviève entra. Stupéfaite, elle se demanda s'il ne s'agissait pas là d'une erreur. Elle gardait le souvenir d'une femme grande, mince, aux cheveux bouclés. Devant elle, se levait, pour l'accueillir, une femme lourde, aux cheveux tirés en arrière. Une madone remplaçait l'éphèbe. Geneviève mit un instant avant de comprendre qu'Elisabeth était enceinte. Aussitôt, elle ne put s'empêcher de calculer les dates... Des comptes à l'envers. Non, de ce côté-là, tout allait bien. Heureusement encore ! Les phrases banales qu'elle s'entendait prononcer, gauche, hésitante, la déconcertaient. Une idée s'imposait qui expliquait cette gêne : que faisait-elle là ? Qui l'avait conduite dans ce salon ? Elle n'avait rien à dire à cette dame, victime comme elle. Elle réfléchissait. Ce n'était guère le moment ! « Si je n'avais pas connu cette première cassure avec Lamblain, souffrirais-je autant de sa mort aujourd'hui ? Peut-être... Non... car tout eût été plus net, plus propre. Il n'y aurait pas eu entre nous ce malentendu... irréparable aujourd'hui, et que cette femme qui se trouve devant moi — si différente à présent — a causé. » L'heure n'était pas à ces sortes de questions. Il restait à Geneviève toute une vie pour les résoudre. Elisabeth attendait. Attendait quoi ? Sans doute que Geneviève parlât. Deux minutes, peut-être trois s'écoulèrent qui parurent interminables aux deux femmes. Elisabeth devait tout de même être surprise par l'émotion de la visiteuse, toutefois, elle ne la reconnaissait pas, c'était une certitude. Il était sans doute loin de sa pensée qu'elle pût l'avoir déjà rencontrée. Même si ce visage ne lui

L'AUTRE PERSONNE

paraissait pas tout à fait inconnu, cela ne retenait aucunement son attention.

Geneviève, avant cet instant-là, aurait pu jurer n'avoir jamais pensé qu'Elisabeth ait pu garder aujourd'hui encore le souvenir de celle qui était devenue sa victime. A présent seulement et pour la première fois elle se disait : « Tiens, elle ne me reconnaît pas ! C'est une chance. » Mais, si elle craignait ces réminiscences, pourquoi se trouver là, presque déçue de la défaillance de mémoire d'Elisabeth ? Geneviève serait-elle venue espérant rappeler à l'autre sa faute passée ? Elle n'y avait pas songé un instant. Elle en était tout à fait certaine ! Elle voulait revoir Elisabeth, sûre de n'être pas reconnue. C'était bien ce qu'elle croyait. La revoir pourquoi ? Elle ne savait pas très bien... Ces fluctuations de pensée la surprenaient tout à coup. Elle se voyait comme un haut meuble à tiroirs. Oui, mille tiroirs se trouvaient en elle, chacun rigoureusement clos.

La conversation s'étirait. Un quart d'heure... Vingt minutes. C'était Geneviève qui s'était levée. Elisabeth, visiblement indifférente, ne la retenait pas.

— Je vous remercie, Madame, d'être venue me voir. Je suis très touchée.

Et Geneviève allait s'en aller ainsi, laissant l'autre à son chagrin paisible et à son bonheur futur auprès d'un enfant. Un enfant de Christian... C'était trop injuste... Geneviève hésita, elle pouvait encore parler, faire du mal. Puis, ce fut comme si Christian la poussait par le bras vers la porte. Elle prit congé — la rage au cœur.

De retour chez elle, elle réfléchissait. Pourquoi cette visite ? Pourquoi cette tentation imprévue ? Pourquoi, surtout, n'avoir pas succombé ? La mauvaise foi bien sûr et puis la force de Christian qui la dominait encore : « Mais non, vous n'êtes pas une mauvaise femme, vous auriez des remords. » Elle l'entendait...

En effet, elle se sentait mieux. Peut-être d'avoir résisté à cet appel. Pour la première fois depuis longtemps, elle venait de surmonter quelque chose en elle. Oui, en quittant doucement Elisabeth sur quelques paroles apaisantes. De ce qu'elle n'était pas loin de considérer comme une bonne action, elle se voyait plus forte. Il n'était peut-être que de continuer dans cette voie pour que tout allât mieux. Une voie tracée par Lamblain.

Allait-elle s'en tirer toute seule ? Enfin, avec son aide parfois. Il le fallait, elle le lui devait. Elle se savait soudain prête pour l'effort.

Ce soir-là Geneviève dîna de bon appétit. C'est seulement en se déshabillant qu'elle murmura, agacée : « Ainsi, même mort, il tire encore les ficelles, et moi, bien sûr, pauvre chose, j'obéis. »

Il venait quand même de téléphoner. Par pitié ?... C'était ce qu'il croyait.

Une voix de femme avait répondu : Madame

était fatiguée. On ne lui passait pas les communications. Il avait aussitôt raccroché, sans décliner son identité, ce qui lui permettrait d'appeler un autre jour et surtout de ne pas attendre d'Elisabeth une réaction bien problématique. N'ayant pas donné son nom, cette minute n'existait pas, il pouvait, à son gré, oublier sa démarche, ou, au contraire, la renouveler sans inconvénient.

Depuis la disparition de Lamblain, l'existence de Bernis se trouvait profondément modifiée. Cela lui paraissait absurde, inexplicable ; mais il se trouvait sans pouvoir sur des pensées qu'il ne choisissait pas. C'était un peu comme s'il vivait à travers cet ami longtemps oublié, réapparu quelques mois plus tôt pour devenir, au moins dans l'esprit de Jacques, un sauveteur.

A présent, il cherchait à reporter sur Elisabeth le pouvoir de Christian. Il allait certainement au-devant des pires déconvenues ! Comment eût-il pu en être autrement ? Souvent il saisissait le téléphone, puis s'éloignait, ou bien il formait deux ou trois des sept chiffres nécessaires et raccrochait. Enfin, un soir, il composa le numéro tout entier. Elisabeth elle-même répondit. Aussitôt, désarçonné, ayant préparé une phrase pour la femme de chambre, il raccrocha. Ce ne fut que le lendemain qu'il se risqua, mais cette fois il entendit une voix inconnue. On le priait de ne pas quitter, on allait s'enquérir ; peu après, une voix lasse lui parvint.

— Mais oui, bien sûr, Jacques. Un peu plus tard... Je me sens encore très fatiguée... Ah ! vous l'aviez vu récemment ?... Non, je ne savais pas. Il était si discret pour tout ce qui touchait à sa profession... Moi ? Je ne vois pas très bien comment je pourrais vous aider. Très ignorante en ces matières... Enfin comme vous voudrez... Mais je suis toujours libre... Oui, je travaille chez moi ; alors m'interrompre à un moment ou à un autre. Venez maintenant si vous voulez... Oui, c'est cela, dans une heure.

Comme c'était facile ! Il suffisait de vouloir et d'insister. Mais que voulait-il ? Il ne le savait pas et il s'affolait tout à coup. Il n'avait rien à dire à Elisabeth et, néanmoins, pour ce rien, il n'était pas prêt.

D'abord changer de costume ; un vêtement sombre lui paraissait plus convenable, avec une chemise blanche évidemment. Une caravate rouge ? Noire ? Il eut été absurde tout de même de se mettre en deuil. Mais le rouge était un peu libre. Bleu, oui, c'était dans le ton. Il mettrait une cravate bleue. Aurait-il le temps d'aller chez le coiffeur ? Il passa la main sur une nuque qu'il eût souhaité lisse et jeta un regard sur ses mains aux doigts épais.

Oui, il aurait le temps, s'il se bousculait un peu...

Avec cinq minutes de retard, il sonnait à la porte d'Elisabeth... Pourquoi cette inquiétude ? Il s'agissait d'une visite de courtoisie et non d'un rendez-vous d'affaires. Naturellement, il sentait ses mains moites — comme toujours lorsqu'il était ému. Et, certainement, il allait bégayer. Mais aussi, pourquoi être venu ? S'infliger une telle corvée ! Une grande glace, sur le palier, réfléchissait une image. Une image qu'il n'aime pas. Ce poussin qui se déplume... Ce visage boursouflé où les rides s'inscrivent trop aisément... Il entendait des pas. Elisabeth allait pleurer, peut-être ? Quelle contenance prendre alors ? Enfin, plus moyen de se dérober ! Il aurait dû penser à tout cela plus tôt !

Une secrétaire ouvrait la porte. Tiens, elle était encore là ! Peut-être restait-elle par pitié pour la femme de son ancien patron, ce qui n'augurait rien de bon de l'état où il allait trouver Elisabeth.

On le faisait entrer au salon.

— Bonjour Jacques, venez chez moi, nous serons mieux pour bavarder.

Elle s'avançait. Il ne l'avait pas entendu entrer.

Elle prononçait des mots simples, des mots de tous les jours. Sans doute, l'eût-elle moins surpris en s'exprimant en vers... Ainsi, une veuve, c'était donc cela ! Une femme demandant du thé... Pourquoi pas après tout ? Rien là de bien scandaleux. Il lui trouvait une démarche alourdie, un peu majestueuse, qui ne coïncidait pas avec le souvenir qu'il avait gardé. Le temps passait... Pour elle aussi sans doute. Qu'espérait-il donc ?

Le bureau était surchargé de feuillets épars. Cela justifiait sans doute la présence de la secrétaire. Mais de quoi se préoccupait-il ?...

Elisabeth le regardait gentiment.

— Vous aviez vu Christian récemment ?... Oh ! il allait bien... Tout cela fut si brutal... Chaque jour qui passe rend la chose plus invraisemblable... inacceptable. Ainsi, mon pauvre Jacques, il devait vous prendre en charge et vous êtes désemparé ?

— Désemparé... Oui... Mais il ne m'avait pas encore donné son accord... Oh ! je l'aurais bien persuadé. Il avait parlé d'un confrère...

— Sans doute, parce que vous connaissant trop, il jugeait cela préférable.

— Croyez-vous ?

— Et vous venez me demander l'adresse de quelqu'un ?

— Pas exactement...

— Si, vous devez suivre ses conseils. Il jugeait si bien des vraies nécessités.

— C'est-à-dire...

— Croyez-moi, vous devez lui faire confiance.

— Voyez-vous, Elisabeth, je suis si malheureux.

— Nous sommes tous malheureux ! Et lorsque nous sommes heureux, nous ne le savons pas. C'est après seulement que l'on comprend ce que l'on a perdu.

On apportait le thé.

Jacques était prêt à tout expliquer. Une longue confession. Elisabeth le sentait sans doute.

— Il ne faut rien me dire... Moi je ne suis pas compétente. Prenez votre thé, Jacques, et puis j'appellerai Mlle Tipard. Elle vous donnera l'adresse de quelqu'un de très bien.

Soudain inquiète :

— Il n'avait pas prononcé un nom ? Cherchez à vous souvenir. Non ? Vous êtes certain ? Tant pis ! Mais je pense que cela ira tout de même.

— Elisabeth, c'est à vous que j'aimerais parler. Nous nous connaissons depuis si longtemps...

— Je ne veux rien entendre. Mademoiselle Tipard !...

Et déjà, elle se levait.

— J'espère que cela ira, mon pauvre ami.

Il n'avait même pas bu son thé.

Il voyait cette main tendue vers lui. C'était une main qui le poussait dehors... Econduit... Une fois encore. Que pouvait-il attendre de mieux ? Personne ne voulait de lui. Ni les malheureux ni les autres. Personne ! Il rebutait tout le monde. Les savants et les pauvres d'esprit. On ne lui apportait aucun secours et plus même, l'on refusait son obole. Il n'était rien.

Ah ! non, il ne verrait pas ce psychanalyste ! Pourquoi faire ? Il n'espérait plus rien. Un instant, Christian avait représenté le salut. Il le représentait toujours du reste, mais il n'était plus là. Ni pour Jacques ni pour personne.

Tant pis, il n'était que de continuer... jusqu'à la mort. Car lui aussi finirait bien par mourir. Attendre... avec patience. Avec patience ou sans, qu'importait ? Qui se souciait de lui ?

Ah ! son père lui avait fait un beau cadeau ! Lui donner la vie ! Et ensuite feindre de comprendre ses tourments. « J'ai connu les mêmes souffrances que toi.... » Allons donc ! Littérature ! Sans doute, le vieux monsieur avait-il jeté un jour un regard à la dérobée sur un jeune éphèbe... et s'était-il cru perdu. Ses parents ? Un couple exemplaire, mais son père avait le goût du péché. Il s'inventait des penchants... pour connaître ensuite la joie de les réprimer. Non, cela était sans mesure avec son drame à lui. Un instant il avait tenté sa chance... pour en sortir. Mais, Christian mort, tout espoir de salut disparaissait. Il n'était que d'en prendre conscience et d'accepter.

Remi passa trois mois aux Etats-Unis dont cinq semaines à New York. Il connaissait déjà cette ville fabuleuse, inhumaine, obsédante, insolite comme Venise. Ville sans monuments et sans ruines. Ville implacable. Ville sans mélancolie. Le temps n'y est pas respecté dans sa lenteur ni dans son travail majestueux.

Pour Remi, jusqu'alors, il ne s'agissait que de courts séjours à effectuer dans un monde hostile, séjours ne lui permettant guère de participer à la vie quotidienne des New-Yorkais. Cette fois il en allait tout autrement. Au début, il fut choqué surtout par le ton de camaraderie qui s'instaurait immédiatement entre les hommes dès qu'ils quittaient le bureau. Il eût souhaité plus de réserve, apprécié davantage une politesse plus formelle. Ensuite, il constata, après quelques soirées, que les relations établies dès le premier jour étaient déterminées définitivement. On ne pouvait aller plus avant ni progresser dans l'intimité. Rien à creuser derrière la façade car on n'eût trouvé que le vide.

Il évoquait soudain avec nostalgie ces provinces françaises où l'on doit vivre des années avant de commencer à être reconnu par une société toute concentrée sur elle-même. Il pensait même avec émotion à ces milieux où l'amitié naît seulement après que toutes les barrières de défiance, toutes les étapes d'une curiosité malveillante ont été tour à tour franchies. Etre accepté alors, quelle victoire ! Dans ce nouveau monde, au contraire, dès le premier jour, confiance, prénom, amitié, tout est déposé en un don gracieux et c'en est fini. **Pour toujours.**

En sa qualité de Français, Remi fut immédiatement recherché. On connaissait d'autre part sa situation dans les affaires, il n'inquiétait pas. Sa fortune rassurait ceux-là même que ses manières abruptes eussent pu troubler. En effet, dépenser un certain nombre de dollars autorise quelques fantaisies. Aux Etats-Unis également l'on rencontre de ces originaux à qui l'on pardonne tout.

Très vite, Remi eut, et presque sans le souhaiter, une aventure qui menaça de tourner à la liaison. Cela ne l'inquiétait guère puisqu'il allait repartir. La dame, belle, heureusement entreprenante, parlait d'amour et pensait mariage. Toutefois, il lui était nécessaire de s'adonner à la boisson pour s'accorder à elle-même le loisir de se livrer à ses moins secrets penchants. Elle feignait, le soir venu, l'irresponsabilité et la quasi-ivresse. Le lendemain, sa bonne conscience exigeait qu'elle eût tout oublié des incidents de la veille. Remi, auprès de cet animal dont la fausse complexité demeurait sans attrait, s'ennuya rapidement. Les Françaises s'auréolaient tout à coup pour lui d'un charme surprenant. Il oubliait qu'à Paris il haïssait toutes les femmes.

Il imaginait avoir laissé en France tout un réseau d'amitiés, tant la plus lointaine relation lui paraissait proche comparée à ces gars qui lui tapaient sur l'épaule. « Hello ! Remi... » Il détestait la formule et le ton, l'indiscrétion comme les fausses confidences. Il en venait même à détester ces dollars qui intervenaient sans cesse pour donner du poids à la conversation. Une sorte de pudeur vis-à-vis de l'argent le retenait. Pour lui, il fallait que la fortune demeurât un doux secret, une joie à garder pour soi seul et qui, de ce fait, devenait vraiment précieuse. Ici, au contraire, il s'agissait d'un bien dont on devait être fier. L'argent aussitôt gagné devait se traduire en un luxe visible et ostentatoire. Une nouvelle voiture, plus importante, plus rapide aussi, remplaçait l'ancienne. Pour aller plus vite... nulle part. Economiser le temps est un souci légitime, mais ensuite il faut se perdre en conjectures afin de savoir comment tuer ces heures rendues disponibles. Alcool, cartes, amours ?... L'absurde préside à ce mode de vie avec l'ennui qui en découle. Remi ne se laissait pas prendre à ce marché de dupe ! Et ces hommes qui se croyaient si forts ! Parce qu'ils étaient riches, tout leur semblait possible !

Remi trouvait là comme une caricature de ses propres exigences, une caricature cent fois grossie, dénaturée et il en prenait aussitôt le contrepied. Son rêve, confronté à la réalité des autres, perdait tout sens, toute mesure. Chaque jour, cette terre de pionniers le rebutait davantage. Parfois, il se surprenait à penser : « Christian aurait-il vu juste ? » Aussitôt, il réagissait et pour un moment ses voisins occasionnels lui paraissaient plus sympathiques.

Toutefois ces allées et venues de sentiments ne jouaient que sur la part de sa vie consacrée aux loisirs, aux relations, aux échanges humains, bref à tout ce qui n'était pas l'univers des affaires. Là, Remi ne trouvait que motifs de satisfaction, au moins jusqu'à un certain point, puisqu'il n'était pas prêt à tout sacrifier afin de développer lesdites affaires. En effet, dès les premiers contacts pris, il avait renoncé immédiatement à toute idée d'installation, même provisoire. Ce pays lui paraissait supportable seulement parce qu'il savait qu'il le quitterait bientôt. Pour le sol de France, il se sentait un attachement soudain. De brusques tendresses l'envahissaient pour tel paysage qu'il croyait oublié et il se découvrait une certaine complaisance pour des imperfections qu'il pensait jusqu'ici condamner. N'est-il pas plus humain de rencontrer un hôtelier débraillé, mais bon enfant, des retards dans les horaires, des fautes de frappe dans le courrier ? Quelque nonchalance ne lui semblait pas dépourvue de charme... Une grande vague d'indulgence passait. Il trouvait malsain de dîner à l'heure — surtout lorsque l'invitation commandait d'être là à dix-huit heures trente ! Les repas d'hommes lui paraissaient fastidieux et il jugeait inadmissible que des costumes « tout faits » fussent bien coupés. Les ascenseurs aussi allaient trop vite. Jamais l'écriteau « Arrêt momentané », si fréquemment apposé sur la porte de la cabine qui desservait l'immeuble où il était né, ne lui avait paru aussi spirituel. Bref, après quelques semaines, il ne restait, pour Remi, que des critiques à formuler ! Après quatre mois, il lui restait, de surplus, un nombre imposant de dollars gagnés au cours du séjour. Mais cet argent amassé le laissait indifférent. Alors pourquoi être venu ? Il ne comprenait plus... Il haïssait l'illusion dans laquelle ce peuple vivait, illusion de liberté, illusion de pouvoir. Remi en venait à se demander s'il pouvait exister un bon usage de l'argent... L'argent qui suscite des guerres... L'argent qui conduit à toutes les licences... L'argent arrogant... Non, en vérité, il n'existait pas de bon usage de l'argent. Un vieux fétiche, une servitude... L'ennui, la solitude, la méfiance traînent avec la fortune. On finit par se croire tenu de rencontrer seulement ceux qui adorent le même dieu. Les autres, les pauvres, on les évite par crainte d'être exploité. Vérité ou imagination, quelle différence ?... Existe-t-il des riches sages ? Oui, peut-être... néanmoins le démon vous possède toujours. Les crimes... combien en commet-on pour se procurer un peu de ce métal ? Les vrais métiers, les seuls dignes d'occuper un homme, sont mal rétribués... Christian... encore lui... Christian jugeait bien de ces choses. Il ne se laissait pas prendre au piège, il était libre. Remi avait-il seulement rencontré aux Etats-Unis un seul être libre ? Non. Tous passifs, conditionnés, obéissants à tous les courants d'opinion, ayant perdu jusqu'à la notion même de liberté, ainsi ne souffrent-ils pas de son absence. On croit choisir, désirer, mais d'autres agissent pour vous, sans qu'on en prenne conscience, et peuvent opérer sur les citoyens des réformes profondes, créer de nouveaux besoins, un mode de vie différent. On persuade, on surveille et le bonheur est garanti à la sortie. Inutile d'en prendre soi-même la charge.

Dès son retour, Remi retrouva ses préoccupations habituelles, apparaissant immédiatement telles des marionnettes sortant de leurs boîtes autour d'un cadran bien réglé.

Il s'enferma tout d'abord avec le tableau, dédaignant le volumineux courrier qui l'attendait. Une heure durant il contempla ce visage coloré. Peu à peu s'animait une femme nouvelle, plus conforme à ce que chacun attend de l'image maternelle. Remi s'habituait à ces contours harmonieux mais légèrement affaissés, à ce regard mélancolique et, lorsqu'il retrouva la photographie dans sa chambre, elle lui parut étrange, insolite. Cette femme si jeune... plus jeune que ses filles à lui, que ses petites-filles à elle... Remi se perdait dans les thèmes habituels : Christian détruisant le mythe, brisant le mirage... Christian vainqueur une fois encore, et le plongeant, lui, dans une réalité jusqu'alors rejetée. Et puis après ? Jolie victoire, en vérité... Abandonner Remi sur cette terre aride.

Réagir... Téléphoner à Elisabeth... Pourquoi pas ? Il l'entendit bientôt. Radieuse, elle attendait son enfant comme un ultime présent de Christian. Tout était préparé avec amour pour la venue de ce nouveau messie. Implicitement, Remi devait partager une joie si juste. Y pensait-il ? Il ne se l'avouait pas en tout cas et il refusait les attendrissements vains.

Le profil de Bernis surgissait soudain. Bernis... un instrument entre les mains d'un Lamblain trop fort. Rien d'autre, rien de plus. Remi, regrettait-il d'avoir entendu, sans même en prendre vraiment conscience, les propos de ce fantoche ? Non. Il ne se complaisait pas dans les regrets, il les savait trop proches du reniement. Remi acceptait provisoirement, sans l'analyser, le curieux hasard qui semblait avoir dirigé toutes ses initiatives depuis le soir où il s'était conduit si bizarrement. Trop tôt encore pour procéder au bilan... Il promenait son regard autour de lui. Etait-ce si réconfortant ? Quelle agitation pour oublier que l'aventure finit toujours mal ! Une existence réussie ? Allons donc ! Puisqu'on n'est pas immortel ! Les détails... toujours les détails pour s'étourdir, oublier et vivre seulement dans l'instant. Comme il se sentait loin des autres ! Qu'avait-il possédé ? Rien, puisqu'il n'avait jamais aimé... Une image... seulement une image ! Si l'on perd la notion du parfait, de l'infini, que reste-t-il ? Rien. Cela est vrai en Amérique comme en Russie, en Chine comme en France. On trouve seulement, selon le lieu où l'on s'établit, des modes d'oubli différents, mieux accordés aux hommes, aux climats, mais toujours au service des mortels.

Lucide, oui, il était lucide. C'est-à-dire, pour autrui, ennuyeux. Remi devenait quelqu'un à éviter à tout prix, c'est cela que devaient penser les distraits — ceux qui s'amusent. Pourquoi ne s'amuseraient-ils pas après tout ? La vie et le temps ne sont-ils pas irrémédiablement perdus ? Nous gaspillons notre bien le plus précieux... Mais le moyen qu'il en soit autrement ne nous est pas donné. Les civilisations, elles-mêmes... Inutile de faire le cuistre ! Retrouver une certaine vérité et le calme, sinon le bonheur. Victoire ou défaite ? On en décide toujours trop tôt.

Remi se remet au travail. La vie reprend une fois encore, banale, identique, avec toutefois comme un mince faisceau lumineux, brillant mais intermittent, une toute petite ligne qui coupe les heures mornes. Remi n'ose analyser la nature de cette lueur dans la nuit... Et pourtant... Il sait qu'il attend quelque chose... Sans doute quelque chose de celui qui va bientôt pousser son premier cri. Sûrement toute la vie de Remi s'en trouvera modifiée. Comment ? Pourquoi ? Imprévisible. Mais cette petite existence tient déjà une place dans ses pensées. Impossible de le nier. Pour l'enfant, Remi a des exigences.. Il lui léguerait volontiers sa fortune. Un bon tour à jouer à ses filles ! Il en rit déjà sous cape. Plaisir secondaire, certes, car ce n'est pas là son vrai mobile.

Ainsi, encore une fois, dans quelques années, un garçon sans père se posera les mêmes questions. Belle revanche à prendre sur Christian ! Revanche ? Prétexte pour ne pas s'avouer certains désirs du cœur... ceux de l'autre personne que chacun porte en soi.

Remi, seul, toujours seul, entouré de remparts

pour se protéger des autres, ajoute chaque jour une pierre à ce mur, ne se sentant jamais assez isolé. Enfin, le mur, d'être toujours rehaussé, finit un jour par s'écrouler. Remi découvre soudain ce monde qui l'effrayait. Il demeure surpris par les sourires et la bonhomie des uns et des autres. Sa propre agressivité n'est-elle pas la cause de tout le mal ? Faire confiance, c'est peut-être là que réside le secret. Qu'importe ! L'essentiel est ce jeune garçon qu'il imagine assuré, sérieux, marchant près de lui, du même pas, la main dans la main, levant vers lui des yeux interrogateurs. Remi l'initiera aux mystères du monde. Le miracle, l'absolu tant attendu, Remi allait peut-être l'entrevoir bientôt. L'homme saurait entendre l'enfant, qui lui dirait si la vie valait la peine... oui, c'est bien cela, si la vie valait la peine d'être vécue.

Les événements... Un prétexte. Le mal réside en nous qui voulons être aimés, voire critiqués, mais reconnus, respectés, considérés. C'est cela exister. Et l'imagination nous entraîne. L'imagination, cette faculté de percevoir ce qui échappe aux autres, ce qui se cache derrière l'apparence.

FIN

CET OUVRAGE A ÉTÉ IMPRIMÉ SUR
LES PRESSES DE L'IMPRIMERIE MOURRAL
POUR JULLIARD, ÉDITEUR A PARIS

N° d'Editeur : 3 812. — N° d'impression : 3 256.
Dépôt légal : 2ᵉ trimestre 1968.